EL VIAJE
INTERIOR

IVÁN THAYS

EL VIAJE INTERIOR

PEISA

Lima / Perú

El viaje interior

© 1999, Iván Thays

© 1999, PEISA

Promoción Editorial Inca S.A.

Av. Dos de Mayo 1285, San Isidro

Lima 27, Perú

ISBN: 9972-40-094-8

Diseño de carátula:

Eduardo Tokeshi

Composición y diagramación:

PEISA

Impresión:

Panamericana, Formas e Impresos S.A.

Bogotá, Colombia

El que habla de la Historia está siempre seguro.
En contra de él no se levantarán los muertos.

CZESLAW MILOSZ

En un amor, la mayoría busca una patria eterna. Otros, aunque muy pocos, un eterno viajar. Estos últimos son melancólicos que tienen que rehuir al contacto con la madre tierra. Buscan a quien mantenga alejados de ellos la melancolía de la patria. Y le guardan fidelidad. Los tratados medievales sobre los humores saben de la apetencia de largos viajes de este tipo de gente.

WALTER BENJAMIN

SEIS MESES CUMPLIDOS

El amor es una línea. Una sucesión de puntos trazados sobre el plano de la existencia. Imposible saber en qué punto empieza, en cuál termina, cómo independizar un segmento de otro si todo parece ser un único trazo continuo. Al azar, con los ojos cerrados, dejo caer el índice sobre un punto cualquiera de la línea. Cae en los seis meses cumplidos en Busardo. ¿Puede ser ése un comienzo? Es probable. En todo caso, al igual que todos los recuerdos, ése también era vago, cubierto por una inevitable neblina, sin contornos, con apenas un objeto sólido recortándose en medio de lo difuminado: el sol.

El tiempo, algo que suele suceder, se eleva sobre las ruinas de una ciudad desconocida pero amable, proyectándose como una sombra sobre el rostro de los turistas, de los expertos, de los arqueólogos, de los historiadores, de los curiosos. Aquí hubo una guerra. ¿Quién lo sabe?, ¿quién?, ¿quién lo recuerda?

El caballo, fantasma de batallas, bebe con molicie y se deja castigar por el sol que azota su lomo, más bien aburrido por la escena de los extranjeros que se desplazan de un lado a otro con cámaras fotográficas en la mano y *souvenirs* en los bolsos, rumiando historias mal leídas y peor contadas sobre lo que pasó aquí: la batalla de Busardo.

Todo es movimiento, pero algo no trajina, no se mueve: yo.

11

Bebo un martini (bebida pasada de moda, triste, anacrónica), como todos los días, pero no apago la sed sentado frente a una mesa bastante sucia. Algunas personas me rodean pero no cercan mi mesa. Son extranjeros, extraños, ajenos a la historia que cuento, que contaría, a lo que sucedió o sucederá. Ajenos al tiempo. Agustín —nombre poco usual en Busardo, un capricho de monjas andaluzas, nombre en un idioma que sólo yo sé pronunciar correctamente— me sirve otro martini en el bar Zeta. Agustín trabaja en el bar y ya me conoce. Todos en este pueblo de *souvenirs* y turistas me conocen. ¿Cómo saber cuándo deja uno de ser un extraño? No conozco el dialecto de la ciudad, aunque ellos lo emplean poco, e incluso algunos muchachos, como Agustín, no lo usan jamás. Tampoco bebo los tragos locales y ni siquiera el pastís importado que los del Zeta han adoptado como identidad. ¿Cuándo, entonces, dejé de ser extranjero en Busardo? ¿Cuándo, finalmente, deja alguien de ser un extraño? Quizá cuando ninguna persona voltea curiosa si se cruza con él en la calle, cuando ningún vecino intenta vencerlo con aquella mirada que vuelve objeto, cuando no hablan de él por la espalda mientras se retira ni intentan venderle chucherías en las calles. Chucherías que nadie compraría, o, si las comprara, jamás con la intención de hacerlo. Es decir, sólo el tiempo detenido en una ciudad, aldea o pueblo, rodeado de ruinas y turistas.

—Pero usted ya es de los nuestros —dice el dueño del bar, quien jamás usa conmigo el dialecto de la ciudad, mientras se invita a sentarse a mi mesa—. Ya es de aquí como el que más.

—Estoy orgulloso de eso —no mentí.

—¡Pues como para no estarlo! —agregó con buen humor—. Tierra de valientes, de héroes con sentido de grandeza y no de esos héroes de pacotilla de la actualidad, pacifistas de mantel largo, y, menos aún, de esos que se dicen héroes y no son nada más que mediocres asesinos mimados por la fortuna.

—Pero los vencedores hacen la historia —le recuerdo—. También esos héroes sin dignidad serán auténticos héroes algún día, en alguna historia, en algún libro, para alguna patria.

—No —replicó enfático—. Imposible. ¿Otra copa?

Fue otra copa y alguna más. El dueño del bar tenía rostro, tenía manos, tenía una eterna camisa blanca, tenía un gesto, sobre todo un gesto; pero no tenía nombre. La gente del pueblo lo llamaba Zeta por el nombre del bar, que a su vez era conocido así por nostalgia de los tiempos en que las casas de Busardo en vez de numeración tenían letras. Y aquel bar fue la última de la serie, el límite de ese mundo cerrado y perecible. De ese mundo que era un pasado, aunque muy pobre como para poder enfrentarse al soberbio Pasado, con mayúsculas, que representaban las ruinas históricas alzadas en el bosque a pocos metros del pueblo. El de Zeta y su bar era sólo un pasado de murmullos de viejos, de nostalgias sin interés.

—¿Sabe cuándo nos dimos cuenta de que usted era uno de los nuestros? —preguntó Zeta después de un largo trago de pastís.

—A decir verdad, en este mismo momento me lo estaba preguntando.

Zeta hizo un silencio dramático y luego un mutis de actor principal, desapareciendo por la puerta de servicio. Apareció luego, renovado, para el segundo acto de su obra, erguido ante el telón púrpura y oro del teatro que la tarde acababa de construir alrededor de nosotros para cobijar las palabras de Zeta, sus gestos y su actuación.

—Usted, tú, empezaste a ser de los nuestros desde el momento en que te vimos compartir el ocio con nosotros —dijo, atildando mal las palabras.

—¿El ocio?

—El ocio, muchacho, el ocio —me dio una palmada en la espalda—; el tirarse panza arriba después del trabajo, el venirse a tomar una copa sin horario, esa espera sin espera sentado ahí, en esa silla que ya es tu silla. O casi.

O casi, dijo. Un mutis final lo desapareció por ese día. Tras la función, la cortina del crepúsculo cayó perezosamente, esperando los aplausos. Con la noche me fui casi reptando hasta mi casa, el albergue que recién entonces podía considerar mi casa, auspiciado por el dueño del bar, por las no miradas de los habitantes del pueblo, por los ratos de ocio compartidos con amigos que no son mis amigos.

—¿Cenará usted, babik? —me preguntó la dueña del albergue al abrirme la puerta, dándome el trato local de "amigo".

-Esta noche no, hay muchos turistas —contesté, subrayando la palabra "turistas".

La dueña del albergue me dejó subir al cuarto sin insistir en la cena, decepcionada por mi desgano y preocupada como una madre por mi falta de apetito. Era una mujer típica de Busardo, como tantas otras, vestida de negro como una viuda, con el rostro oscurecido, los ojos brillantes y la nariz aguileña; con un perpetuo olor a aceite de oliva en los cabellos. Desde mi cuarto, tendido en mi cama, oía el desordenado jolgorio de los turistas en el comedor. Pensé en desnudarme. Dormir desnudo sin extrañar un roce, sin esperarlo. Las sábanas no albergarían otro cuerpo esa noche, mis sueños no me separarían de nadie, mi desnudez no sería ofensa ni tentación para nadie. Me desnudé frente a la ventana. Alguien podía mirarme, pero desde hacía meses nadie se interesaba en dirigir la mirada hacia mi cuarto. En el cielo, las estrellas eran extranjeras sin carnet de identidad al igual que yo, compañeras distraídas y silenciosas, casi cómplices, del exilio.

Llega el día. Otra vez el mar. Ruge. Otra vez el desfile de los turistas con sus cámaras fotográficas. Otra vez el tiempo como un sol en medio del cielo. Y el verdadero sol, aquel sol blanco de invierno, atravesado como una lanza en el vientre del día. Las ruinas parecen las mismas del día anterior, aunque toda la noche —como todas las noches— el viento estuvo desordenando y esparciendo el polvo que las cubre. De un bus repleto de turistas baja una mujer alta, de largas piernas y bonitas, con el pelo enredado casi sucio, brillante de rubio contra su palidez lunar. Camina con lentitud, contando sus pasos.

—Esa rubia de allá —señaló Agustín detrás de mí— es lo que llamo yo una mujer para caballo.

Agustín soltó una carcajada que intentó ser obscena. Disfrutaba de sus veinte años, de su cuerpo bronceado, del lampiño tablero del pecho, del éxito que tenía entre las turistas viejas y aristocráticas, de la indecencia de las generosas propinas que recibía de ellas. De su motocicleta costosa. También para Agustín soy del pueblo; lo descubro por la broma que acaba de compartir conmigo, por su manera de hablarme, por su gesto despreocupado cuando derrama el martini en mi copa, la primera del día, que me sirve a destajo. Veo simultáneamente a Agustín y a los turistas. No sé qué me parece más detestable: la exhibición morbosa de la adolescencia o la expresión blanda, entregada, de la recua de turistas. Doy un trago que paso sin saborear, con prisa.

—Se le ve más tranquilo, más amable —dice Zeta, acercándose a mí desde el fondo del bar, sin percatarse de mi pensamiento.

El pobre no alcanzaba a comprender que mi gentileza era el resultado de no esperar ya nada de nadie y de considerar que la mayoría de personas son estúpidas.

—Ni punto de comparación con aquella persona que eras cuando llegaste al pueblo hace varios meses —insistió.

¿Meses? Toda la vida.

—¿Acaso crees que nos quedaremos a vivir aquí toda la vida? —preguntó Kaas.

—Toda la vida si es necesario —contesté.

Sucedió hace tanto. En aquel momento de mi historia pasaba bajo mi ventana del hotel Normandía un caballo cargado con los aparejos y alimentos de un grupo de excursionistas y arqueólogos. Venían del mar. Seguían la vieja ruta de los héroes de Busardo desde el continen-

15

te vecino, a través del océano, desembarcando en la playa y caminando hacia el bosque tupido de árboles donde se escenificó la batalla. Mucho tiempo después, en el invierno sin Kaas, con seis meses cumplidos, sentado de cara al rostro ladino de Agustín que sirve a unos turistas, y de Zeta, que me mira relamiéndose su pastís, descubro que las cosas no han cambiado. El mismo caballo carga idénticos instrumentos y acompaña a los mismos tipos, aunque sean otros. Y es que todos son otros. Yo mismo soy otro. Sólo las ruinas son las mismas desde la época de las grandes acciones, de las decisiones importantes, de la gran batalla de Busardo. Las mismas a pesar del viento que esparce el polvo, un Dédalo persistente que aumenta giros, espirales y nuevas paredes a laberintos vacíos de minotauros o habitados por fantasmas.

Muchos, muchos fantasmas. Kaas, por ejemplo. Amé a una mujer llamada Kaas. ¿Qué puedo decir de ella? Cómplices durante el día, el sueño nos desarmaba. Arrojaba nuestros miembros y los confundía bajo las sábanas convertidas en lienzo mortuorio. Nos desconocíamos mientras dormíamos en esa tumba. No éramos entonces ni amantes ni hermanos ni parientes ni nos habíamos visto antes, aunque no podíamos diferenciar una tibia de otra, un músculo de otro, un aliento de otro. Kaas ya no está conmigo, pero en el recuerdo volvemos a unirnos, como si alguien nos volviese a presentar. El recuerdo nos devuelve a nosotros mismos, a nuestra historia en común que es inevitablemente la suma de nuestras propias historias. ¿Qué es Kaas en el recuerdo? Nada más que el nombre de algunas calles, la sensación de un lugar agradable, un movimiento guiado por la fuerza de la costumbre. Nada más que yo mismo.

Debo admitir que este cuarto de albergue sin Kaas parece una tumba. No la tumba de una persona (no ese patetismo) ni la del rebelde en medio del bosque Busardo (no ese heroísmo). Diríase más bien la tumba de Eco, el lugar de los murmullos, de las voces. Cada objeto del cuarto confabula contra mí, desatando mi manía de recordar. Cada objeto me espanta como me espantaría encontrar la piel de un fantasma entre mis cosas, en el cajón del velador. He aprendido a convivir con esa piel, con ese espectro cordial y casi amigable, un antónimo de aquellos que frecuentaban la oscuridad de mi cuarto cuando era niño. Demoré mucho en acostumbrarme a ese fantasma terrorífico de mi infancia para ahora tener que fantasear con uno que no sea temible. ¿Por qué hacerlo entonces? Por esta ciudad. Por Busardo. Porque Busardo me recuerda abusivamente a Kaas, pero no puedo ni sé dejarla. Porque uno se hace a la ciudad, se retrata en ella, aunque no sea nuestra de nacimiento. Y es que no es el hombre quien nace para una ciudad, sino la ciudad la que nace para cada hombre. Invento esta ciudad para mí con el mismo sentimiento de posesión y la misma necesidad con que Durrell se inventó Alejandría; Malcolm Lowry, México; o Stendhal, Sicilia. Recuerdo haber conocido hace un tiempo al escritor egipcio Edwar Al-Karrat. Era ya un hombre viejo, muy pequeño de estatura, pero con una sonrisa encabalgada y amplia, y grandes orejas por las que asomaban unos pelos afilados de anciano. Mucho menos elegante, posiblemente, que Cavafis (el poeta de Alejandría que parece ser también una invención de Durrell) pero con una amabilidad prodigiosa que sólo interrumpía para despotricar contra el novelista británico.

—¿Durrell? —preguntaba en voz alta, presumiblemente ofensiva—. Ese es un mistificador, un cretino que no sabe nada de nada. Hizo un garabato, un garabato y una bazofia de Alejandría.

Leopoldo y yo a duras penas podíamos evitar sonreír ante la ira del narrador. Leopoldo era un amigo mío, uno de los mejores, de los únicos en medio de tanta persona absurda, de tanto pretensioso sin talento, de tanto aburrido que no se tomaba nada en serio. Fue él quien me presentó al egipcio. Los tres almorzamos aquel día en un casi clandestino restaurante de Lisboa llamado El Azar Inmóvil, nombre que nos perturbó hasta el delirio mientras no nos acostumbramos a él, a su franca poesía, como quien se acostumbra a la belleza. Leopoldo era un coleccionista de estos encuentros: le fascinaba entrevistarse con

17

intelectuales, seguirles la pista con una pasión que lindaba con la idolatría. Pero era un fanático demasiado estricto y si descubría algo de falso o vacío en el personaje abandonaba la mesa sin cortesía ni caridad, atrabiliario. Casi siempre me hacía partícipe de sus hallazgos y reuniones. Después de todo, yo era el único amigo suyo que compartía la fascinación por los héroes, por los personajes históricos, por los intelectuales, aquel culto a los ídolos que es la religión de nuestro siglo. Pero a diferencia de mí, que era un clérigo secular de esa orden, Leopoldo lo era de claustro, un marcionita tan seguro de sí mismo que se atrevía a ser bautizado mucho antes de la agonía final. Se obligaba a vivir en el pasado, sin tranzas ni abdicaciones, y observaba aturdido y triste el devenir caótico del siglo XX. Aunque la calificación más exacta para su aturdimiento era la furia. La vorágine de librerías, con sus escaparates llenos de libros en modernas encuadernaciones, ofreciendo temas novísimos y de gran actualidad, lo indisponía exageradamente, y sólo podía reponerse cuando discurría sobre alguna novela como, por ejemplo, *Viaje sentimental* o *La lozana andaluza*. Nuestro huésped en Lisboa, Edwar Al-Karrat, no pareció entusiasmarlo pero lo divertía.

—Sin embargo, tengo entendido que Lawrence Durrell vivió un tiempo en Alejandría —dijo Leopoldo—. Supongo que algo podía decir acerca de la ciudad.

—¿Vivió ahí? —preguntó Al-Karrat como si acabara de enterarse—. Entonces peor aún, su novela es la novela de alguien que vio todo, oyó todo, anotó todo… y no entendió nada.

Aunque tuviese razón, yo sabía que aquellas críticas del egipcio sólo podían desilusionar al cándido lector que esperaba encontrarse con Justine en las callejas de la Rue Fuad o quizá hasta anhelaba hacerle el amor. Yo prefería admirar al Durrell que escribe, bella e injustamente: …*Alejandría es el más grande lagar del amor; escapan de él los enfermos, los solitarios, los profetas, es decir, todos los que han sido profundamente heridos en su sexo.* Una frase como ésa quizá traicione a la ciudad pero no a los sentimientos del autor, no a las personas que vivieron alrededor de él, que fueron tan importantes para él como para mí lo son Zeta, la dueña del albergue, Agustín, todos los que pasan, incluso sin saludarme, por la puerta del bar.

—Usted exagera, maestro —replicó Leopoldo.

El egipcio lo observó con suspicacia.

—¿Conoce usted Alejandría? —le preguntó.

Veo a Leopoldo sonreír. De inmediato inicia la redacción del primer párrafo de su propia novela-traición sobre Alejandría. Desde luego que conoce Alejandría. Leopoldo conoce todo el mundo. Ha visitado cada lugar que nombran los labios de sus héroes de la literatura y la historia. Porque, fuera del pasado, ningún otro lugar era la patria de Leopoldo, un desarraigado como yo, un perpetuo e insobornable nómada. Desde que era niño, por razones familiares, él vivía en América —donde nació—, pero sus vacaciones transcurrían en Europa y, según sus papeles, tenía ciudadanía italiana. Luego, ya mayor, no pudo sobrellevar esa especie de esquizofrenia de su doble nacionalidad y decidió radicar en Roma como sugerían sus documentos. Empezó ahí una serie de desvaríos y extravíos que lo llevó a conocer el mundo y a no ser parte de ningún lugar. No podía reconocerse en su idioma ni en sus documentos personales ni en sus apellidos que sólo representaban cierta coincidencia con un grupo de personas que vivía lejos y a quienes recordaba haber llamado tíos o primos durante su infancia como una concesión a sus padres. Una calvicie incipiente, esa aureola brumosa en el centro de su cabeza que resbalaba por los bordes de la frente, era el más estrecho y casi único vínculo con su pasado particular, su *pater familiae*, la herencia recibida. Leopoldo habitaba el pasado y recogía del mundo actual las huellas de éste viajando sin descanso, viviendo en hoteles y aeropuertos, redactando abultadísimos cuadernos de bitácora. Lo conocí en París y lo reencontré durante mi estadía en Lisboa, que fue medianamente larga y por eso duró más que la de él. En la despedida no pudimos intercambiar direcciones, pues nuestros destinos inmediatos aún eran una incógnita para nosotros mismos. Aún así, nos prometimos escribirnos a aquellas direcciones aún desconocidas, guiados por el destino.

—Las manos del destino serán nuestro correo —dijo Leopoldo, abrazándome unos minutos antes de abordar el avión—. Las manos del destino y el azar inmóvil, por supuesto.

Una carta suya que recibí cuando aún estaba en Lisboa me anunciaba que se había convertido en el narrador nacional más importante de su país: *Algo debe de 'estar podrido en Dinamarca' si tengo que ser yo su abanderado* se burló Leopoldo, sin ocultar el halago ni tampoco el escepticismo que le significaban su éxito. Yo, historiador inédito e impublicable, sentí que jamás la fama estuvo en tan buenas manos y redacté una carta felicitándolo. Nunca supe si llegó la correspondencia y perdí la pista de Leopoldo hasta que, al salir yo de Lisboa, la posibilidad de coger el hilo de Ariadna que me condujera hacia él se hizo inverosímil.

El hilo de Ariadna, el laberinto, la ciudad como laberinto. Edwar Al-Karrat sufría de espanto al ver cómo Leopoldo había transformado a su adorada ciudad en una cueva de rameras y delincuentes árabes. Yo reía mucho y disfrutaba del relato de asaltos, detectives y putas poco samaritanas que nos regalaba Leopoldo en aquella mesa de El Azar Inmóvil, asistiendo con mucho agrado al espectáculo de la construcción de una ciudad sobre una ciudad aún no destruida. Durrell, Lowry y también Cortázar, pienso ahora, hicieron aquello que improvisaba Leopoldo y que formaba parte de ese género tan incomprendido que es la novela-traición. El París de Cortázar, un París de amables *clochards* bajo el puente, de galerías de cielo cerrado y largos pasadizos, de bohemios que devoran el jazz y la filosofía de Occidente en buhardillas con calefacción; fagocitadores de la cultura de la entregada Ciudad Luz. Un París de Berthe Trepart y la Maga, aquella Justine despistada. Todo una infame mentira. Por lo visto no podemos sino traicionar a las ciudades que amamos, o a las que hemos amado, o en las que amamos o amaríamos.

Casi sin percibirlo, un día se cumplieron seis meses desde mi llegada a Busardo. Es curioso, pero no arbitrario, que tuviera tan presente aquel encuentro con Leopoldo, Al-Karrat y sobre todo el *Cuarteto de Alejandría* durante toda mi estadía en Busardo. Es una historia larga. Cuando terminé la secundaria en mi ciudad de nacimiento viajé a Londres para estudiar economía. Unos parientes me adoptaron con bondad y me protegieron de los posibles traumas de mi primera experiencia europea. Recibía las clases y leía los libros de economía en inglés sin ningún problema pues es un idioma que domino desde la primaria. Logré limar las asperezas de mi dejo y adquirí la entonación británica, imprescindible para el éxito en mis estudios. Hablaba en inglés con mis parientes y amigos, y de cada tres cartas que escribía a casa, sólo una estaba escrita en castellano, mi lengua natal. Pasado un año empecé a sentir cierta añoranza por mi familia, por mi país, por mi lenguaje. Añoranza que trataba de esquivar, pensando que era sólo un canal de desahogo para no aceptar la inminente decepción ante mi carrera. La economía me había desilusionado y mis notas recibieron el golpe con una sustancial baja en mi promedio de segundo año. Un día caminaba frente a una librería de viejo cerca de la universidad y entré con el propósito de comprar, por diversión o por curiosidad, cualquier texto escrito en castellano. Pensaba en un diario, una revista, un manual de economía o algo así. Pero lo que me llamó la atención fueron cuatro tomos astrosos de la edición de edhasa del *Cuarteto de Alejandría*. El primer tomo, *Justine*, lo había leído en inglés y me resultaba impensable pensar en leer aquel libro en castellano. ¿Cómo podría esa lengua ruda traducir, imitar o siquiera acompasar al aliento lírico, la bella entonación, los juegos, del perfecto inglés de Durrell? Sin embargo, me llevé a casa los tomos que, apiñados entre mis relucientes libros de economía, parecían mendigos. Abrí, casi con sorna, el tomo de *Justine*. De sus primeras páginas se desprendió una hoja amarillenta y áspera redactada con máquina de escribir. Era una carta no enviada, o quizá recibida, por el anterior dueño del libro. Estaba fechada en Málaga, muchos años antes del día en que compré el libro. El autor de la carta se llamaba Guillermo y parecía ser un muchacho divertido. El encabezado era un *¡Qué passssssa contigo tío!* que anunciaba una reprimenda al destinatario. *Si no es por Elisa no tengo ni puta idea de dónde estás. Has echado ancla en Sabiñaigo y no hay quien te mueva* continuaba, antes de pasar a contar sus planes para el verano. Luego preguntaba por una persona llamada Ana, quien vivía en Londres pero en el momento de la carta estaba en Málaga y *estuvo enrollada con Marcos y ahora está rulando por aquí.* Me era difícil seguir la jerga, pero podía intuir el significado de las palabras. Descubrí con entusiasmo que recordaba el castellano más de lo que suponía. Seguí leyendo hasta que, cuando llegué al final, recibí un bofetón de la mano de aquel desconocido. Ese último párrafo puso en claro mis pensamientos. Lo leí de prisa pues en ese momento mi tía me anunciaba una llamada por teléfono. Pero durante la conversación —unos amigos me invitaban al cine— sólo podía pensar en lo que había leído. Apenas colgué el teléfono volví a mi cuarto y me zambullí otra vez en el párrafo final. Releí: *Londres te sigue enrollando, aunque te canses pronto pues ya nosotros tenemos poco por descubrir y eso le quita el encanto. Lo comprobé ahora a la vuelta, me movía como pez en el agua, a pesar de mi cojera. Allí están los de siempre, los que no han tenido cojones para aventurarse más lejos, y se han conformado con el Occidente decadente. Me da más miedo quedarme en Málaga que irme a Bombay. A ver si sé algo de ti. Besos y porros.* Y garabateó *Guillermo* con lapicero, sellando la firma con una rúbrica sencilla, un círculo que encerraba su nombre.

Aquella hoja de papel resbalada del *Cuarteto* me mostraba, como un espejo mi rostro de entonces, que compartía con miles o cientos de miles de jóvenes insatisfechos. Europa se agotaba y sólo quedaban otros países, lugares extraños, una vida nómade: Japón, Nigeria, Marruecos, cualquier lugar del mundo que no fuese Londres o París. Quizás Alejandría.

Con el impulso de aquella carta comencé a leer los cuatro libros de Durrell traducidos al castellano. Casi me los devoré. Era demasiado irónico o absurdo que fuese reencontrándome con mi país y mi pasado a través de la traducción de un libro que nada tenía que ver con mi historia personal, sino con la de un británico juzgando a Oriente. Sentía que no sólo estaba traicionando a mi patria sino también a Durrell y a la literatura misma. Pero no podía detenerme, había en ese libro algo de mí, algo sutil pero contundente que hablaba de mí, de mis experiencias privadas y colectivas. Cada mordida me devolvía mi lenguaje, mi familia, mi historia. Mi historia, sobre todo. Al contrario de lo que podría creerse, el placer del libro no hizo nacer en mí ninguna vocación literaria, pero al terminar el *Cuarteto* supe que quería volver a mi país para estudiar historia. ¿Por qué? Recordé que cuando estudiaba los últimos años de secundaria tenía la intención de ser historiador, pero cuando terminé el colegio olvidé ese anhelo y opté sin dudar por la economía. Ahora, de súbito, renacía en mí la vocación perdida y el deseo irrefrenable de hacerla realidad. Unos meses después decidí volver a casa de mis padres —ante su asombro pues pensaban que me iba muy bien en Londres— y me matriculé en una universidad para iniciar los estudios en la facultad de historia. He vuelto a leer aquellos libros de Durrell, siempre en castellano, decenas de veces. No soy, sin embargo, un erudito en la novela que dio un giro tan importante a mi vida y menos aún un exégeta de Durrell, de quien no he leído nada más. Al contrario, muchas veces he sido sorprendido por un lector advenedizo que rememora una escena que no me parece haber leído o un personaje que no recuerdo me hayan presentado jamás. De esas novelas sólo recuerdo frases, lugares, ambientes, una atmósfera que ha impregnado, como una sutil neblina, la visión que tengo de mi historia personal y mis recuerdos de viaje. Y ahora que habito en Busardo siento que al fin he logrado romper la membrana que divide la realidad de la ficción y habito un tomo de Durrell.

—Hay quienes creen que calificar de "provincianos" a los que amamos a nuestros países es el más grande insulto que puede hacérsenos —dijo Al-Karrat poniéndose de pie, acomodándose el sombrero, dispuesto a despedirse de nosotros—. Parece que han olvidado que existe uno peor: el escupitajo de una palabra como "extranjero".

—Sí, definitivamente es usted nuestro extranjero más notable —dijo Zeta—, o al menos lo es desde la llegada del cazador de pájaros.

—¿El cazador de pájaros?

Pese a la pregunta retórica, yo había entendido evidentemente que Zeta estaba refiriéndose al pintor Salvador Dicent. Dicent era algo así como un Gauguin contemporáneo que había optado por alejarse de la civilización para depurar su arte. Ese impulso lo llevó a recluirse en Busardo en un palacete enorme y monstruoso que se mandó construir alejado del pueblo, muy cerca a las ruinas de la batalla y más cerca aún al mausoleo de sus héroes. Aunque llevaba varios meses en Busardo, nunca me llamó la atención conocerlo pese a que se había convertido desde hacía años en uno de los atractivos turísticos obligados. Durante el tiempo en que viví aquí con Kaas ella insistió mucho en que fuéramos a visitarlo. Kaas admiraba a aquel artista que desdeñaba a Occidente y prefería hundirse en la periferia. Creía descubrir en esa actitud huraña un profundo sentido, un valor ético admirable. Desde luego que no me negué a conocerlo, y quizá si hubiera estado con Leopoldo lo habría hecho de todas maneras. Pero viviendo esos difíciles meses con Kaas no hice nada por concertar una cita con él. Finalmente, Kaas se fue de Busardo y yo olvidé que existía Salvador Dicent.

—El pintor es tan parecido a usted, a ti —insistió Zeta—, y sin embargo tan distinto.

Aquel día, en que volvía a pensar en Dicent después de tantos meses, se me ocurrió de pronto que finalmente debía conocer al pintor. Quizá Salvador Dicent, el extranjero más notable de Busardo, como lo llamaba Zeta, pudiese decirme algo sobre esta ciudad que amenazaba en convertirse para mí en una tumba sin Kaas. Mientras oía al dueño del bar decir una y otra tontería sobre las diferencias entre el pintor y yo, me di cuenta de que quizá Dicent podía tener una respuesta para explicar mi propio alejamiento del mundo y mi encierro en Busardo. Era un azar, pero debía intentar esa posibilidad.

—Me gustaría conocer al pintor —dije, mientras Zeta llamaba a Agustín con el brazo en alto y pedía un nuevo martini para mí y pastís para él.

De inmediato me arrepentí de habérselo pedido. Siempre, desde niño, me angustió acercarme a desconocidos. Pensé en retractarme de inmediato; no lo lograría sin Kaas y sin Leopoldo.

—Es difícil, cada vez recibe a menos visitas, pero se puede arreglar —dijo Zeta con expresión amistosa—. Agustín puede llevarte. Estoy convencido de que a ti sí te recibirá. Ese pintor es un hombre extraño, pero amable con los del pueblo. Y usted, tú, bueno, ya se sabe…

En Busardo el mar emana sin sutilezas un olor metálico que forma parte del paisaje desde el tiempo de la batalla o incluso antes. La arena blanca, que anteriormente se extendía desde la orilla de la playa hasta las casas del pueblo, hasta el límite mismo de la ciudad, y barría los pies de los primeros árboles del bosque Busardo, esa arena ahora cede su terreno a la asfaltada carretera que los habitantes llaman Vía Dolorosa en homenaje a la caminata a rastras y nocturnidad que hicieron los rebeldes al mando de su héroe para sorprender al ejército de Coso Verisse. La Vía Dolorosa bordea la ciudad y culmina en las ruinas. El revisitado lugar donde se realizó la batalla es ahora una explanada —antes un bosque laberíntico y umbroso— en cuyo centro se yergue un mausoleo frente a la tumba donde está enterrado el héroe: un busto de piedra levantado en medio de la historia que flota como estela sobre los vestigios de la batalla de Busardo. De lejos aquella explanada tiene algo de místico y hasta clerical: da la impresión de ser la tonsura de una gran cabeza afeitada por la navaja de la civilización para complacer a los turistas. Sin embargo, viendo hacia el fondo, aún persiste la sombra oscura del antiguo bosque Busardo trepando la montaña. A los pies de la Vía Dolorosa se encuentran algunas cabañas sofocantes, levantadas por los vendedores para ofrecer recuerdos y *souvenirs*. A pocos metros de ella se levanta la ciudad: las pequeñas casas pintorescas de los primeros habitantes —de la A hasta la Z— y, luego de algunas callejuelas, la ciudad moderna y sus vacías casas de playa construidas por aristócratas y millonarios hace algunos años, cuando Busardo se convirtió en balneario de moda. También están ahí el famoso hotel Normandía, otros hoteles de menos alcurnia, el albergue donde vivo y otros idénticos a ése, los restaurantes de comida típica y los de comida internacional; suma de lugares que dan a la ciudad un aire cosmopolita y también de isla para náufragos, combinación que tanto atrae a los turistas. Luego, casi escondidas entre las rendijas que dejan las enormes casas de extranjeros, pidiendo permiso, las viviendas de la gente del pueblo (los padres pescadores y sus hijos comerciantes que atienden los puestos de venta ambulatoria, que trabajan en los hoteles o que son mozos en los restaurantes). Y en la cima de un pequeño monte, en medio del célebre bosque, dominando el cuadrilátero de la ciudad y el montículo de las ruinas, el palacete de concreto que se mandó construir años atrás Salvador Dicent, cazador de pájaros, donde disfruta de la silenciosa soledad de su exilio.

Caminando hacia el Zeta hago, para mí mismo, un breve recuento de la geografía urbana. Las casas son amarillas, azules, rojas. Algunas verdes, de un verde muy intenso que sólo recuerdo haber visto aquí. Están apiñadas en grupos de diez, en forma de colmena, con una serpentínica escalera a los pies de la entrada y una rotonda de piedra en el centro de cada solar. En medio de esa rotonda se levantan tilos, castaños y olivos. Si hay algo que uniforma a todas las casas son las ventanas que vistas desde lejos parecen los pequeños agujeros de las colmenas o de una piedra de coral. Rectangulares y sencillas, casi de prisión, siempre he visto esas bellas ventanas de Busardo con los cristales empañados por la humedad del invierno o el aliento del océano. Y detrás de todas ellas siempre la misma cortinilla acanalada, una pésima sugerencia en el invierno, pero excelente para dar sensación de frescura en el verano, sensación impagable en una ciudad tan calurosa como ésta. Muy pocas edificaciones alcanzan los dos pisos y el mobiliario es idéntico en lo que respecta a las chucherías de su interior: un gran jarrón de porcelana en la entrada, un vacío cesto de frutas en la mesa del comedor (frutas encarnadas y deliciosas en el verano cuya reproducción en cera o cartonpiedra son lo único que los turistas pueden llevarse de recuerdo), adornos de caracolas con sus rosadas vulvas abiertas frente al espejo para atraer el dinero, como dicta la superstición del lugar. En estas viviendas, según el fanatismo de cada familia, varían los cuadros en las paredes. Es un pueblo cristiano: muchos cristos y pocas vírgenes. Sin embargo, lo que realmente escasea son los santos, como si sólo la plana mayor de la iglesia convenciera a los habitantes. Algunas familias judías se reúnen en una pequeña sinagoga y son fácilmente reconocibles porque exteriorizan las señales de su culto en los frontis de sus casas y hacen públicas sus festividades. Los otros creyentes son más discretos. Además de cristianos, hay también islamitas y budistas que desaparecen en el tráfago de la vida de pueblo y apenas si puede reconocérselos. A medida que se acercan a las playas ganadas para el turismo, los estilos de las casas cambian. Las de los nativos dedicados a la pesca, arrinconados adoquines ocultos entre ramas, árboles y pasadizos, son de una simpleza funcional. Pero, desde luego, ni las construidas por los propietarios para pasar el verano ni los hoteles son distintos de los de otras costas del mundo. En el invierno, sus patios esperan las bicicletas de los hijos, y en las aceras se deshilachan los inútiles toldos y sombrillas que algunos han olvidado guardar el verano anterior. Puertas y ventanas selladas anuncian el abandono, pero la naturaleza es tan amable con el césped, las flores y los olivos —además del viento que penetra por cualquier rendija o ventana abierta y desahoga la asfixia del encierro— que esas viviendas en espera de sus dueños parecen habitadas. Por eso sólo los hoteles se ven irremediablemente vacíos, como espectros, en invierno. A veces me asomo para ver el interior de esas deshabitadas casas para turistas. Unos cobertores cuidan los muebles del polvo. Bajo esa epidermis de lona palpitan sofás, mesas, sillas y, en una de ellas, hasta un piano. Desde la calle no alcanza a verse el previsible interior, pero se intuye: los cuartos con camas sin sábanas y los estantes con *best sellers* de hojas amarillas para la playa o la piscina. A veces se oye el crujido de una puerta de ropero que se cierra o la de un aparador que es empujada por el viento y hace temblar un vaso olvidado sobre el velador; aquello contribuye a dar la falsa sensación de una casa llena de gente en su interior pese a no ser verano. Ese mismo viento suele incursionar en la casa del piano y golpear alguna tecla haciéndola sonar sin arte, solitaria, como cuando alguien las roza para quitarles el polvo, sin querer hacer música, y permite que se liberen dos o tres notas. Entonces, esas notas elegidas por el azar resuenan en el centro de la casa, como si ésta quisiese reconocerse a sí misma, saber que está sola, que espera a alguien.

Agustín se sienta a mi lado y empina el codo sobre la mesa.

—Zeta me dijo que quería hablar conmigo —dice.

Juguetea con mi vaso vacío y de vez en cuando echa una mirada melancólica al interior. Yo me distraigo viendo el movimiento tambaleante de un francés larguirucho que intenta llevar más peso en su espalda del que puede soportar.

—¿Te animas a tomar una copa conmigo? —le pregunto a Agustín.

—Listo —acepta—. Ahora vuelvo.

Cuando veo su rostro adolescente, picado por el acné, y su sonrisa infantil, me arrepiento de mi arrebato de confianza, pero es imposible echarme para atrás. Agustín trae un vaso y una botella de pastís, que es su bebida favorita, al igual que para Zeta. Llena de su pastís mi vaso aún sucio de martini y luego el suyo. Vuelve a tomar asiento a mi lado, con mucha más seguridad, y comparte mi sorna contra el cha-plinesco francés, señalándolo con el índice y carcajeándose.

—Me gustaría que me lleves a la casa de Dicent, el pintor —le digo sin rodeos para interrumpir su carcajada.

—¿Hoy? —pregunta un poco azorado.

—No necesariamente.

—Entonces no hay problema. Hoy es imposible, pero otros días no tengo nada que hacer —me mira y ríe con un gruñido áspero—. Qué suerte, será estupendo poder escapar un rato de este sitio.

Como si hubiese escuchado algo que no le gustaba, o descubierto la flojera del muchacho, Zeta llamó con un grito iracundo a Agustín desde la cocina. Él le echó una mirada y bebió su copa de pastís de un solo trago. Mientras, el francés ya no era sino una silueta sobre los muros, seguida de otras siluetas menos cómicas.

—Ridículos ¿no? —insultó Agustín, confidente, señalando a las sombras.

—Me lo merezco por darle confianza —pensé.

Luego cogió la botella y su vaso y se levantó para dirigirse hacia la cocina donde Zeta seguía gritándole.

—Ya sabía yo que era usted artista —dijo, volviéndose de pronto cuando ya había avanzado un par de pasos—. Se lo oí decir una vez a su novia.

—¿Cómo? —contesté distraído.

—Nada. ¿Le parece bien el viernes para ir donde el hombre?

Me lo preguntó dirigiendo la barbilla con dirección a la casa de Dicent.

—El viernes estará bien —le respondí y bajé la mirada hacia mi trago, tratando de no prestarle mucha atención.

Pero estaba intrigado. No era la primera vez que Agustín se refería a Kaas con ese brillo en la mirada, con ese regocijo de recuerdos. La deseaba, eso era seguro, quizás incluso estuvo enamorado de ella. ¿Qué hubiera tenido de extraño? Agustín vivía de esos amores fugaces, enamoramientos de verano y, por otra parte, aun cuando no hubiera sido así, Kaas tenía el poder de enamorar a todos los hombres, como si su pequeño y avaro corazón guardase una furia, un sentimiento intensísimo aunque sutil que seducía a hombres distintos entre sí o incluso contradictorios. Durante mucho tiempo estuve unido a ella, pendiente de las palpitaciones de ese cofre insondable que en mi vanidad creía entender, e incluso, en las cúspides más altas de nuestro romance, tener en mis manos. Pero aunque aquello nunca fue cierto, sí estoy convencido de que aprendí más que ninguno a descifrar en sus gestos encubiertos algunos significados oscuros, un arte de criptografía, la figura en el tapiz. Quizá por eso, y no por otra cosa como el amor, aceptó Kaas estar a mi lado más tiempo del que alguna vez le hubiese concedido a otro, aunque al final nuestra despedida en Busardo tuvo la misma consistencia de todas sus despedidas: un ácido que barre los recuerdos, que los desdibuja y los desaparece, y deja de la sentimental historia en común sólo un páramo y tierra seca. Ahora bien: ¿cómo pudo Agustín oír a Kaas decir que yo era artista? Ella solía decirlo, pero antes, mucho antes de que viniésemos aquí, cuando en realidad ella sospechaba que yo lo era. Pero cuando llegamos a Busardo, en su código, esa época era parte del pasado. ¿Entonces cómo pudo Agustín oírla? ¿O acaso sólo pretendía ese bribón burlarse de mí llamándome artista, es decir, ocioso? Aunque, después de todo, quizás esté elucubrando demasiado como de costumbre. No tendría nada de extraño que la gente de Busardo al vernos a Kaas y a mí viviendo en su ciudad durante un mes, creyese que éramos artistas. Esta ciudad de ruinas no sólo es visitada por arqueólogos sino, aunque en menor proporción, también por pintores o por diletantes interesados en conocer la casa y el encierro de Salvador Dicent. Se les reconoce de inmediato porque visten de forma distinta a la de los exploradores y turistas. Suelen quedarse una temporada más larga en la ciudad para habituarse al aire, al clima y a la tierra que estimula el arte de Dicent, entusiasmados quizá con la idea de que esa ecuación actúe también en ellos con buenos resultados. No era imposible que Agustín, y quizá también el resto de personas, nos hubiera confundido con artistas. El resultado de ver durante meses a Kaas, muy bien vestida, caminando como una elegante sombra —anticipándose a su fantasma— por la Vía Dolorosa, y a mí, bebiendo un martini sin prisa donde Zeta, sin intenciones de correr tras el bus que se interna en el bosque, distintos sin lugar a dudas de los hippies extravagantes, de los arqueólogos de universidades norteamericanas o europeas y de los curiosos japoneses que solían visitar Busardo en invierno. De aquello pudo deducir que yo era pintor. Pero él mencionó a Kaas. En fin, quizás algún día en que Agustín intercambió un par de palabras con Kaas mientras le servía algo, ella le dijo lo que siempre decía a sus amigas cuando no tenía ganas de hablar, para explicar las cosas inexplicables sobre mí: es un artista, jamás podrías entenderlo. A decir verdad, Kaas nunca renunció a la idea de que yo tenía algún arte en secreto. Mi languidez, mis manos largas y el pelo siempre un poco más largo de lo socialmente usual hacían de mí un Chopin conmovedor o un Rimbaud domesticado. Kaas debía de estar segura de que mi condición de artista excedía incluso a la ejecución misma de las obras, las cuales jamás realicé y ni siquiera intenté realizar. Salvo por ciertas fallidas incursiones en cuentos y comienzos de novelas —una forma de pasar el rato y no un tormento metódico como para Leopoldo—, de las que Kaas no estaba informada, yo no tenía vínculo alguno con lo artístico y sólo podía considerarme como un tipo afortunado que vive de sus padres, buen estudiante de historia y viajero impenitente. Pero Kaas insistía en pensar que yo era un poeta o algo tan extravagante como eso. Aquello explicaba para su familia, unos padres ancianos y una prolífica jauría de tíos que eran profesionales adinerados, el que ella estuviese a mi lado. "Siempre fue un poco loca Kaas: debe de ser interesante el muchacho: ese *pathos*, esa fatalidad: ese don que no le permite ser útil, que lo excluye del mundo práctico: eso debe de ser lo que le atrae de él", asegurarían sus primas, sus amigas, su madre. Quizá la misma Kaas siempre intentó convencerse de esa ficción para justificarse ante sí por estar enamorada de mí. Eso explicaría algunas cosas. Más bien muchas cosas. Pero, en fin, nunca me lo dijo, nunca lo supe. Y ahora no lo sabré jamás. Algunas preguntas son minusválidas por naturaleza: nos las formulamos demasiado tarde y, por lo tanto, están incapacitadas para llegar a su destinatario.

La imagen de Kaas, como otras noches, se va apagando suave, tiernamente, dentro de mí mientras camino desde el Zeta hacia mi albergue. Hace frío y tengo la sensación casi física de una luz que se extingue como si hubiera antes ardido en mi interior, como la llama de un calentador o de un quinqué de gas. Como cuando uno encierra el breve fuego de un fósforo con las manos y sopla dentro del cuenco para apagarlo. Entonces, apagada Kaas, otro recuerdo, el de mi regreso de Londres a mi país, me sobreviene. Un recuerdo bienvenido, que no duele, como son todos los recuerdos sin Kaas. Regreso a casa de mis padres. Ellos me acogen. Mi madre, que llevaba sus años de madurez con una dignidad sólo comparable a la belleza; mi padre, un arquitecto enriquecido por el negocio de las construcciones —sobre todo, por la inversión acertadísima en la bolsa de valores—, en contraste con su familia quizá no tan adinerada, pero de larga tradición en la diplomacia, el derecho, el mundo intelectual y la política conservadora. También mi vieja casa me acoge. Es enorme, aristocrática, de techos altos como un castillo y lustroso piso de madera con grandes alfombras. Está rodeada de un jardín de árboles boscosos y enredaderas. Descubro que esa casa no cambiará jamás: el silencio de la mesa, la inferioridad de las sillas del comedor frente a los elegantes sofás, el perenne aturdimiento de las cortinas. Mi madre mueve ollas y platos en la cocina. Por coquetería, ha dicho a los empleados que no me atiendan para atenderme ella misma. Mi padre aún no regresa del trabajo. Yo, en el comedor, estoy armado de cubiertos y hambre para enfrentar el primer almuerzo del regreso.

—¿Te trasladarás a alguna universidad? Pregunta ella desde la cocina.

Le respondo asintiendo con la cabeza. ¡Torpe! si no te ve. "Sí", digo en voz tan alta que ella asoma la cabeza para saber si me ha ofendido por algo. La soledad de los almuerzos en la universidad en Londres me ha desacostumbrado a la conversación de comedor. Mi madre sirve el almuerzo y se sienta a mi lado para verme comer. Está aún un poco intimidada por la forma como respondí. Me disculpo y para tranquilizarla le cuento mis planes. Al terminar el almuerzo voy a mi antiguo cuarto para dormir la siesta. A los pies de mi cama mis maletas aún cerradas, hoscas, parecen no aceptar su condición inmóvil y exigen nuevas traslaciones. Las guardo sin vaciarlas en el armario y me arrojo sobre la cama. Mi padre había dejado el día anterior unos diarios pasados sobre mi velador. Leo un poco adormecido noticias de desastres, de violencia, de terror, de mentiras, de hambre. Es difícil entrever tanto desastre, amurallado desde la tranquilidad de la zona residencial donde viví toda mi infancia y donde aún viven mis padres. Empiezo a sentir esa condena no explícita, esa mala conciencia, esa culpabilidad de ser un privilegiado. Asoma ante mí cierta censura a mi casa, a mi apellido, a mi sofisticada tristeza. Pero de inmediato me convenzo de lo injusto de esa censura. Mi casa no es máscara, pienso entonces, cubriendo costras adoloridas, ni golpes de la violencia. Tampoco, ni mucho menos, remanso en la vorágine. Esa casa es sólo la pausa, el eje alrededor del cual gira mi propia historia; los acontecimientos que se desfiguran cada vez más hasta desaparecer de mis recuerdos (no más nostalgia, no melancolía). Esa casa, pienso ahora, no es más que el punto de partida hacia el movimiento, el lugar elegido por mi destino para el despegue o, más bien, elegido por ese azar inmóvil que conduce mi historia, que me conduce a Leopoldo, a Kaas, a Europa, a Busardo, a Zeta, a Agustín, al cazador de pájaros, a todos los encuentros importantes de mi vida, como una carretera cuyo devenir me depara abrazos, reencuentros, largas y cortas visitas, despedidas y regresos. Ese día, en aquel reencuentro con mi cuarto, con un país interior como puerto sumergido dentro de mí, con la conciencia limpia de nuevo, empecé a amodorrarme. El cansancio traiciona mis reflexiones y las esquiva. Cuando estoy a punto de quedarme dormido siento que mi padre ha llegado y asoma su cabeza por la puerta, sin atreverse a despertarme. Cierra la puerta con cuidado y se aleja. De pronto, en medio del sueño, me sobreviene un espasmo. Empiezo a sentir escalofríos y la presión baja. La tranquilidad de mi barrio me traiciona, me pone nervioso, me hace sentir como un hombre que queda atrapado en un ascensor mientras afuera la ciudad está siendo saqueada. Me levanto de la cama con un hincón en el abdomen y náuseas. Voy hacia el baño. Mi madre oye las arcadas y por experiencia entiende qué sucede. El remedio aún lo tiene en el cajón del velador, al lado de su cama; un objeto de nostalgia aguardándome pacientemente durante todo el tiempo que duró mi primera travesía europea. Coge la inyección y acude a mi padre, quien tuvo que aprender a poner ampolletas para mí cuando yo era un adolescente y solía tener los mismos ataques al estómago. Mi padre prepara el remedio. Escucho su voz fuerte y casi puedo sentir el olor a puro que fumó hasta hace unos años, hasta un día antes de su primer ataque al corazón, cuando se lo prohibieron. Oyendo sus pasos, y la voz baja y protegida de mi madre, me imagino cuánto habrá cambiado papá desde su enfermedad —que sucedió mientras yo estaba en Londres— y me enternezco al sentir su presencia a mi lado sin haberlo visto aún. Ambos entran al cuarto sin golpear la puerta y se recortan en el umbral. Reproducción familiar del Angelus de Millet. Casi de inmediato la inyección calma el dolor que me doblaba sobre la cama. Mi padre me revuelve el pelo y susurra "bienvenido". Descubro que su rostro se ha endurecido un poco. Incorregible y terco, un niño engreído, sus manos insisten en oler a puro —y a lavanda inglesa, desde luego— como cuando era pequeño y él me lavaba la cara cargándome para alcanzar el lavabo, lo que yo aprovechaba para hundir mi cabeza en su mano grande, abierta y olorosa a la que era adicto. Le doy las gracias a ambos. Incluso en el recuerdo sonrío agradecido antes de conciliar el sueño. Repito esa misma sonrisa, guardada durante tantos años, mientras camino por la vía Dolorosa en Busardo. Fin del recuerdo amable, de la fotografía en el portarretratos. Llego a mi albergue. Abro la puerta. Entro. Mis pasos por la escalera son acompañados por un ruido de campanillas colgadas en la puerta que despiertan a la dueña y difuminan mis recuerdos.

—El amor no es la punta de la flecha —dice Zeta, tratando de ser reflexivo— es toda la flecha.

Un caballo pasa lentamente por el frontis del bar. El hombre que lo conduce saluda a Zeta con un gesto, y a mí, inclinando la cabeza. Zeta se ha quedado calibrando el efecto de su frase en mí.

—¿Por qué lo dice? —le pregunto al fin, después de hacerlo sufrir unos segundos.

—Por esos fuegos artificiales de Agustín —dice, señalando a su empleado—, por esa risita suya que ahuyenta a Cupido.

Agustín intentaba embaucar a una turista adolescente, una pelirroja de trenzas, quince años y culo respingón, de esas a las que él no pide dinero, a las que lleva en su moto a toda velocidad, de esas que podrían llegar a enamorarse de él, un amor mediterráneo para recordar en su diario de colegiala cuando volviera a su país.

—En este pueblo no hay muchachas casaderas —dice Zeta comprensivo—, todas son niñas o solteronas maduras. El pobre Agustín no podrá casarse nunca.

—Lo más probable es que no le interese casarse.

—¿Está hablando en serio? Ese muchacho es un romántico, yo lo conozco más que nadie; sólo que está haciéndose hombre y tiene sus necesidades, por supuesto, muy comprensible. Si al menos hubiera crecido al lado de una muchacha de su edad, como yo y Mathilde. A ella la conocí cuando era una niña ¿sabe?

Zeta contaba su historia de amor que era mi historia. También el tiempo de Kaas había empezado a suceder en mi vida desde temprano. Una niña flaca y rubia, de manos pequeñas, pelo lacio, y renacentista tono mate en sus mejillas, apenas más alta que el niño meditabundo que era yo, compañera de inicial, que decidió unilateralmente ser mi amiga desde el primer día de clases. Ambos teníamos siete años. Me sentí apabullado por la decisión y la invulnerabilidad de esa enana siempre vestida con un oloroso abrigo de astracán que le llegaba hasta las rodillas y la convertía en un animal de peluche con ojos de vidrio. El olor de Kaas será también, y para siempre, el perfume de ese día: huevo duro, sal, gaseosa de fruta, el forro plástico de los cuadernos que esperaban ser abiertos y horadados por lápices añorables: punta afilada, madera húmeda y poco peso.

—¿Recuerdas aquel día?

Pregunta ella o pregunto yo, mil veces como cualquier enamorado, el as bajo la manga cuando había una pelea y queríamos reconciliarnos. La profesora me advirtió que mi lugar en la formación era detrás de una niña con un lazo blanco que apretaba su cola de caballo. Me coloco detrás de la niña bonita, quien voltea y me ametralla con preguntas: cómo me llamo, dónde vivo, si quiero ser su amigo. El recuerdo lo complementan nuestras madres que nos llamaban "novios" cuando iban a recogernos del colegio y nos veían salir siempre juntos, si no de la mano; nuestros padres que "tenían negocios" como solían decir nuestras madres; los juegos en el recreo a los que ella me obligaba a jugar; el llanto estrepitoso de la niña cuando la profesora osó desafiar al destino y nos separó de carpeta. Sólo con Kaas puedo decir que el amor

36

fue albumen: nos alimentó desde el inicio, crecimos bajo su amparo, se nos hizo aureola o piel.

— Así es. Siempre dije que uno debe conocer a la mujer con la que va a casarse cuando es niño. Verla formarse, formarse juntos, como yo y mi *garella* —continúa Zeta, dejándose llevar por la emoción al usar el dialecto para llamarla "amorcito".

Kaas y yo dejamos de vernos en la secundaria. Aún seguíamos en el mismo colegio, pero ella se había convertido en una adolescente pretenciosa, objeto de atenciones de los alumnos de los últimos años, mientras que yo trataba de superar mi frágil adolescencia y una enfermedad crónica que me obligaba a guardar cama una semana de cada mes, aproximadamente. Así, desde mi cuarto de convaleciente, desterrado de Kaas, viviendo mi primer exilio, empecé a amarla sinceramente. Y como ella no me amaba, mi espíritu se acostumbró al destierro y la añoranza del pasado. Cuando terminamos la secundaria ya casi no nos hablábamos. Recuerdo que el último día de clases le comenté que me iba a estudiar economía a Londres y ella me felicitó con cierta ternura por el pasado, pero con una distancia insalvable. Desde ese momento, surcar el océano e instalarme en Londres fue sólo una redundancia. Algún tiempo después, cuando regresé y me inscribí en la universidad, las circunstancias nos ofrecieron la inesperada posibilidad de un reencuentro. Por alguna razón inexplicable, ella también pensó en estudiar historia y ya llevaba un par de años en la facultad. Se me ocurrió pensar entonces, casi como una broma, que alguna promesa no recordada de nuestra infancia se grabó en nosotros. Los dos seríamos historiadores. Kaas era ya la Kaas de los últimos días conmigo, la de nuestro viaje por Europa y nuestra visita a Busardo. Yo aún no era yo mismo, todavía no se acentuaban mis rasgos, y mi olor seguía siendo, a pesar de Londres, aún un poco el olor casero de la adolescencia. En la facultad nos hicimos amigos o continuamos una amistad interrumpida. Pero era evidente que no podía haber amor entre nosotros. Éramos muy distintos, más aún que en la secundaria.

¿Quién era el hombre que reencontró a Kaas y quién la Kaas que me reencontró? Ella era una muchacha bella, inteligente, segura de sí, casi audaz. Se enamoraba de rostros, de chicos guapos que jamás serían parecidos a mí, a los que creía amar con pasión pero de quienes se desilusionaba casi de inmediato. Yo, por mi parte, tenía cierta fama de *désolé*, alguien a quien el amor hacía vulnerable y por eso prefería tener relaciones pasajeras o ninguna. En aquella época el amor no dejaba de ser para mí similar a la ingenuidad de una chica bonita que deja su fotografía en el cajón de varios productores de cine con la esperanza de que alguno de ellos descubra en esas fotos a una diva. Así, pensaba que alguna vez alguien me amaría de verdad, que alguna vez me reconocerían. Por lo pronto, sólo me quedaba dejar todas las puertas abiertas y conversar con Kaas, quien no representaba ningún peligro a mi vulnerabilidad pues creíamos que era imposible enamorarnos el uno del otro. Compartíamos las mismas aficiones y las mismas amistades y odios. Casi no podía reconocer en ella a la vanidosa chica de secundaria, a quien la nueva Kaas me había hecho olvidar hasta tal punto que sólo podía recordar que el color de sus ojos era como el de su pelo, y que cuando se ponía el gorro con visera e insignia del colegio, ensombreciendo la mitad de su rostro pero dejando sus labios al descubierto, se veía más hermosa de lo que en realidad era. Ni siquiera echaba de menos a esa muchacha, aunque eso significase aceptar que ya no estaba enamorado de Kaas. En la universidad ella estaba varios ciclos más adelantada que yo, pero no fue difícil darle alcance pues me convalidaron varios cursos, además de que los estudios en Londres me habían vuelto metódico y responsable. Almorzábamos juntos todos los días y formamos un grupo de estudio con otros alumnos que compartían nuestras ideas, rescatados de la muchedumbre del resto de alumnos impresentables. Las teorías contemporáneas que discutían o confirmaban las de Sprangler —y que parecían confirmarse con los sucesos recientes en Europa— sobre el agotamiento de Occidente, nos fascinaban. Con desafiante sorna llamamos a nuestro grupo "Rodrigo de Triana", para diferenciarnos de los que apodamos "Los telúricos", y viajar a Europa para asistir a su deceso se convirtió en premisa y objetivo urgente. La universidad en la que estábamos era sólo un paso previo, una preparación espartana, antes de que se cumplieran nuestras verdaderas metas: nuestras maestrías y doctorados en historia europea. Todos estábamos convencidos y no se hablaba más que de eso. Sólo yo parecía algo inconsecuente ante los ojos de mis amigos y de Kaas, pues si ya había estado instalado en Europa, ¿por qué había regresado?

También yo empecé a hacerme esa pregunta, olvidando así muy rápido la realidad de mi desilusión inglesa. Pero mis nuevos estudios, mi familia, mis amigos, llenaban el tiempo y no me permitían ahondar en esos cuestionamientos. Así pasó casi un año hasta que, finalmente, volví a enamorarme de Kaas y ella por primera vez de mí, una consecuencia lógica de andar juntos todo el día, de ir cortando amarras con ocasionales parejas y enamoramientos, y, sobre todo, con los recuerdos de la secundaria en que no estuvimos juntos. Empezamos la relación con un arrobamiento inusitado para mí, que me hallé de pronto arrastrado por la fuerza de Kaas. ¿Cómo había sucedido? Lo único cierto era que me sentía, en algún sentido, en desventaja frente a ella. Cuando reencontré a Kaas, hacía tanto tiempo que no era feliz, que del amor sólo me quedaban sensaciones como el agradecimiento, la gentileza, la caridad. Todos estos sentimientos sustitutos los ensayé, sin éxito, con Kaas. Quería obligarme a amarla, pero el amor sin felicidad es vacío. Ella, en cambio, estaba muy entusiasmada. Me costaba aceptar que yo había cambiado tanto, que sentía compasión y no amor por aquella muchacha de apariencia segura, pero muy frágil, que estaba dispuesta a compartir todo conmigo sin guardar para sí ni un secreto, ni siquiera el de la felicidad. Pero, súbitamente, el amor de Kaas empezó a soltar mis amarras. Cada diálogo nos abría la puerta a una dimensión nueva y desconocida, incluso para nosotros mismos, y como un par de hambrientos nos arrojábamos sobre esa dimensión hasta saciarnos de nosotros mismos. Aquello resultaba, socialmente hablando, un juego peligroso pues desdeñábamos todo lo que no fueran nuestras conversaciones llenas de admiración y asombro por el otro, y nos metíamos dentro de un coto privado. Recordando esas largas conversaciones empiezo a especular sobre la razón probable por la que ambos nos decidiéramos por la historia. ¿Por qué? Quizá porque desde adolescentes, desde niños incluso, todo el día discutíamos, hablábamos, peleábamos y pensábamos sobre el amor, el amor, monotemáticamente el amor. ¿Qué era el amor? ¿A quién se podía amar? ¿Qué se amaba cuando se amaba? Y la disciplina histórica tiene mucho en común con la sentimental: compartes la magia de convertir cualquier escombro en una ruina añorable. Ésa fue la práctica de Kaas y mía durante la primaria y los primeros años de secundaria. Eso era lo que estábamos haciendo con el pasado ahora que volvíamos a encontrarnos en la universidad. Poco a poco rechazamos la compañía de los amigos, incluso de los "Rodrigo de Triana", y en el abismo de nuestro encierro fuimos abandonando toda ornamenta que no acompañase al diálogo limpio, sin máscaras, al intercambio lúcido de palabras, al mutuo descubrimiento.

De pronto, Zeta se calló. Su historia con Mathilde había concluido por esa tarde. Yo, aunque no había dicho una sola palabra, sentí que también me quedaba en silencio.

Lluvia en Busardo. Desperté. Era muy tarde, pero tenía la sensación de no haber dormido más de dos minutos. Era culpa de la lluvia. El mismo ruido que me arrulló por la tarde acompañaba mi despertar, por eso sentía que el tiempo no había transcurrido. Encendí la luz. Con la oscuridad, el sonido de la lluvia parecía más fuerte. La luz lo hizo sordo. Imposible que hubiese estado lloviendo toda la noche, pensé, esta lluvia debe ser distinta de la de ayer. Abrí las ventanas. La lluvia empezaba a calmarse, la madrugada estaba cubierta por una neblina espesa que brotaba del mar. Abajo, la dueña del albergue abría la puerta. El sonido de llaves y cerrojos me devolvió a mi cama. No me animaba a abandonar el cuarto, a dejar el recuerdo benefactor de la Kaas que me amaba en la universidad o, peor aún, cambiarlo por el recuerdo de nuestra visita a Busardo. Me refugié entre mis colchas, atrapado por lo tibio. La tibieza me ayuda a no levantarme, me acoge. Me siento bien y con ánimo de seguir recordando. El ángel del invierno se cierne sobre nosotros, pienso, sobre la ciudad. Sus alas son esa neblina transparente y la lluvia es como, como… ¿Poesía? ¿Poesía, Kaas? ¿Aún? Entonces quizá no te has ido, en cualquier momento podrías volver, transfigurada desde tu desaparición. Pero todo es una mentira, un error. Vuelvo a levantarme de la cama y observo por la ventana borrosa hacia la calle. Me doy cuenta entonces dónde radica la equivocación: toda la poesía de ese invierno en Busardo provenía de una carencia: la pobre iluminación de mi cuarto de albergue, su pésima calefacción.

¿Cómo me libraré para siempre de esta ciudad ramera entre las ciudades: mar, desierto, minaretes, arena, mar? Insomne, no hago sino repetirme frases del Cuarteto de Alejandría. Me he acostumbrado a ese libro como quien se acostumbra a un recuerdo, a una sombra que nos asalta en cualquier momento o que desciende de cualquier limbo. Para quienes vivimos en el constante exilio, sin patria en el espíritu ni en la sangre, la patria se convierte en recuerdos, en personas que queremos, en libros que leímos y personajes que admiramos. Tiendo a pensar que me he convertido en un personaje de Durrell, o más bien en un esbozo desdeñado en la versión final. Mi realidad, Busardo, Kaas, mi infancia y adolescencia, han ido acomodándose a la ficción. La realidad se oculta bajo la máscara de Alejandría. *Una rosa de Alejandría —dijo Balthazar—. La ciudad que puede ofrecer todo a sus amantes salvo la felicidad.* Vivo en el recuerdo. Recorro las estaciones de mi pasado y siento como si mi infancia y adolescencia habitaran en la Alejandría del *Balthazar* de Durrell. Aquella ocasión, por ejemplo, cuando la universidad en la que estudiábamos organizó un almuerzo en el campo. Kaas recostada en un jardín, con la serenidad afectada y consciente de quien posa para un retrato, y yo, a su lado, rebuscando sin arte en la cesta de comida. Una escena campestre pintada por el primer Monet, con árboles de un verde muy oscuro al fondo y la pareja central casi disuelta en sus contornos por la difuminación de los colores claros. Me acerco hacia el cuerpo de Kaas como un mendigo busca una fuente de calor, la conmovedora marmita metálica donde los desamparados han encendido una fogata hacia la que extienden sus manos para calentarlas. Kaas es mi marmita, lo presentía entonces pues aún no lo sabía. Kaas es mi pasado. En ese recuerdo aún no éramos novios, éramos sólo amigos compartiendo una manta vichy de cuadros rojos y blancos sobre el pasto, descansando el almuerzo que ella, femenina, amable, ha preparado para mí. Kaas acaba de terminar de contarme la historia de su último error, de su nuevo huérfano.

—Pero no puedes negar que tiene todas las características de esas historias de amor que terminan en matrimonio —digo.

—No sé cómo son esas historias —responde Kaas.

—Claro que sabes. El muchacho guapo y decente que estudia en el extranjero, la chica bonita que busca un buen partido; se conocen en una de las vacaciones en que el muchacho regresa al país a visitar a su familia; las primeras salidas con amigos, las primeras invitaciones al cine, la decisión de no empezar aún hasta que él no regrese definitivamente; las dudas, las confusiones, las mismas preguntas que apagan llamadas telefónicas de larga distancia, y el amor clavado como un aguijón en cada uno, como algo inconcluso que debe solucionarse; el reencuentro en que ambos se miden como boxeadores, en que intentan leer símbolos y jeroglíficos grabados en gestos y medias palabras; la decisión de aceptarse como enamorados al fin aunque él debe volver aún a terminar sus estudios; esos maravillosos primeros días, porque fueron maravillosos, ¿no?

—Sí —dice Kaas melancólica.

—Esos días en que cada uno descubre que el otro es perfecto y después la dolorosa separación; la espera llena de esperanzas; el reencuentro definitivo y los larguísimos primeros meses en que cada uno se va desilusionando un poco del otro, la realidad que había dado una tregua y ahora empieza a hacer sus nudos, aunque nada grave aún como para separarse, nada que la ternura no pueda sustituir, nada que la costumbre no arregle, sólo pequeñeces…

—¿Pequeñeces dices? —interrumpe Kaas, ofendida—. Maldición, no debí contarte nada, has entendido todo mal. Si hubiese sabido que te ibas a burlar de mí, no te lo contaba.

—No, pero si no me burlo, no me burlo, sólo me pregunto en qué falló, qué pasó…

La playa de Busardo es bellísima en invierno. Un lugar ideal para caminar, diseñado para la nostalgia. Mientras camino por la playa buscando un lugar donde tenderme, recuerdo a Kaas junto a mí en un paseo idéntico hecho hace meses, en traje de baño, deshaciendo el laberinto de un cangrejo en la orilla, divirtiéndose esa vez con una felicidad despreocupada, extraña en ella, y me entristezco. De pronto, el rostro de una muchacha, casi una niña, que me observa desde lejos, sustituye al rostro de Kaas. Al verse descubierta se aleja corriendo. Antes de salir he cogido al azar *Clea*, el último tomo del *Cuarteto*, para leerlo en la playa. Extiendo mi toalla y me siento. Abro el libro por el medio, en cualquier página. Recuerdo que cuando murió Durrell un crítico profetizó que sus libros estaban destinados a ser leídos por turistas en las playas de moda. Sonrío por la coincidencia. Sentado sobre la arena, superando el frío del invierno y agradecido por la ausencia de viento, intento concentrarme en *Clea*. Estoy prácticamente solo en la playa. Sólo veo a un tipo, con apariencia de extranjero, acompañado de sus pequeñas hijas —la que me miraba y otra— que trata de pescar encaramado a una peña. El libro está abierto en una escena que reconozco de inmediato. Es una conversación entre Clea y el narrador. Leo una de aquellas frases, tan sensatas y tan tristes a la vez, que suele decir Clea, y esa lectura me lleva, obsesivo, al recuerdo de Kaas.

—Tendrás que hacer el proceso inverso —dijo una vez ella cuando recién empezábamos, sin patetismo y sin ternura, razonando—. Primero tendrás que amarme, luego tendrás que aprender a enamorarte de mí.

Kaas regresa, asoma desde las páginas del libro, me abofetea desde el recuerdo donde repite una y otra vez las frases que nos condujeron a nuestro amor y a nosotros mismos. Aquel fragmento de un diálogo sin contexto, por ejemplo. Ocurrió un día pero pudo ser cualquiera. La estaba acompañando a su casa, como siempre. Me pidió que diésemos unas vueltas más porque no quería volver tan temprano. Le sugerí ir a tomar un café, pero a ella no le gustó la idea. Solía suceder que rechazara esas invitaciones pues ella prefería ir a cafés atestados de gente, con música a volumen inhumano y yo a esos cafés abandonados y vejetes donde ningún desconocido gritaba a sus amigos y te hacía participar, sin quererlo, de sus conversaciones aburridas. Me pidió, más bien, que la acompañara a caminar por el malecón frente a su casa. Aún no era invierno, aunque ya hacía frío. No llovía, pero las gotas del mar que estallaba en los farallones alcanzaban a acariciar nuestros rostros. Caminamos sin hablar durante unos minutos. De vez en cuando cumplíamos con algún lugar común: una piedra arrojada al mar, un paseo por la arena dura de la orilla, el recuerdo de una metáfora que comparaba el mar con la vida, la observación del vuelo de una gaviota. De pronto, Kaas dice que se siente muy bien conmigo. Yo intento hacer una broma que no resulta. Kaas se pone seria, mira al mar pero es como si escudriñara mis pensamientos. Dice: "yo te quiero mucho". La abrazo, pero demoro en besarla. Caminamos abrazados por el mismo camino que recorrimos antes. Recogemos nuestros pasos para guardarlos en el recuerdo. Para que, como flores secas, conservadas entre las hojas de un libro favorito, caigan de pronto, muchos años después, mientras leo por enésima vez *Clea*.

—¿Está solo amigo?

El turista que había estado pescando se ha acercado. De pie frente a mí, enorme, me cubre la visión del mar. Sus hijas siguen jugando cerca a la orilla. Diez y trece años, quizá. Se están persiguiendo. El hombre está luchando con un imperceptible hilo de pesca enredado al parecer en su pierna. Tiene una mochila grande y gastada sobre el hombro. No parece haber pescado nada. Es un tipo alto y grueso, con aspecto bonachón y algo ebrio. Me pregunta si tengo café. Le digo que no. Pregunta si quiero uno y saca de la mochila un termo. Hace frío y acepto. También se sirve una taza. El café se me hace un nudo hirviente en el estómago.

—Se está bien en esta playa; cuando es invierno y no hay nadie, claro. ¿Lee? —me pregunta—. También suelo leer en la playa. ¿Me permite?

Coge el libro y lee sin pausa la primera página. Mientras lee mueve la cabeza afirmativamente. Luego, echa un vistazo al título. Es evidente que no le dice nada. Le da una revisada rápida a algunas páginas que abre al azar.

—Un poeta —dice, devolviéndome al fin a Durrell—. Pero demasiado triste. Puede hacer daño. Pero es un poeta.

Me pide que le cuente un poco el argumento. No sé por qué le hago caso. Quizá porque me siento bien compartiendo ese café aguado y caliente, café para pescadores, o porque me divierte ver a sus dos cachorritas de pelo largo persiguiéndose por la playa. Le hablo de Clea, lo pongo en autos de su breve presencia en los tomos anteriores del cuarteto para así acostumbrarlo a ella y crear el suspenso para la terrible escena en que Clea cae herida por un arpón en medio del océano. Me doy cuenta, entonces, del genio de Durrell. Durante todos los tomos uno ha estado enamorado de Justine y ve a Clea como una muchacha buena que siempre está cerca y de quien uno no podría enamorarse, salvo como sustituta del amor apasionado. Pero, de pronto, sucede el accidente y el lector sólo le pide a Dios —es decir a Durrell

45

en aquella historia, para esas vidas— que no la mate. Nos hemos pasado toda la obra amando a Justine y de repente nos damos cuenta de que amamos a Clea. Su posible muerte nos desarma y nos deprime como no nos deprimió ni siquiera la desaparición de Justine. Llego, excitado, casi atragantándome con mis palabras, a la escena del accidente, pero el hombre me interrumpe y no permite que termine la historia.

—Es triste. Ya lo sabía —dice mirándome a los ojos—. ¿Cómo puede permitir que un libro lo entristezca?

Me arrebata de las manos *Clea* y, sin consultarme, sin preocuparse por lo que yo pueda decir, arroja la novela, se agacha, y en cuclillas empieza a echarle arena con sus manos enormes. Sólo cuando el libro queda enterrado bajo un montículo se levanta. Estoy tan perplejo que no atino a nada. Parece un episodio de *Alicia en el país de las maravillas*. Aquel hombre agigantado podría ser sin dificultad una oruga palimpsesta o un gato que desaparece dejando su sonrisa. En cualquier momento podría soltar una frase paradójica, un acertijo que yo debería resolver. Quizás es divertido verlo desde esa perspectiva, pero no le encontraba la gracia.

—¿Qué hace? —pregunto—. ¿Qué es esto? ¿Una broma o qué?

—No se preocupe, amigo. Es sólo una novela. No es la vida. La vida —dice señalando el mar— es eso. ¿No me acompaña a pescar?

—Tú estás mal de la cabeza, eres un demente. Yo no voy a tirarme a la arena por tu broma.

Sin oír lo que digo se dirige hacia las rocas. Voy tras él para exigirle explicaciones, para obligarlo a desenterrar mi libro. Aquella intromisión en mi intimidad me irrita profundamente y estoy dispuesto a armar una pelea si no me ofrece disculpas de inmediato. Pero mientras avanzo tras él me siento liberado de un peso, libre de recuerdos. Quizá todo era tan fácil como enterrar un libro. Esa playa para turistas podría ser la tumba de Durrell, como lo anticiparon el día de su muerte. Y también la tumba de Kaas, de mis recuerdos inútiles y morbosos. Trepo la peña no sin esfuerzo y me pongo al lado del hombre que vuelve a tirar su cordel al mar. Ya no parece tan alto. Nos ponemos a hablar de pesca. Dice que en esa playa es muy buena. También hablamos de las ruinas de Busardo. Confiesa que no le resultaron tan espectaculares como suponía.

—Mañana parto hacia Bruselas —me dijo—. Y de ahí no sé a dónde. Sé que parece que estuviera huyendo de algo, pero sólo es mi trabajo, sin misterio. Felizmente tengo dos hijas casi de la misma edad que saben divertirse juntas.

Señala a sus hijas que, al sentirse observadas, empiezan a gritar y mover sus manos. Su padre las saluda con la cabeza y de inmediato vuelve a concentrarse en la pesca. Yo me quedo mirándolas unos minutos más. Corren por la playa. La menor ha descubierto el montículo bajo el que está mi libro y se lo enseña a su hermana. La mayor corre y desentierra *Clea*. Mira las páginas sucias de arena y las sacude. Discuten por quién se llevará el botín. Gana la mayor. Ambas descubren que estoy pendiente de sus juegos y empiezan a mover las manos hacia mí como despidiéndose. Todo parece una escena de mala comedia, la broma de una cámara escondida, un sueño absurdo. Pero incapaz de reaccionar, al fin divertido por el sueño o la broma, me quedo sentado sobre las rocas junto al hombre que silba y miro en silencio a las muchachas que me hacen adiós.

Cada día me acostumbraba más a Busardo. Cada vez la reconocía mejor, me encontraba más a gusto en ella, me extraviaba menos. Por eso me resulta tan fácil describirla, como si su topografía estuviera grabada en la palma de mi mano. La Vía Dolorosa, como la gran huella de una garza, divide en tres porciones la ciudad. Dos líneas delgadas de pista que parten de puntos equidistantes a orillas del mar y cruzan la arena hasta unirse en el cerrado ángulo del vórtice. Desde ahí la carretera se resume en una sola línea sinuosa que se interna en el bosque.

Aquel punto en que convergen las tres líneas de la Vía Dolorosa es el kilómetro cero de la ciudad. Sobre él se alza la antigua estación del tren cuyos rieles, aunque inútiles, todavía cruzan laberínticamente algunas calles. Las tres porciones en que Vía Dolorosa divide la ciudad tienen nombres hermosos y significativos. Al lado derecho, el barrio antiguo, sus poco más de veinte casas (la última el bar de Zeta), la pista de tierra, la estación de buses, es decir todo lo que es conocido propiamente como Busardo. El lado izquierdo, el barrio nuevo para turistas y la ciudad colmena, es llamado Azul aunque antes llevaba el nombre del héroe. Ahí es donde vivo. Y luego, el triángulo perfecto de la playa de arena blanca que los habitantes llaman Reposo, llena de pescadores en invierno y de veraneantes en el estío. Y como telón de fondo, elevándose paralelo al mar y a su orilla, el otro límite de la ciudad, el bosque Busardo y su sensitivo lomo de montaña.

Un nuevo día. La ciudad ha envejecido. No ha soportado la muerte del día anterior. La procesión de los habitantes por el asfalto negro y las veredas crea un ruido de pasos seco, pesado; monótonos golpes de tacos sobre la tierra. Goterones de agua se desprenden de los árboles, goterones que son los restos de la criminal lluvia del día anterior y que crean una nueva lluvia, menos intensa, más penosa. Seis meses es demasiado tiempo para vivir en Busardo. Me había acostumbrado a aquella procesión como cuando era un niño y me acostumbraba a los paisajes terribles de mis pesadillas, y luego, cuando estaba aburrido o insomne, hasta convocaba a sus tétricos protagonistas para divertirme. Me pongo un buen abrigo porque sé que va a llover más aún, como si la lluvia del día anterior hubiera terminado su viaje y volviera tras sus pasos. Abro la ventana para aspirar el aire frío. Las gotas en el cristal forman una nueva imagen en forma de recuerdo. En él Kaas y yo vemos una película. Es nuestra primera semana en Roma y también llueve como ahora, años después. Empapados, nos guarecemos de la lluvia en un cine lleno de gente. No hay nada que deteste más que los cines repletos, estar sentado junto a un desconocido, estallando los

48

codos sintiendo su aliento y respiración, su sonrisa, sus comentarios apagados. Esa falsa intimidad auspiciada por las tinieblas y el ecran: un desastre. Pero Kaas insistió y yo no tenía una idea mejor. En la película, que ya había empezado, una mujer acusa al personaje de la película de no quererla. Ambos están en un tren en movimiento. Él ha comprado, de contrabando, dos lápices de rouge: uno para su esposa que lo espera en casa, otro para su amante que llora en el tren. Viven bajo la dictadura y aquellos regalos son un tesoro. La amante ha salido del vagón y observa el campo que se aleja y oye el traqueteo de los rieles. El viento agita su cabello. Él coloca su mano sobre su espalda y le entrega el obsequio. Ella lo recibe con desinterés, pensando en otra cosa, dolida por algo que aún desconocemos.

—Tú no me amas —le reprocha la mujer.

Él se queda en silencio. Escudriña el rostro de su amante antes de intentar contestarle, antes de mentirle. Luego, se introducen en un baño y empiezan a excitarse —ya no se esquivan— agitándose en el sexo. Sólo entonces se decide por responderle, pero no por mentirle:

—¿Amor? —pregunta con atroz sinceridad—. ¿Quién ama a quién en este manicomio?

Kaas se levanta como sacudida por una descarga eléctrica. Ese diálogo ha desnudado nuestra pobreza, nuestra indefensión, nuestros errores. Aún bajo la oscuridad sé que en los ojos de Kaas hay indignación pero también temor. Tomo su mano. Está fría. No quiere sentarse y ha empezado a incomodar a los otros espectadores. Espectadores de la película y también desprevenidos espectadores de nuestra historia. "¿Me amas?", pregunta Kaas en voz apenas audible, temblorosa. Atrás empiezan los reclamos, "va a salir o se sienta", grita alguno. Intento contestar su pregunta besándole la mano pero ella no parece convencerse. Aún así, toma asiento y se refugia en mi hombro. "Eres mi niña" le digo. No contesta. Kaas ha levantado la cabeza y ve la película, con el rostro iluminado por la luz del ecran. Sonríe, como el resto del público, por algo que sucede en la pantalla. "¿Kaas?", la lla-

49

mo con ternura, en voz baja. Pero Kaas me ha abandonado. Es la misma sonrisa, el mismo olor del cabello, pero no está. "¿Kaas?", insisto luego, en Busardo, como entonces en Roma, y tampoco responde. Todo en aquel cuarto de albergue me la recuerda, pero no hay nada de ella ahí. Sé que en aquel momento, lejos de mí, Kaas sonríe como sonrió aquella vez, o llora como lloró luego, o no se despierta porque está cansada de caminar por Roma; si es cierto lo que sospecho y ella está en Roma, a miles de kilómetros de Busardo, con Mario —su nuevo amor— definitivamente distante de mí hasta la irreverencia, recogiendo sus pasos en esa ciudad, separándolos de mis pasos en el recuerdo, inventándose una nueva Roma, nuevos recuerdos, otra piel. Así pues, Kaas se ha ido de mí para inventarse a sí misma.

Primera certeza: ella no está aquí. Segunda certeza: no más certezas.

Como mis padres lo previeron siempre, terminé mis estudios y no tardé mucho en regresar a Europa. Aunque yo nunca hablaba del fracaso de mi primera experiencia europea, y tampoco de mis deseos de volver a intentarlo, bastaba ver la decoración de mi cuarto, la ropa que usaba, mis modales y hasta el auto que conducía para descubrir qué poco me había acoplado a mi ciudad natal. Mi madre también soñaba con viajar a Londres, comprarse un departamento y vivir ahí, pero mi padre era un hombre testarudo que insistía en pasar el resto de su vida en el país donde hizo su fortuna. Muchas veces me pregunté si aquello no era sólo el temor natural a lo extraño, una señal inequívoca de provincianismo o, peor aún, si detrás de eso no había razones oscuras, negocios complicados, el deseo no sólo de dinero sino de poder político, lo que en un país extranjero no podría tener. Pero en una discusión desagradable que sostuvimos después de una cena, entendí que para él, a diferencia de mi madre y de mí, el país era algo más que su club, su constructora, sus negocios, sus amigos y parientes. Sentí envidia porque a mí también me hubiera gustado tener una patria que no fuera sólo el pasado, algo tangible, ubicable, algo que pudiera asirse y defenderse. "En el fondo tú eres tan esnob como tu madre y tus tías", me dijo aquella vez muy enfadado, "eres un moralista, pareces una señora, miras a los chicos de tu edad como si fueran salvajes o no sé qué". Le dije cualquier cosa para evadir el tema, pero él insistió, ahora con tono paternalista: "Deberías tomar las cosas con más calma, hijo, ser un poco más fresco, más espontáneo. Todavía eres un muchacho, no seas tan rígido, tan duro contigo mismo. ¡No te pases la vida entera juzgando a todos y a todo con esa nariz levantada, hombre!", exclamó, dando término a su consejo con una palmada en mi espalda. A duras penas pude reconocer en ese señor al padre de educación británica de mi infancia. Cuando se enteró de la discusión, mi madre me aconsejó que no le hiciera caso, que él en los últimos años, con la vejez, se había acriollado y se portaba como un cascarrabias, que había llenado de artesanías horrendas su estudio y que, como si no fuera suficiente tragedia, actuaba como un chiquillo y hasta se había comprado un auto deportivo. Ella estaba indignada y sospechaba que ese cambio se debía a que seguro se había metido en amores con una pelandusca de dos por medio, la que, encima, le estaría robando la plata. Era una sospecha injusta —como lo comprobaría luego, según me ha confesado mi madre en una de sus últimas cartas— en la que yo veía la desconfianza natural de mi madre y mis tías hacia sus hombres y, sobre todo, esa imposibilidad, que yo compartía, de sentir afecto por una patria. Mi madre me recomendó que me fuera a vivir lo antes posible a Europa, y dijo que ella, por su cuenta, también pretendía irse y dejar solo a mi padre. Entonces, casualmente, un instituto ofreció una beca que financiaría un proyecto de investigación sobre historia durante un año, con la única condición de que éste se base en un tema europeo. Aunque no necesitaba de la beca para viajar, pues mi madre me había ofrecido un adelanto de herencia, decidí postular para hacer las cosas menos dramáticas. Todo el "Rodrigo de Triana" presentó proyectos, pero el mío, por azar, salió elegido. Debía trasladarme primero a Francia, pues el instituto que me auspiciaba tenía su sede ahí, y luego a Venecia como primera estación porque esa ciudad era la que más convenía a mi proyecto: un análisis de la situación contemporánea del Mediterráneo que vendría a ser un complemento y una actualización del clásico de Fernand Braudel. Pensaba empezar por el extremo Adriático e ir descendiendo para bordear todos los puertos europeos del Mediterráneo. Kaas trataría de conseguir una beca para España y nos reuniríamos. Y si lo de su beca demoraba, de todos modos viajaría a Europa, con un préstamo que sus padres le habían ofrecido, para darme el alcance. Unos amigos de mi familia me recibieron en el Charles de Gaulle y me llevaron a su hermosa y elegante residencia en Saint Cloud, a doce kilómetros de París. Antes, pasamos por la sede del instituto para recoger el dinero de la beca. Aquel monto nada desdeñable, sumado al de mi tarjeta de crédito, podría permitirme alquilar un departamento más cerca del centro de París e independizarme de mis anfitriones, pero me bastó recorrer en automóvil la ciudad y ver su agitación para saber que debía partir a Venecia de inmediato, sin distracciones ni pérdida de tiempo. Por la tarde, acompañado de mis anfitriones, caminando a orillas del Sena sin decidirme a cruzar el Pont des Arts, observaba al tiempo moverse a mi lado como un animal doméstico al que, súbitamente, veía como a un extraño. Sólo podía pensar en el pasado, en la historia sobreviviente, y detenerme en las calles y las casas que me recordaban aquel pasado, lo único capaz de conmoverme pues el momento actual me dejaba indiferente. Era escéptico no sólo ante el futuro sino ante el mismo devenir, ante todo lo que no podía formar parte de un pasado de anticuario. Nada me decía lo moderno, esas grandes hazañas de hombres mediocres, esas palabras ingeniosas provenientes de una inteligencia vana y desgastada, el nihilismo de pensamiento y de piel, la juventud, la fe, el amor absoluto o la persecución del instante, aquel infame *carpe diem* de París, ciudad de boutique. Sin embargo, aún no era lo suficientemente inteligente, o no había sufrido bastante, como para convertir mi rabioso escepticismo en un cinismo despreocupado. Todavía me rebelaba lleno de furia contra todo aquello en lo que había dejado de creer y aún me hacía daño descubrir mi espíritu descreído alojado en el lugar que antes ocupaba la esperanza. No podía ser lúcido ni gentil ni práctico ni sosegado como un cínico. Y yo sentía que, más que nunca, necesitaba esas virtudes para poder soportar durante unos días la hastiante modernidad de París.

París ha dejado de ser culta, pensaba cruzando sobre el Sena, imposible imaginar que aún existen aquellos conductores de autobús que leen el *Magazine Littéraire* y que tanto sorprendieron a Durrell. Mis anfitriones, tratándome como turista, me condujeron al barrio latino pese a mi rebeldía contra ese lugar común. Parecía que los habitantes de ese barrio fuesen los únicos intelectuales de París. Sólo ahí escuché hablar de arte, de literatura, de música, de cine. Participé huraño y silencioso de aquel desfile. Pero hay algo trágico y conmovedor en ellos: han dejado todo por asistir al cansancio de la civilización que envidian y admiran. Pronto serán expectorados de ahí y tendrán que volver reptando a sus países de origen. Si no ellos, físicamente, por lo menos sus espíritus y sus sueños cumplidos, dejando aquí sólo la cáscara de sus cuerpos, vaciados pero satisfechos, de machos de mantis religiosa. Uno de los amigos latinoamericanos de mis anfitriones propuso ir a ver la película recién estrenada de un director británico muy celebrado en el último Cannes. Fuimos a un cine que estaba repleto de parisinos. Pero ninguno de ellos observaba la proyección con la avidez de mis amigos, quienes parecían devorar cada fotograma. Salieron del cine comparando en voz alta y emocionada lo que acababan de ver con lo que vieron durante la semana. Discusión de cinéfilos que me desconcertó: ¿cómo podían estar tan enterados?, ¿de dónde sacaban el dinero para el cine, para los libros, para los museos, para la imaginación y el ocio?

—Mira, viejo —me explicó uno de mis anfitriones, haciendo la

53

exégesis del metequismo—, aquí ya no existen exiliados políticos ni desterrados ni hippies. Todos estamos aquí porque queremos algo y porque sabemos qué queremos.

Hacía varios años que los latinoamericanos en París habían dejado de estar de moda. Sin embargo, ellos aún seguían dando vueltas por el barrio, seguían atiborrando una ciudad que los desconocía. ¿Por qué estaban aquí? ¿Qué querían? Reclamaban la cultura de Occidente y el espectro de París. Y eso tenían. Después de cenar me invitaron a una reunión, pero preferí ir a descansar. Libré a mis anfitriones del compromiso de acompañarme y me despedí de todos. Como no tenía mucho ánimo para tomar solo el tren hasta Saint Cloud, decidí hospedarme en un hotel. Por las calles algunos comercios estaban abiertos, varios de ellos —los más— ofreciendo a los extranjeros de paso el guiño colorido de postales con retratos brillantes de la ciudad. Pese a la insistencia de los vendedores no compré ninguna postal. Esa noche, a mi madre y a Kaas les escribiría una carta abultada, llena de detalles y de reflexiones. Y los amigos que se merecen una postal, como e pensado, en realidad no se merecen nada.

Cuando uno no es turista son pocas las cosas que puede hacer en un lugar como Busardo. Comer en un restaurante, caminar por la playa, conversar con los de fuera, ir a beber al Zeta. A mí, por lo general, me agrada visitar el Zeta. Puedo pasarme horas allí, olvidar que estoy en un lugar que no me pertenece, pero que tampoco me condena al exilio de la tercera persona, como siempre decía Leopoldo en Lisboa, citando no recuerdo a quién. Salvo una ocasión en que sucedió algo fuera de lo común, el Zeta y su dueño eran lo único siempre acogedor de la ciudad. Pero hubo aquel día, aquella situación extraña. El bar estaba lleno y llegué un poco más tarde de lo acostumbrado. Sin embargo, Zeta, amistoso, me había separado una mesa, aunque tuve que compartirla con una pareja de turistas franceses que almorzaban. Hablaban en inglés y me hicieron participar de su conversación. Se les veía deslumbrados por haber conocido el escenario de la batalla y no dejaban de recordar las hazañas del héroe, que antes sólo conocían por libros y de las que ahora se sentían parte. Uno de ellos era, además de arqueólogo, historiador, y me preguntaba con insistencia sobre lo que calificaba como la "exótica" historia de mi país; preguntas que a duras penas podía contestar porque no me interesaba el tema y porque ellos, aunque hablaban muy bien el inglés, pasaban inconscientemente del inglés al francés. Sin embargo, el francés también es un idioma que conozco bien, no tanto como el inglés, desde luego, pero que puedo seguir sin mayores problemas. Por eso me sorprendió que me fuese tan difícil seguirles el ritmo de la conversación en la que se hablaba cada vez más francés y ya sólo se decía una que otra frase en inglés, como concesión para hacer participar a Zeta, que rondaba por ahí. Durante una hora pude seguir el diálogo sin mayores problemas, aunque sucedía cada vez con más frecuencia que de cada dos o tres frases no entendiera una que otra palabra. De pronto, vertiginosamente, la proporción varió y entonces eran oraciones enteras las que no entendía. Sólo por contexto podía deducir de qué trataba la conversación. Pensé que, entusiasmados, habían empezado a usar un dialecto o algo similar que me descalificaba. Pero en realidad tenía la certeza de que estaban hablando en un francés que yo, en condiciones normales, entendería. Dejé de contestar a sus preguntas, que no podía descifrar ya, y ellos superaron mi repentino mutismo haciendo participar a unos vecinos canadienses. ¡Y yo no entendía ya sino un verbo o un sustantivo de cada oración! Me puse triste, ni siquiera preocupado, sino triste. Bajé la cabeza y la oculté entre mis brazos. Con los ojos levantados, fijos en ellos, los observaba mover la boca y proferir sonidos extravagantes e incomprensibles, un blablablá sin sentido para mí. Entonces me quedé dormido. No entendía nada, estaba triste y me dormí. Cuando desperté todos se habían ido ya y Zeta limpiaba las mesas. Me levanté y fui hacia él. Le di la mano sin decir una palabra y salí del bar. Entendí que Zeta debía pensar que estaba ebrio, pero yo no había bebido demasiado esa vez. Simplemente, sucedió que aquel día yo no entendí el francés y me quedé dormido, desperté cuando todos se habían ido y fui a continuar mi sueño en mi habitación del albergue. Eso fue todo. Uno de los días más tristes de mi vida que recuerde y no encuentro aún ningún motivo para esa tristeza, salvo que estar rodeado de personas y no comprenderlas sea un motivo para tan extraña melancolía.

A pesar de eso, siempre me gusta ir donde Zeta. Y me gusta también mi albergue. Soy el único huésped que se ha quedado tanto tiempo y la anciana me ha tomado cariño. Me ha confesado que teme que un día decida buscarme una casa y mudarme. A veces le pregunto si no teme, más bien, que decida dejar Busardo. Ríe con ganas y dice estar segura de que jamás dejaré la ciudad. Día a día, después de beber martinis y recordar a Kaas en el bar de Zeta, empiezo a recorrer el trecho que me separa del bar hasta el albergue. Los primeros pasos los doy zigzagueando, un poco ebrio, golpeado por mis recuerdos hasta que, como el alcohol, se disuelve en mí la imagen de Kaas que he convocado. Entonces puedo movilizarme con mayor rapidez y presentarme en un estado aceptable en el albergue, saludar a la dueña e irme a descansar al cuarto. Así, los días se suceden, pasan uno tras otro. No puedo esquivarlos ni siquiera durmiendo. Por ejemplo, digamos que ha caído otra vez la noche. Salgo del bar y recorro nuevamente las cuadras que me llevan hasta el albergue. Camino por el asfalto barrido por la lluvia de la Vía Dolorosa. Y eso me hace recordar que con Kaas siempre tratábamos de evitar las calles importantes, las largas avenidas. Avanzábamos por vías sin señales, cuadras abandonadas por los transeúntes, calles de casas con las trancas puestas y las ventanas cerradas, rodeadas de parques pequeños indistinguibles unos de otros. Pensábamos, como suelen pensar los enamorados, que el amor vivía en esas callejuelas laberínticas, que sólo aquellas ramas secas de la ciudad podían ser el refugio del verdadero amor, como lo son para los nidos de los pájaros. Pero en Busardo sin Kaas no era necesario descubrir nada, sólo debía caminar hacia mi destino sin prisa pues ya sabía qué encontraría en el albergue: la campanilla que despertaba a la dueña, el comedor vacío porque era tarde, limpio porque la dueña se aburría, a oscuras porque no debía gastarse tanto dinero en luz, frío porque la calefacción era siempre un problema en las casas antiguas. También con el ladrido fuerte y persistente de aquel mínimo perro de lanas que era la única emoción de la dueña, su único erotismo, su deseo de vivir.

Era de noche al fin, me había pasado la tarde tratando de explicarme la escena de la playa, el grandulón, sus hijos, lo absurdo del entierro de *Clea*. Deambulaba por la Vía Dolorosa cuando me crucé con un grupo de jóvenes que bajaba hacia una fogata en la playa. Probablemente irían luego a una discoteca que estaba abierta todos los días durante el verano, pero sólo la noche de los sábados en invierno. Delante de ellos vi una motocicleta y escuché el ronquido de su motor. Descubrí sin sorpresa que era Agustín y que también él me había reconocido. No me detuve y seguí avanzando por la avenida, mientras el grupo de muchachos se internaba por los pasadizos de las calles. No había caminado ni cien metros más cuando volví a cruzarme con Agustín, quien subía por uno de los callejones y se esforzaba por darme alcance. Cuando al fin estuvimos frente a frente, hizo un círculo en torno a mí con la moto, y se colocó a mi costado. Atrás llevaba a una muchacha vestida con un viejo polo de algodón y una falda corta que dejaba ver casi completas sus piernas flacas. No llevaba zapatos, el pelo era largo y sucio, la mirada atrevida. No tenía tipo de extranjera. Mientras Agustín hablaba conmigo ella, despectiva, no me mostraba la cara y prefería mirar al piso.

—¿Está yendo a la discoteca? —pregunta Agustín—. Yo podría llevarlo, pero traigo cargamento pesado.

La muchacha no se dio por aludida. En un gesto de adolescente, se llevó la lengua a una muela y pareció escarbársela con los labios apenas abiertos. Si halló algo, se lo tragó, pues no la vi escupir. Siguió mirando el suelo, cogiendo la cintura de Agustín casi con desidia.

—Gracias por darme categoría de adolescente —dije—, pero creo que las discotecas ya no son para mi edad.

—¿Qué edad? —soltó Agustín.

Pero sin esperar la respuesta hizo tronar su motor. Levantó las piernas y partió sin despedirse, a no ser que una risa babosa pudiese ser considerada una despedida. La mocosa que llevaba detrás, el cargamento pesado, no tendría, calculé, más de doce años.

A la mañana siguiente desperté más temprano que de costumbre pues la dueña del albergue peleaba con unos borrachos escandalosos, que se habían quedado dormidos en la puerta, y armaba también su propio escándalo. Mi ropa del día anterior estaba arrojada sobre una silla, como si me hubiera dividido durante la noche y ocupara otro lugar en la habitación además de la cama. Me levante dispuesto a darme un duchazo. Di unos pasos somnolientos y torpes. No pude ver mi pequeña biblioteca improvisada y me di un golpe en la cabeza con uno de sus ángulos. Algunos libros cayeron al suelo y los levanté para volver a acomodarlos. Al hacerlo, los sometí a un rápido repaso. Perdidos entre los libros para balneario y las pésimas traducciones, que son las únicos que pueden comprarse en la tienda de provisiones para turistas frente al Zeta, descubrí las tres novelas de Durrell que aún me quedaban. Cogí *Balthazar* y empecé a leer desde la primera página. Me recosté sobre la cama y continué la lectura. Era ya mediodía cuando el hambre me hizo dejar la novela que había avanzado hasta casi la mitad. Bajé a almorzar en el Zeta. En el camino rumiaba aún algunas de las escenas que releía por enésima vez, recordando cómo esas situaciones eran reinterpretadas en el resto de libros del cuarteto y adquirían una dimensión más compleja, más intensa. Es más, sonreí en complicidad con Durrell, en *Balthazar* aún no sabíamos ni siquiera que el narrador se llamaba Darley. Descubrí que no podía soportar mi vida en Busardo sin *Clea*. Di un giro, entré por una callecita a espaldas del Zeta y bajé hasta la playa del Reposo con prisa, rogando que las muchachas hubieran dejado la novela en su tumba. Encontré el lugar, pero no *Clea*. De pronto, alguien empezó a palmotearme la espalda con confianza. Volteé sorprendido y descubrí al extranjero del día anterior con una maleta grande en la mano derecha y su vieja mochila en la espalda. Vaya coincidencia. Quizá, después de todo, sí era un personaje de *Alicia en el país de las maravillas*.

—No me diga que ha venido a despedirnos —dijo—. Siempre lo he dicho: uno hace amigos en donde menos lo imagina.

Feliz por haberlo encontrado, le pregunté por la novela. No me contestó, como si no me hubiera escuchado, y siguió caminando. Me dejé arrastrar por el hombre hacia el embarcadero. Me hablaba de sus viajes inagotables y de su trabajo, de los buenos amigos que dejaba él en cada puerto como otros dejan amores. Un bote lo esperaba en la orilla para llevarlo hasta el barco.

—¿Sabe qué vamos a hacer? Voy a dejarle mi dirección para cuando usted vuelva a Europa. Lo más probable es que no me encuentre ahí, pero en el teléfono que le dejo le informarán en qué país estoy y a qué dirección puede escribirme. No perdamos el contacto, compañero. Quizá podamos ir a pescar un día de éstos a un lago. La pesca en lago es, me parece, más apropiada para su físico.

Cogí su tarjeta de visita. En ella se leía su nombre, que no recuerdo con exactitud aunque me parece que era una aliteración. Al lado de su nombre había el dibujo gracioso de un perro con sombrero. No decía en qué trabajaba ni cuál era su oficio. Quería volver a preguntarle si sabía algo de la novela que enterró, pero no me dio tiempo. Apenas llegamos al bote, soltó la maleta y me estrechó en un fortísimo abrazo de oso. "Ya nos veremos, compañero", dijo, subiendo con dificultad al bote. Sus hijas miraban la escena desde el interior de la embarcación y se reían de nosotros. Di unos pasos, sin convicción, como para detener el bote, pero éste ya estaba desatado y un muchacho remaba con fuerza. Traté de preguntar a la muchacha mayor, desde el espigón, a través de señas —dibujaba un cuadrado en el aire— por mi novela. Ella veía mis gestos sin comprender y continuaba riendo y mirando a su hermana, como si estuviéramos jugando una insólita y agotadora charada. Su sonrisa era muy agradable y podría decirse que hasta bella, pero eso era algo en lo que no podía pensar en ese instante en que me sentía tan indefenso mientras se distanciaban con rapidez. Tenía la sensación casi física de que en cualquier momento me arrojaría al mar e iría tras el bote para recuperar mi libro. Ahora la niña y su hermana, siguiendo el ejemplo de su padre, movían lentamente los brazos diciéndome adiós. Derrotado, hice una última mímica, que simulaba a una persona pasando las hojas de un libro, tratando de que me dijera al fin el destino de mi novela. La muchacha, sin dejar de sonreír, levantó sus hombros en un gesto inocente de rendición. Me quedé con la visión de esos hombros blancos y pequeños, descubiertos por una blusa sin mangas, rozando el rostro sonriente que, de vez en cuando, era cubierto por delgados mechones de su pelo azotado por el viento.

—Como le contaba la vez pasada, aquellos primeros días con mi garella…

Zeta demoraba la historia de su matrimonio, que no dejó de contarme desde la primera vez que le permití hablarme de eso. Inconsciente del daño que me hacía, recordaba a Mathilde, su difunta. Levantando su recuerdo ante sus ojos como un objeto sólido y transparente, relamiendo sus contornos con gula, sin sentir vergüenza ante el espectáculo público de su felicidad pasada.

—A propósito —lo interrumpí, aprovechando una breve tregua

para cambiar de tema—, ¿sabe?, creo que ya no tendrá que preocuparse de su muchacho.

—¿Se refiere a Agustín? —despertó Zeta, saliendo con un bostezo de su recuerdo y diciendo el nombre de su ayudante con una pronunciación que trataba de imitar la mía, correcta en castellano.

—Ayer lo vi con una muchacha en la moto —le conté—. No parecía extranjera y no tendría más de doce años. La debe estar formando para esposa, como usted dice.

—Ah, eso. No, no es su novia. Y mejor, sabe, esas relaciones con tanta diferencia de edad... Ella es casi una niña, y Agustín, bueno, tiene una vida... agitada, por decir lo menos.

—No sea tan pesimista. A veces, esas historias funcionan.

—¿Historias? —dijo Zeta volviendo a su pasado—. Si quiere una historia, si realmente quiere oír una historia bonita, yo le tengo una muy bella. Mathilde...

Pero también yo tenía una historia. Silenciosa, ya que a nadie se la contaba, y secreta, a pesar de aparecer ante mí con tanta insistencia que amenazaba con salirse de los límites del recuerdo personal y divulgarse sin recato entre los habitantes de la ciudad e incluso entre los turistas. La dueña de mi albergue me había servido un café. Me llevé la taza aún hirviendo a los labios y sorbí ruidosamente para despertarme. Despierto también otras cosas. La escena de mi primer café con Kaas, por ejemplo, que se representó, como de costumbre, célebre lugar común, en un viejo local que se resistía a perder su encanto. Aún aparecían por ahí ancianos con sombreros de fieltro y cintos con lazo, aún era posible hacer una sobremesa sin recelo por parte de los mozos. También había muchachas bonitas, porque la moda es caprichosa y ese local de bohemios ancianos se puso de moda. Algunas con cabello largo y color ala de cuervo, con los labios encendidos de rojo. Otras, cabello corto y muy rubio, ojos azules, maternales, o verdes, malignos.

Felizmente, los dueños también habían tenido el buen gusto de no

61

poner música estridente y gracias a eso podía concentrarme en mi compañía. El perfume de Kaas se matizaba con el aroma del capuchino que pedí. Las tazas eran pequeñas y el sabor dulce, y aún así le echaba más azúcar al café porque me gustaba el gesto; porque me sentía bien introduciendo la cucharilla en mi taza, dejando que se entibie; porque aquel acto mecánico me ofrecía la magia de ver a Kaas y pensar en ella al mismo tiempo. Kaas había encendido un cigarrillo y atraía hacia sí el cenicero con un movimiento distraído de su mano. Dejaba caer las cenizas y levantaba sus ojos para detenerlos en los míos cuando me hablaba. Conversábamos sobre uno de nuestros cursos. Ella discutía a Hegel. Mi papel era el de admirarla y no me era difícil hacerlo. Me deslumbraba su conversación, su inconmovible dialéctica, su estremecedora seguridad aún cuando se equivocaba, su risa divertida cuando tenía que rectificarse después de dura batalla o cuando me juzgaba con ternura. La transparencia de su mano al escribir en una servilleta el nombre de un autor que acababa de leer y que yo desconocía. Lo difícil era, más bien, reconocer en esa mujer inteligente y sensata, vestida con impecable saco verde y un pañuelo arena alrededor del cuello, a la niña revoltosa que me seguía siempre en el preescolar o a la adolescente que dejó de seguirme hasta en mis sueños. Salimos del café. Caminamos cerca uno del otro, pero sólo nuestras auras se acarician. Ella voltea a ver a un niño que juega con una pelota colorada y su voz se enternece, aunque sigue hablando de Hegel. Yo encuentro por todos lados pequeños y regordetes gorriones que avanzan dando saltos por las baldosas del parque donde unos niños han dejado caer trocitos de galleta. Kaas lleva su mano al cuello y se arregla el pañuelo. Un viento prodigioso le lanza el pelo a la cara, y su mano, delgada y nerviosa, sube desde el pañuelo del cuello hasta su rostro, descorre el velo rubio del pelo y luego cae muy cerca a mi mano, sin tocarme.

—Cuando empezamos a salir —confesó Kaas el día que cumplimos tres meses de enamorados— me pareció tan extraño. Tú eras tan competente, tan dueño de la situación, que me preguntaba qué había en mí que pudieras necesitar.

—Eres parte de mi infancia —expliqué halagado.

—¿Me necesitabas para recuperar tu infancia? —se ofendió Kaas.

—Por supuesto que no —dije—. No me refería a eso.

—Qué bueno, porque nunca te lo perdonaría. No soy historia, estoy viva, me movilizo, existo. Jamás te perdonaría que quieras construir un museo a mi alrededor.

—No exageres, Kaas.

—No exagero. A mí no me gusta la historia de anticuarios. Esa historia es una de las más grandes atrocidades que ha cometido la humanidad.

—Bien. Supongo que debo tomar eso como una crítica constructiva de parte de una colega, ¿o acaso sólo es una ofensa?

—¿Cómo es ese aforismo de Cioran? —preguntó Kaas con una sonrisa, abrazándome por detrás—. La dueña de su hospedaje le dice que el problema de Francia es que todos quieren escribir y nadie trabajar. Y Cioran piensa que eso es, en realidad, un juicio a la civilización.

—¿A ver, muchachita sabionda, a qué te refieres exactamente? —pregunté, tratando inútilmente de enfadarme.

Pero ella rió y también yo. Como de costumbre, la alegría de Kaas me habitaba, como también su pensamiento, trágico por definición. Di una vuelta y la cogí por la cintura con un poco de violencia. Ella se defendió de mí, malinterpretando el abrazo, un poco asustada, pero luego de que le di un beso, todas las cosas y todas las frases se aclararon de nuevo y volvimos a entendernos.

Me doy cuenta de que el café que me ha servido la dueña del albergue se ha enfriado y repite mi imagen sin condolencia, sin concesiones ni halagos. Salgo del comedor y subo hacia mi habitación. En la escalera, el perrito de la dueña me ladra y dudo entre darle una pequeña patada o no hacerle caso. Me quedo de pie junto a él. Como si hubiese percibido el peligro, la dueña sale de la cocina y levanta a su amigo, que sigue ladrando.

Cumpliendo con los planes trazados para ser feliz en mi segunda experiencia europea, dejé París y viajé a Venecia por unas semanas. Los informes que envié desde allí, informes breves y rápidos, hechos con mala conciencia, milagrosamente hicieron que mis bonos como investigador ascendieran y que se me asegurara, a mi regreso, un puesto de docente con buen salario, oficina propia, pocas horas de dictado y demás gollerías. ¿Qué pudo haber sucedido?, me preguntaba sin falsa modestia. Era como si en el transcurso del envío aquellos textos garabateados se hubieran convertido en concisas y claras muestras de pensamiento valioso y gran inteligencia. Releía algunos de esos trabajos, que mis profesores se apresuraban en publicar en revistas especializadas sin olvidar mandarme una copia, y no podía reconocer en ellos mi desidia sino más bien una lucidez que era toda una sorpresa para mí, que jamás me he considerado lúcido. Incluso me di el lujo de cambiar en algunos de ellos dos o tres adjetivos y agregar una que otra nota a pie de página o aumentar la bibliografía, detalles mínimos y perezosos que, según noticias de Kaas, llevaban hasta el paroxismo al decano de la facultad que no se cansaba de augurarme un éxito sin precedentes en mi futura carrera como catedrático. Fuera de una ligera vanidad, nada de eso podía hacerme sentir bien. Lo cierto era que extrañaba a Kaas. Ella había prometido darme el alcance en Venecia en menos de un mes, pero su padre había enfermado súbitamente y eso le impedía viajar. Caminaba por Venecia, conmovido por su historia, por esa mezcla de aristocracia y crepúsculo, de fin de estirpe y moda, de ciudad resplandeciente y siniestra. Los primeros días tomé un cuarto en una casa de familia cerca de Lido, pensando que sería más agradable que un hotel, pero los dueños tenían la costumbre de impedir que sus huéspedes entrasen durante la tarde a los cuartos, sacándonos a todos, sin excepción, a las diez de la mañana y recibiéndonos sólo a partir de las seis de la tarde. Aburrido por tantas molestias, abandoné el albergue y me mudé a un palacio bellísimo convertido en hotel de lujo. Ahí empecé a convocar a Kaas enviándole largas cartas con el sobrio membrete del hotel y su provocativo papel mate. Pero también esperaba a otra persona en Venecia. A Leopoldo. Lo había conocido en París, en Les Deux Magots, de manera casual, unas semanas atrás. Ambos llevábamos un libro bajo el brazo (el mío de Ahrweiler y el suyo de Stendhal); ambos queríamos tomar un café en el lugar donde acostumbraban hacerlo Breton, Sartre, Camus, Greco, Bardot; ambos viajaríamos a Italia en menos de una semana. Lo descubrí mirándome desde su mesa, como si me reconociera de algún sitio, pero sin decidirse a acercarse. Lo que al fin lo decidió fue ver que cogía del dispensario del café un diario dominical español. Entonces, como si ese acto hubiera sido la señal que esperaba, se animó a acercarse a mi mesa y empezó a hablarme en castellano. Celebró que los dos fuésemos latinoamericanos y el resto de coincidencias inevitables. Había llegado dos días antes a París, pero, al igual que yo, quería partir a Italia de inmediato. Conocía palmo a palmo Roma pues su madre era de allá, me contó, y además vivió unos años felices en un piso del Parioli; pero a Venecia, según me confesó cuando le conté mi destino, la consideraba una desconocida pues sólo la había visitado dos veces. Este nuevo regreso a Italia que estaba a punto de emprender era especial pues tenía una misión: conocer Sicilia.

—La Sicilia de Stendhal —aclaró, dando un par de golpecitos al lomo de su libro—, la verdadera, no la auténtica.

Salimos del café y me acompañó a tomar el tren hacia Saint Cloud. Él estaba alojado en el Hilton.

—¿Qué harás mañana? —preguntó.

—Plan turista. Voy a las Tullerías, y después quizá pase por la casa de Victor Hugo.

—Excelente plan —dijo entusiasmado—; estoy dispuesto a visitar contigo a los fantasmas de Napoleón y Hugo si tú me acompañas a visitar al de Baudelaire en Montparnasse. Después, podríamos almorzar juntos en el restaurante de unos amigos casi parientes. Será almuerzo típico.

—¿Y realmente crees poder encontrar a tu fantasma en una tumba?

—¿Cómo? —preguntó confundido.

Le expliqué mi desprecio por los cementerios. El contacto con el escritorio de Flaubert o Victor Hugo, con la empuñadura de la espada de Luis XVI o el dosel de la cama que acogió a Napoleón en las Tullerías, me comunicaban con estos personajes de manera mucho más auténtica y significativa que el estar parado sobre su abono. La muerte, o mejor dicho sus cadáveres, no me decían nada. Las cosas que les pertenecieron, en cambio, eran transparentes y hablaban.

—Ya me parecía raro que prefirieses vivir en Saint Cloud —dijo sonriendo—. ¿Napoleón, verdad? Como sea, será mejor que dejemos el almuerzo para otro día y nos encontremos por la tarde. Así ninguno de los dos falta a su cita, ya que al parecer son inconciliables. Después intercambiamos experiencias.

Leopoldo se despidió de mí con un abrazo, sin compartir mi punto de vista y sin tratar de imponerme el suyo. Se alejó con rapidez en busca de un taxi. Antes de subir, se dio un tiempo para volver a despedirse bajando la cabeza y haciendo un gesto con las manos que debía significar: mañana.

Al día siguiente cumplí durante la mañana con mi programa y estuve listo por la tarde para salir con mi nuevo amigo. Lo esperé toda la tarde pero Leopoldo no llamó, y como no tenía muchas ganas de quedarme solo en casa de mis anfitriones salí a vagabundear. Primero pensé en ir directamente al Louvre pero luego decidí que era mejor hacer antes una incursión por la Shakespeare & Company. Estuve dando una vuelta por la librería, mirando con deleite los estantes y hojeando algunos libros, cuando me percaté de que, en la acera del frente, Leopoldo conversaba con una muchacha un poco baja, de pelo negro, lacio y largo. Por discreción no me acerqué a él, pero no pude evitar seguirlo con la mirada. Su felicidad era contundente. Le pidió a la muchacha que permaneciese en el umbral de la puerta, en pose que se asemejaba algo a la célebre de Joyce en ese mismo lugar, y le soltó sin clemencia una metralla de flashes. Luego, ella se acercó a él y discutieron una nueva ubicación. Aproveché que estaban distraídos para salir sin interrumpirlos, pero mi mirada se cruzó inevitablemente con la de Leopoldo, que se introducía con rapidez a la librería. Salí un poco avergonzado, como si fuera un espía descubierto, y sin darle tiempo, quizás, a que se excusara conmigo. Mientras me alejaba no podía evitar sentir cierta incomodidad, la sensación de haberme entrometido donde no me llamaban, aunque yo sabía que aquel encuentro había sido casual. Había empezado la lluvia, pero aún no estaba en condiciones de tomar un taxi y volver a casa de mis amigos. Me dirigí hacia el Louvre tratando de despejar mi cabeza. Crucé el Pont Neuf. Era casi de noche, los artistas callejeros y los vendedores ya abandonaban el puente. Sólo quedaban algunas personas caminando despacio. Casi en medio del puente vi a una muchacha preciosa, morena, ojos grandes y oscuros, el pelo crespo y largo atado en una cola aunque parecía querer rebelarse, sentada sobre sus maletas, más extraviada que perdida, mirando alternadamente hacia el lejano espectro de París que apenas si asomaba bajo la lluvia, y hacia las péniches que se desplazaban al embarcadero. Su mirada, lánguida y extranjera, me resumió París. Fue un bálsamo, o mejor dicho un placebo, que me dio fuerzas para resistir lo que quedaba de mi tiempo en Francia. El Pont Neuf —*el puente más noble, el más elegante, el más grandioso, el más ligero, el más largo, el más ancho de cuantos han unido un trozo de tierra con otro en la faz de la tierra*, como dice Laurence Sterne—, aquella muchacha y la soledad más amable que he tenido en mi vida me impulsaron a dar el último paseo antes de dejar esta ciudad que no comprendí.

67

Decidí no visitar el Museo y volví a casa de mis anfitriones en Saint Cloud y me pasé el resto de la noche conversando y jugando cartas con ellos para llamar al sueño. Cuando me despedía de mis amigos cerca de la medianoche, sonó el teléfono. Me sobresalté por una llamada en hora tan inoportuna y supuse que sólo podía ser una desgracia. Pero no. Era Leopoldo que llamaba para disculparse y para despedirse de mí. Estaba muy excitado. Me contó una historia extraña, casi etérea, sobre su extravío buscando la tumba del poeta César Vallejo, que jamás encontró, y el hallazgo de una muchacha sentada sobre la tumba de Baudelaire.

—En fin —dijo, bastante agitado, atragantándose con sus palabras—, me voy mañana a Madrid. Las cosas no salieron como lo esperaba, pero eso también lo esperaba. Creo que te fallé esta tarde, pero estoy seguro de que volveremos a vernos. Quizás en Venecia. Han pasado muchas cosas buenas en estos últimos días y tú eres una de ellas. En serio, no bromeo, y no es sólo un halago. Tenemos que conocernos más. Es increíble, hasta hace un rato estaba escuchando arias de ópera al aire libre, traduciendo versos al oído de una mujer bellísima, y de pronto estoy solo y ella parte mañana para Madrid después de una despedida perfecta, diciéndome que quizá no vuelva a verme. Ella no lo imagina, pero también yo partiré a Madrid. Lo he decidido. ¿Qué es lo peor que puede ocurrir? Caramba, ni siquiera pude terminar de oír las arias. No es que estuviesen mal interpretadas, eran hermosas, pero cuando ella se fue, no sé si me entenderás, en fin, no sé realmente si alguien pueda entenderme, pero me pareció, te lo juro, que mi italiano ya no era tan bueno.

Se quedó un segundo en silencio y luego preguntó:

—¿Sabes de qué hablo?

Permanecí dos semanas en Venecia. Mi rutina era salir a las diez de la mañana del hotel y dirigirme a un pequeño instituto mediterráneo cerca al Palacio Pesaro. Ahí estudiaba largas horas, interrumpidas sólo por el almuerzo, hasta las siete de la noche. Entonces deambulaba un poco por la pequeña ciudad antes de volver al hotel. Me parecía que para describir la decadencia de Venecia, como asunto literario, no se necesitaba de una gran imaginación. No hacía falta tener una sensibilidad especial, afinada, artística, para sentirse aludido y estéticamente tocado por tanto esplendor de muerte. Paseando por el Ca d'Or, por Lido, por la plaza San Marcos, por la Giudecca, observando los palacios al borde del Gran Canal o visitando la Biblioteca Marciana, no podía evitar preguntarme si existía alguna persona importante en los siglos anteriores que no hubiese pretendido, seriamente, visitar Venecia. Lo dudo. Pero, para mis específicas intenciones, Venecia se agotaba. A pesar de ello, no tenía ánimo como para llevar a cabo mi viaje por las costas mediterráneas de Europa. Pensé en visitar Roma y Florencia, ciudades que, como muchas de Europa, conocí unos años antes, pero con prisa, pues me dirigía a estudiar economía a Inglaterra; o volver a Londres a visitar a mis parientes y antiguos condiscípulos; o viajar a Friburgo donde un amigo estaba haciéndose fama de lingüista. También estaba el deber profesional de ir al puerto de Marsella o a los archivos de Dubrovnik. No me decidía y, por lo pronto, mi única certeza era que Kaas no podía aún reunirse conmigo pues el estado de su padre se agravaba. Por otra parte, Leopoldo no daba señales de vida y ya me ponía a pensar si esa pretendida amistad de un día no era sólo producto de mi imaginación y su entusiasmo. Entonces, una novela que leí, un folleto turístico que revisé, una conferencia a la que asistí, todo confabuló para que me decidiese a viajar a Lisboa, una de las pocas ciudades interesantes de Europa que aún no conocía. Antes de partir de Venecia decidí, como una concesión al estereotipo, viajar en góndola. No resulta barato tomar una y, salvo por motivos turísticos, esos armatostes flotantes son poco prácticos como medio de transporte. Mucho más útiles y hasta cómodos eran los monstruosos ferries, tristes espectros sin personalidad de los heroicos trirremes de la antigua República de Venecia. Subí a una que estaba a punto de partir. Con lentitud me movilizaba a través de los canales, observando la cotidianidad de los que caminaban sobre los puentes o abrían las ventanas de sus casas. Éramos cuatro personas, además del gondolero, quienes nos mirábamos las caras sin intercambiar palabra. Uno de los viajeros era un pequeño que insistía en hundir un brazo en el agua, pero su madre, viéndola tan turbia, se lo tenía prohibido. Estábamos cerca al puente de Nomboli y pensé en desembarcar ahí para visitar, pues hasta entonces no lo había hecho y lo tenía pendiente, la casa de Goldoni en la parroquia de San Tomaso. En un gesto instintivo, como impulsado por las ganas del niño de hundir su brazo en el agua, quien al no poder realizar él mismo la hazaña quizá deseó que yo la realizara, rocé con mi mano el agua del Adriático que se hacía surcos al costado de la góndola. El niño sonrió y la madre abrió exageradamente los ojos, reprendiéndome en silencio. No presté atención y, sonriendo, le advertí al gondolero que bajaba en el Nomboli. Una vez fuera de la góndola observé con detenimiento mi mano todavía húmeda, brillante por la luz, que acababa de acariciar la piel del Mediterráneo. Sentía la respiración del Adriático que fluye por los canales y que parece acompasar la respiración de los venecianos como un clima más que como mar. Comprendí el acierto de aquella teoría de Braudel sobre la historia de larga duración. Hay un movimiento continuo que se renueva para repetirse, para ser siempre el mismo movimiento. No importan las circunstancias, existe aquello no inmóvil sino inconmovible, ajeno al devenir y a las situaciones, que era la historia viva en la que yo acababa de introducir un brazo, a la que yo acababa de darle una mano. Bastó con acariciar la epidermis de esa historia para que toda ella se me entregara hasta su más profundo centro. Pero, por otro lado, al ver los palacios recostados en las orillas de Venecia supe que la historia, aunque viva aún, ya no era la misma. Los venecianos tuvieron su minuto de gloria en el Mediterráneo. Y eso es más de lo que puede decirse de cualquier lugar del mundo. Era natural que Venecia fuese la ruina de ese minuto, que sólo eso diese sentido a esa historia continua. Pensé quedarme en Venecia para disfrutar de mi hallazgo, cavar mi nueva tumba de recuerdos, levantar mi nuevo museo, habitar mi nueva patria interior, hacer de esta ciudad todo lo que hasta ese momento no había sido para mí. Pero no tenía tiempo para eso: entendí claramente que el aliento de una ciudad que agoniza no puede convivir con la exhalación de un fugitivo que escapa. Dejé Venecia y partí a Lisboa esa noche.

—El Alfama —dijo Leopoldo—. Más que previsible. De haber sabido que estabas en Lisboa hubiese venido a buscarte aquí sin ninguna duda. Aunque, estoy seguro de que si lo hubiéramos previsto no nos habría resultado mejor.

Leopoldo exageraba la felicidad de encontrarse conmigo de forma tan inesperada, pues ninguno había tenido noticias del otro desde nuestra despedida telefónica en París. En efecto, ocupaba una habitación en el hotel Alfama desde que llegué a Lisboa, quince días atrás, por recomendación de un amigo veneciano. Era un lugar agradable, aunque no me quedaba muy en claro por qué Leopoldo decía que era previsible que, de estar yo en Lisboa, me alojaría en el Alfama. El hotel no tenía prestigio literario ni político ni histórico. Y aunque tenía una bonita vista al mar, tampoco era costoso o cinco estrellas. Al parecer su único encanto, su solitario mito, era el que sus antiguos dueños fueron líderes de la rebelión contra la dictadura de Salazar y que era posible que en sus habitaciones se perpetraran algunas sesiones secretas. Improbable anécdota, por cierto, aunque el locuaz veterano que atendía en la recepción no dejaba de hacer saber a los huéspedes que también él era un viejo comunista. Leopoldo llegó aquel mismo día a Lisboa y, según me contó atragantándose con las palabras, al taxista que cogió en el aeropuerto le pidió de inmediato que lo lleve al Alfama, donde ya antes estuvo hospedado. Desde luego, fue una gran sorpresa la coincidencia de hoteles cuando ya empezábamos a creer que jamás volveríamos a vernos. Cuando bajó del taxi con sus maletas yo dejaba mis llaves en recepción y me disponía a hacer mi primera incursión por el campo, pues ya había recorrido la ciudad de pies a cabeza.

—Deja que acomode mis cosas en la habitación y te acompaño. Conozco un buen restaurante cerca del centro. Mariscos. Su nombre es hermoso e intrigante: El Azar Inmóvil. ¿Te gusta? Pues espera a que lo veas.

Le dije que tenía pensado almorzar en las afueras del centro pero insistió, dándome unas palmadas en la espalda.

—Nada, nada. Te debo un almuerzo, no lo olvides.

Durante el almuerzo Leopoldo me contó en qué había terminado su aventura. Al día siguiente de nuestra despedida en París siguió a aquella muchacha a Madrid y de ahí a Córdoba. Luego tuvo que dejarla. Ya sin ella estuvo unas semanas entre Málaga y Sevilla pero se aburrió y decidió cumplir, al fin, su anhelo de conocer Sicilia. Sin embargo, no llegó a ir pues unos amigos que estaban casualmente en Sevilla lo invitaron a ir en auto hacia Valencia. Ahí, provocado por la cercanía y el cansancio que le produjeron sus amigos, le dio nostalgia por Lisboa, ciudad que no visitaba desde hacía varios años. Decidió que estaría unas semanas y luego, después de tan larga elipsis, cumpliría sin excusas su intención inicial de visitar la Sicilia de Stendhal. Naturalmente, ahora que nos habíamos encontrado, yo estaba invitado a la aventura.

—Es curioso —reflexionó— pero a veces parece que existen algunas ciudades que se adecúan a sus poetas.

Caminábamos lentamente, a paso de turismo, por el Alave antes de volver al hotel.

—Lisboa tiene tan presente el rastro de Pessoa como Alejandría el de Cavafis —agregó—. ¿No te parece?

Estuve de acuerdo. Al igual que el hotel Alfama, Lisboa era una ciudad antigua y silenciosa en el contexto de las grandes ciudades europeas, una ciudad poco cosmopolita incluso, pero que se le hacía a algunos rápidamente entrañable. También era una ciudad triste, como su música. Una ciudad barroca. La ciudad perfecta para añorar un amor que aún no está perdido. Kaas. La situación de su padre se ponía cada vez peor. Kaas había decidido trasladarse al hospital, turnándose con su mamá, para atenderlo mejor. Solíamos conversar por teléfono todas las noches. Su voz había perdido el brillo, incluso cuando bromeaba. Dijo que jamás pensó en conocer Portugal, pero que era tan bello lo que yo le describía que se estaba animando en darme el alcance en Lisboa apenas la situación de su papá se estabilizara. Ella estaba tan convencida de que no le ocurría nada grave a su padre que rechazó mi ofrecimiento de volver al país de inmediato para acompañarla y darle mi apoyo. Yo, por lo pronto, liberado de ese compromiso, me dedicaba a seguir todos los días los vagabundeos de Leopoldo. Compañero perfecto e incondicional, nos despertábamos a las siete de la mañana para aprovechar todo el día, tomábamos un desayuno ligero y salíamos "dispuestos a la aventura", como él solía decir. Mientras recorríamos lugares históricos, almorzábamos en restaurantes que él conocía o nos entusiasmábamos por algún sitio especialmente bello, teníamos largas conversaciones sobre las Cruzadas —su tema favorito de la historia universal, junto al del imperio romano— o sobre literatura, tema acerca del cual Leopoldo tenía convicciones incuestionables que gustaba enfatizar. Uno de esos días consiguió invitar a una cena en El Azar Inmóvil a un narrador portugués muy cotizado por esos días. Yo no pude asistir por culpa de un pequeño, pero muy fastidioso resfrío que duraba ya un par de días. Leopoldo volvió fascinado por la mujer del novelista. Alta, elegante, guapa; la definió como "una mujer para amar en Lisboa". También me dijo que había conocido en la casa del novelista a un grupo de muchachos que tocaban la guitarra de una manera magistral. Los llevaría a El Azar Inmóvil el jueves para presentárselos al dueño. Según él, esos muchachos eran lo que le faltaba a su restaurante preferido. Leopoldo gustaba de hacer planes para el día siguiente mientras me acompañaba por los pasillos del Alfama hacia mi habitación. Durante esas semanas estuvo frenético y nada lo detenía. Su plan reiterativo era alquilar un auto, tomar la carretera y salir de Lisboa hacia Coimbra para pasar el fin de semana. Yo siempre estaba invitado, por supuesto, y más de una vez fui de la partida.

—Para mí ya no hay duda —me confesó una tarde en Coimbra— Europa sigue siendo el centro del mundo. Es más, nunca ha dejado de serlo.

Leopoldo no se cansaba de repetir que envidiaba mis conocimientos de historia, lo que no dejaba de ser una coquetería suya pues solía estar más al día que yo en algunos datos y lecturas, además de tener una memoria prodigiosa. Recuerdo especialmente una vez en que salimos de Coimbra y Leopoldo conducía de regreso hacia Lisboa. Estábamos extasiados por una tarde especialmente bella. Además, habíamos bebido mucho vino casero en el almuerzo y estábamos un poco ebrios y parlanchines. Hablábamos de poesía. En un rapto de inspiración, recordó unos versos de Leopardi y los recitó en italiano. Eran aquellos que el poeta dedicó a Teresa Fattorini, Silvia. De pronto, cuando terminó de recitar el poema y se preparaba para decir otro —acababa de ofrecer "La vida solitaria" como segunda parte del acto— tuvo un repentino acceso de culpa y permaneció en silencio por unos segundos. Luego, mirándome de una manera tan desamparada que me pareció que iba a detener el auto y sollozar, me dijo:

—¿Sabes que en esta carretera tan hermosa y aparentemente tranquila muchos han sido asaltados, violados y hasta asesinados? Y esos campesinos tan bucólicos que de vez en cuando nos cruzamos por el camino en realidad deben vivir en condiciones miserables. Este país está pasando por muchos problemas, es uno de los más pobres de Europa, tú debes saberlo, debes notarlo incluso detrás de esa máscara de sosiego…

Volvió a quedarse callado. Tampoco yo hablé.

—Oye ¿no crees que Coimbra es bellísimo? Y Lisboa, tan especial. Y el campo… —dijo señalando el contraste verde del campo con el cielo azulísimo de aquella tarde—. Ahora que se está haciendo un juicio a Occidente, que se habla de agonía y decadencia, debería entregarme. Sí, debería ir por mi cuenta, sin esperar a que me llamen, y sentarme en el banquillo de los acusados... yo soy parte de Occidente, yo he creído y aún creo y apuesto por este mundo —y luego enfatizó—: éste es mi mundo.

"Que me condenen, si están buscando a quiénes condenar, que me condenen. Canallas" masculló, apretando con fuerza el timón. Pensé que ahora sí detendría el auto. Estaba más que exaltado. Parecía que entraba en un ataque nervioso. Yo estaba asustado, no sabía qué hacer en un caso así. Imaginé que estacionaría el auto a la orilla de la carretera y tocaría el claxon con rabia. Imaginé, como una escena de locura, el claxon sonando durante horas. Pero no lo hizo. Tomó aire y se tranquilizó, mirándome de reojo. Mi mirada se cruzó con la suya unos segundos y luego se volvió hacia el campo que anochecía afuera del auto. Su ventanilla estaba baja y la subió.

—No me acuerdo en qué novela de Stendhal se dice que los europeos confiaban en que los generales sudamericanos los ayudarían a encontrar la libertad, así como ellos ayudaron antes a los sudamericanos —se echó a reír—. Curiosa idea, una locura. En fin, la verdad es que sí recuerdo la novela: *Rojo y negro*. Esa estúpida falsa modestia latinoamericana...

Le puse una mano sobre el hombro y lo apreté en señal de comprensión. Iba a decirle algo para que se relajara, pero me interrumpió de inmediato.

—Tú y yo no tenemos la culpa de ser como somos —dijo mientras maniobraba la palanca de la ventanilla para bajarla de nuevo—. No tenemos la culpa de conmovernos no sólo con lo que conmueve a todo el mundo, sino también con la inteligencia, con el arte, con el talento. Carajo, este campo es bellísimo pase lo que pase a su alrededor. La poesía de Leopardi es hermosa aunque exista la pobreza y la miseria y la muerte. O quizá porque existe eso es justamente tan bella. Es estupendo ser inteligente, ser sensato, entender, conocer...

75

Dudó antes de continuar hablando, como si, de pronto, hubiera dejado de estar tan seguro de lo que decía.

—¿Por qué tú nunca dices nada? —me recriminó entonces—. ¿Por qué no opinas nunca? Dios, creo que estoy bonachísimo.

Había algo de resentimiento en el reproche, pero quizá también de envidia. Durante el resto del camino, Leopoldo guardó silencio bajo el auspicio de mi silencio, como si fuera inútil tratar de convencerme de lo que yo ya estaba convencido o, en todo caso, de lo que jamás podría convencerme. Le pregunté si prefería que yo condujera hasta Lisboa. Me dio las gracias, detuvo el auto a un lado de la carretera y me cedió su lugar. Mientras conducía hacia la ciudad, pensé que Leopoldo se quedaría dormido, pero miraba el camino como si estuviera escudriñándolo. Cuando llegamos al Alfama, Leopoldo me acompañó hasta mi habitación. Me preguntó si quería ir a tomar una copa al bar frente al hotel. Rechacé la invitación porque quería dormir. Cuando se fue, me pareció súbitamente sobrio.

Aunque omnisciente, la presencia de Leopoldo nunca me saturaba durante mi estadía apacible en Lisboa. Es más, pese al poco tiempo que tuve para mí, empeñado en seguir el curso de sus expediciones, logré redactar mi informe sobre la situación actual del Mediterráneo y dar así por finalizado mi compromiso con la beca. Apenas me faltaba confirmar algunos datos mínimos y podría presentarla sin culpa. Sólo la ausencia de Kaas, a la que presentía tristísima viendo apagarse a su padre, interrumpía lo que era una temporada perfecta y tranquila, casi feliz. Finalmente, llegó el día en que Leopoldo decidió partir a Sicilia. No insistió más de lo necesario en que lo acompañara y nos despedimos en el aeropuerto. Me quedé un par de semanas más tratando de no perder el benéfico clima espiritual de Lisboa. En una pequeña y casi monacal biblioteca logré encontrar algunos de los libros que necesitaba. El resto los mandé pedir a distintas partes del mundo, convencido de que no debía moverme del Alfama ni de El Azar Inmóvil ni del campo alrededor de Lisboa ni de Coimbra ni de los cafés del centro. Llamaba a Kaas todos los días, culpable de sentirme tan bien mientras ella sufría; honestamente incapaz, por otro lado, de compartir su sufrimiento. Un día no encontré a Kaas en su casa. Dejé el mensaje en la contestadora y colgué el teléfono. A los pocos minutos, ella me devolvió la llamada desde el hospital. Estaba llorando. Su padre había entrado en crisis. Según le habían advertido los médicos, ya no había esperanzas.

—Seguramente están haciendo todo lo posible —le dije, sintiéndome torpe e inútil en el teléfono—. Debes tener paciencia.

—¡Tener paciencia! —gritó Kaas—. ¿Te parece fácil decirme que tenga paciencia?

—No, no me parece fácil, pero tienes que lograrlo, no hay otra alternativa.

Finalmente, aceptó que yo tenía razón. Pero, al colgar, me quedó la sospecha de que en ella había nacido cierto rencor al confundir mi esfuerzo por sonar sensato con indiferencia. Eso era, para Kaas, señal de que no me interesaba por ella. De más estaba decirle lo triste que me sentía, la pena que me daba la inminente muerte de su padre aunque no lo conocí mucho. No tenía objeto, tampoco, excusarme de mi aparente frialdad convenciéndola de que esa sensatez casi patológica era un rasgo de mi carácter al que ella ya debía estar acostumbrada. Antes de colgar el teléfono, dijo sentirse llena de rabia consigo misma por estar convertida en un manojo de nervios y, en ese estado, no poder ayudar a su familia. Se sentía impotente, me dijo, por ser tan frágil, por no poder ser más fuerte.

Al día siguiente me llegó un telegrama de Kaas. Exactamente eso fue, un telegrama, y no una llamada por teléfono como podría suponerse. Como si verlo por escrito hubiera significado para ella la única forma de empezar a aceptar lo inevitable.

El telegrama decía:

"*Padre muerto. Viajo martes. Espérame Roma. Kaas*

Busardo sale de su sueño mucho antes que sus habitantes. Es viernes y se escucha el desperezarse de la ciudad en la madrugada. Es invierno. Otra vez estuvo lloviendo durante toda la noche. Los surcos que dibuja la lluvia sobre los cristales de la ventana formaban un curioso bustrófedon que no se leía de derecha a izquierda y de izquierda a derecha alternadamente, como los bustrofedones de mi infancia, sino de arriba a abajo, vertical como la lluvia, de un extremo a otro del marco, y desde el cielo hasta el asfalto húmedo, incluidos los espesos párrafos que colgaban de los árboles y tejados y que demoraban en caer, alargando la lectura por varias horas, después incluso de que se había calmado la lluvia. Un ruido bajo mi ventana me sacó de la ensoñación. La dueña del albergue discutía en dialecto con alguien que intentaba subir. El perro de lanas ladraba estrepitosamente. Me asomé por la ventana y vi que era Agustín quien generaba tal reacción; seguro estaba siendo muy impertinente para que esa mujer y su animal, tan pacíficos por lo general, se exasperaran de ese modo. Sin lograr subir las escaleras, y como si no entendiera el dialecto con el cual la mujer lo expulsaba de la puerta del albergue, Agustín gritaba mi nombre justo cuando yo descendía para darle el encuentro en la calle.

—No se preocupe —le digo a la dueña—. Lo conozco, lo estaba esperando.

Ella refunfuñó algo en dialecto y nos dio la espalda. Entró al albergue, cogió una escoba y se puso a barrer con odio la antesala, expulsando el polvo hacia la acera sin ninguna educación. "Debe usted elegir mejor sus amigos", masculló cuando me despedí diciéndole que llegaría tarde ese día. "Ese *maleka* me saca de mis casillas". Agustín sonrió al oír que lo llamaban "ladronzuelo". Le gustaba hacerse el que no entendía el dialecto para molestar a los viejos de Busardo, pero lo dominaba muy bien. Agustín y yo partimos sin prestarle mucha atención a la anciana. No me pareció nada extraño que despreciara tanto a

Agustín. Aunque pudiera parecerlo, no se trataba de aquel frecuente menosprecio por la juventud excesiva que suelen manifestar las personas de edad. Y tampoco el hecho de que Agustín fuera un joven de aire socarrón bastante insufrible. Más bien era una rabia colectiva, un chisme, algo compartido con las otras personas del pueblo que veían a Agustín como un pueblerino que se vende a muy poco precio a los extranjeros. Todo él los ofendía. Las poses de muchacho desprejuiciado; la manera de vestir como un juguete folclórico para turistas: camisa abierta, pecho lampiño y bronceado, pelo revuelto, testículos recortándose en los pantalones estrechos, su escandalosa moto y sus carcajadas. Sus oídos sordos cuando le hablaban en su lengua natal. No, realmente no era extraño que las personas mayores de Busardo odiaran a Agustín como a la punta de lanza de una juventud que, según ellos, estaba perdida.

—Vamos de una vez —dijo Agustín, percatándose de que me retrasaba.

Casi no habíamos hablado durante las primeras cuadras, pero de repente empezó a enumerarme todos los resentimientos y reclamos que tenía contra Busardo. Como tantos otros jóvenes de ahí, Agustín despreciaba sobremanera a la ciudad, sentía que era ella la culpable de la mediocridad, el atraso y la falta de perspectiva que había en su futuro.

—¿O cree que quiero servir martinis y pastís toda la vida? —gritó, volteando la cabeza como para verificar si lo escuchaba o, al menos, si aún lo seguía.

Agustín despreciaba también la historia y la arqueología de Busardo. No podía entender a qué clase de demente podía interesarle ese casquete viejo, esa costra casposa y dura como él calificaba a las ruinas de Busardo. Al igual que la mayoría de jóvenes, jamás hablaba en dialecto pues lo consideraba bárbaro y retrógrado. El sueño de Agustín era embarcarse un día en una de las barcazas baratas del puerto y viajar a Europa. Pero era incapaz de aceptar que le faltaban agallas para irse a la aventura. Buscaba a alguien que le ofreciera un trabajo por adelantado, una casa, la seguridad de un lugar donde llegar. Y como no era fácil encontrarlo prefería seguir preso en Busardo. Agustín no tenía familia, se había quedado huérfano de ambos padres desde que tenía conciencia. Fue criado en un internado de religiosas, quienes lo expulsaron del albergue apenas cumplió la mayoría de edad. Pero antes, para asegurarle la supervivencia, le consiguieron el trabajo donde el bueno de Zeta. Trabajaba ahí desde los dieciocho años.

—Y me quedaré toda la vida si ese viejo se sale con la suya —dijo, mientras arrancaba una vara de un arbusto y se golpeaba el muslo, como si eso lo impulsara a seguir hablando.

Por supuesto, pensar en estudios universitarios, o siquiera en un oficio más lucrativo que el de mozo de bar, era demasiado para un chico desidioso como Agustín. Sólo aspiraba a poner un negocio y ganar mucho dinero. Así podría comprar él a las mujeres sin tener que someterse más a las propinas ni las fantasías lujuriosas de las turistas viejas y desagradables.

—Unas enfermas —recalcó Agustín—; si supiera qué de manías tienen esas putas. Y ninguna más guapa que la vieja de su albergue.

Agustín soltó una gran carcajada. Luego, se quedó en silencio como indicándome que me tocaba el turno de confesar resentimientos. Quizá pretendía que le hablara de Kaas. Como no obtuvo otra respuesta que no fuera un empecinado silencio, escupió al suelo, me miró de soslayo, con la rabia de sentirse casi traicionado, y se puso a caminar rápidamente, sin detenerse a mirar si aún lo seguía.

Cruzamos el pueblo y empezamos a trepar de prisa hacia la cumbre donde estaba edificada la casa de Dicent, siguiendo las ondulaciones de Vía Dolorosa. El viento, al que los habitantes llamaban *sofía*, sacudía las ramas de los árboles alrededor de la Dolorosa. La lluvia ya había pasado por la ciudad y se internaba hacia otros lugares, dejando apenas el rastro de una neblina densa que se enroscaba en nuestros pies y en los de los pocos caminantes que pasaban a nuestro lado. Me

detuve para mirar el cielo: la lluvia, además de la neblina, los goterones y los charcos de agua, también había dejado unas nubes gordas
y ociosas atascadas en las copas de los olivos. En unos minutos ascen-
dimos la cuesta y pudimos ver el alto muro de piedra que cercaba la
casa de Dicent, las enredaderas que trepaban por las grietas del muro
y los arbustos rastreros llenos de polvo. El palacete del pintor era una
edificación extraña, ni fea ni bonita, aunque desde la ciudad se veía
monstruosa. Una altísima torre que imitaba un minarete de ladrillos,
además de un par de pequeñas torres almenadas, le daban el aspecto
de un palacio bizantino de utilería desde el cual podía observarse el
mar. Agustín me contó que en la cúspide del minarete el pintor había
construido un laboratorio y que pasaba largas horas en él escudriñan-
do los bichos que atrapaba en el bosque de Busardo. Me contó que
eso había hecho que la gente del pueblo lo creyera un hechicero, un
maligno. Agustín estaba muy adelantado y me hablaba sin voltear la
cabeza y sin detenerse. El muro cercaba no sólo su casa, sino parte del
bosque, atrapando a algunos de sus inmensos árboles de troncos gruesos y tétricas ramas que rayaban el cielo y oscurecían el camino de
canto rodado hacia la puerta del palacete. Un estruendo de pájaros en
cautiverio salía de algún escondrijo detrás de la cerca y uno aún mayor
le contestaba desde las copas de los árboles. Esa afición por las aves
había hecho que los habitantes llamasen a Dicent cazador de pájaros, nombre poético que a Agustín le causaba una risa inexplicable.
Pero el acierto del apodo resultaba evidente al ver que dentro del palacio las ramas de algunos árboles estaban cruzadas por fantasmales
redes para atrapar aves, confundidas aquel día con las largas colas de
la niebla y estiradas sobre las copas de los árboles o colgadas de sus ramas como los caireles brillantes de una araña de cristal. Aquella imagen fantástica me hacía sentir que no me dirigía a una casa, sino que
iba al encuentro de un barco encallado, con el mástil roto y las velas
estragadas. Nos fuimos acercando con pasos lentos, pesados. Ante mi
pudor de última hora por no haber avisado nuestra llegada, Agustín

me aseguró que Dicent recibía muchas visitas y que la nuestra no lo sorprendería en lo más mínimo. A pesar de eso, yo dudaba en cruzar la puerta principal, bastante alejada del bloque de ladrillos que era el palacete.

—Por otra parte, no es la primera vez que vengo —agregó Agustín, tratando de animarme—. El hombre ya me conoce.

En ese momento, desde la cumbre del minarete, estalló un fogonazo que abatió las ramas de un árbol a nuestro lado. De las ramas se desprendió una bandada de pájaros que huyeron despavoridos a buscar refugio. Una segunda descarga atacó a otro árbol y una nueva bandada se unió a la primera en el cielo. Advertidos por los escopetazos, nuevos pájaros surcaron el espacio, que se cubrió de esas aves asustadas como de una neblina. Los pájaros parecían tropezar entre ellos en su desordenada huida dándonos a los inadvertidos espectadores, a mí y a Agustín, la sensación de un desastre. Ya no del minarete, sino de una de la pequeñas torres que lo flanqueaban, tronó la descarga furiosa y rápida de lo que parecía ser una metralleta, cuyo blanco era la vorágine de pájaros suspendidos en el cielo. Abriéndose paso entre el chillido y los cuerpos de las aves, las ráfagas que salían de la torre iban derribando a sus víctimas en un número indefinido que aumentaba a cada furia de la metralla. Un torbellino de plumas y cuerpos de pájaros caía verticalmente sobre nosotros, ubicados en el vórtice, en el ojo del ciclón. A mi costado, un charco de barro y lluvia empozada recibió algunas plumas y el breve cadáver de uno de los pájaros muertos. Además, el maullido desesperado de unos gatos que se escurrían entre nuestros pies. Todo aquello me espantó y temí que la cacería pronto cambiara de blanco y se dirigiera hacia nosotros. Sin embargo, el primero en correr no fui yo sino Agustín. Agitando los brazos como aspas de molino, se protegía de las aves muertas que se precipitaban sobre la tierra como asteroides fuera de órbita. Imité a Agustín y corrí cubriéndome la cabeza con los brazos, imaginándome tétrica, cinematográficamente, que aquellas aves asustadas querrían atacarnos y que pronto caerían sobre nosotros, furiosas, utilizando sus garras y sus picos como navajas. Pronto cruzamos la puerta principal y descendimos la cuesta, poniéndonos a salvo bajo un olivo. Arriba, en el palacio de Dicent, la batalla continuaba. El olor nauseabundo a pájaro muerto, balas y sangre era insoportable. Observamos en silencio la cacería hasta que la última bala fue disparada. Sólo entonces Agustín, sintiéndose seguro, empezó a descender hacia la ciudad.

—Ese hombre está loco —grité sin atreverme aún a salir de la protección del árbol—. Es un demente. No puedo creerlo.

Agustín no respondió y siguió caminando. Fui detrás de él sin reponerme del susto, volteando a cada paso como tratando de descubrir si nos seguían. Nos desenredamos de las rastreras del bosque y cogimos el polvo y el asfalto de la Vía Dolorosa. Poco a poco el espectáculo que nuestras espaldas abolía me resultaba tan lejano como un sueño equívoco, con la diferencia de que un mal sueño, después de todo, puede describirse con palabras, puede archivarse en el cajón de las anécdotas. Lo que acababa de ocurrir, en cambio, estaba demasiado vivo en la memoria. Después de caminar unos minutos, empezamos a sentir el olor hospitalario del mar. Un sonido agudo que venía desde la playa anunciaba la llegada de un barco carguero. La sirenas siempre me han remitido a naufragios, no porque alguna vez haya presenciado alguno, sino por culpa de mi imaginación febril, llena de clisés y fantasías, de buena literatura y mal cine. Pero esa vez, la sirena fue como un alivio, casi una bienvenida. A lo lejos, desde el bosque, el mar parecía empequeñecido y duro, con surcos y túneles, como si fuese de coral. A cada paso que dábamos, acercándonos a él y alejándonos del palacete, aquel coral iba sensibilizándose hasta desperezarse y resucitar. Finalmente, se hizo agua: el océano, liberado de su prisión, desató una ola hacia la orilla, y el rumor de su lenguaje alcanzó a mis oídos.

—Los muchachos y yo jugamos póquer —oí de repente la voz bizarra de Agustín tratando de superar al sonido de las olas—. Jugamos todos los días. Puede ir mañana o cuando quiera. Las partidas son en mi casa.

No le agradecí la invitación ni siquiera con un gesto y seguí caminando, ahora sin prisa, contando mis pasos, por la Vía Dolorosa. Decidí no ir hacia mi albergue sino al muelle del Reposo. Dejé que Agustín se retrasara y, una vez solo, caminé en silencio buscando al mar, la playa y su orilla humedecida por una nueva ola y otra más.

UN PASADO DE ANTICUARIO

Hay turistas que "llegan" a las ciudades. Tarjetas de crédito, reservaciones en hoteles, bancos abiertos y botones serviciales que cargan sus maletas, son la fuerza que sustenta su poder inexorable. Pero hay otros que "caen" en los lugares como si hubiesen sido arrojados ahí por una soledad en movimiento. Ante éstos, la ciudad que los recibe se eriza como un gato, guía sus pasos no como un lazarillo, sino como un espía, por detrás y en puntas de pies. Las puertas de los albergues —hospicios para turistas— los engullen y son enviados a sus cuartos como desterrados, presos habitando el vientre de un monstruo. Sin embargo, sólo esos turistas llegan a conocer las ciudades, como Teseos a quienes les ha sido dado resolver su laberinto. Sólo ellos saben lo que es agazaparse en un café o un cine, otear por una avenida la sombra o el olor de su enemigo, dar una vuelta sigilosa en una curva y atacar o retroceder. Al final, los enemigos terminan conociéndose como hermanos, como cómplices, como amantes. De tanto calibrar los movimientos de uno y las reacciones del otro, terminan obteniendo un conocimiento profundo de su contrario y haciéndolo suyo, entrañablemente.

Sí, definitivamente cada día pertenecía más a la ciudad y ya sólo el invierno huraño parecía resuelto a expulsarme de sus fronteras. Y es que en mi país, aquel orificio o crespón en la memoria, no existía ni invierno ni primavera; sólo un clima templado y sin personalidad, que iluminaba u opacaba su eterno cielo color mugre. Pero estaba preparado: el invierno de Busardo no me cogería desprovisto de mi saco de gamuza ni del cárdigan de lana gruesa que se volvió mi uniforme durante mi travesía europea. En el invierno, Busardo era un ataúd, tumba del conquistador o casa del héroe, pero en la primavera renacía su voz atronadora que electrizaba a sus ciudadanos y sus trajines. Los extranjeros no podíamos evitar cierto remordimiento al ver esa movilidad febril enrostrándonos nuestro ocio. Un caballo adelantado, por ejemplo, en un rapto de inspiración se echa a galopar sin rumbo y se pierde por la curva hacia las ruinas. Los turistas empiezan a preocuparse por el desvarío del animal. Temen perder sus carpas y sus instrumentos costosos. Pero los del pueblo saben que sólo es el soplo del sofía: ya vendrá ese caballo después de hacer su voluntad, ya saldrán a las calles los niños para jugar, los ancianos conversarán, los muchachos como Agustín irán a sus fiestas nocturnas o se divertirán con el ruido de sus motos. Ya se detendrán los habitantes de Busardo en un bar —en el Zeta, por ejemplo— a celebrar el escampe.

Pero aún faltaba mucho para la primavera. Por entonces sólo restaba acostumbrarse a la lluvia y a un sol que parecía salir del mar y no del cielo donde estaba clavado como una jabalina. Ese pálido sol de invierno, que quemaba la nuca de los turistas y lastimaba mis ojos, sólo era benévolo con los auténticos hijos de la ciudad que no parecían tomarlo en cuenta. Aquel invierno, como los otros, se despertaba con el sonido de las aves migratorias multiplicándose en las aguas de un lago en medio del bosque. Unas breves mariposas también migraban en esfuerzo inútil porque morirían antes de llegar al sol. La neblina parece una malla, un cernidor, que atrapa las nubes y la bóveda del cielo. Criba la lluvia que cae purísima, sin piedras, basuras ni gorgojos. O es un mosquitero nuboso que a veces el dedo de Dios levanta con cuidado para arrullar a sus creaciones encerradas en una cuna, durmiendo con pesadez, agitándose con el estómago revuelto como si les cayera mal la lactancia; creaciones todas debidas a Él, aunque algunas fueron hechas de sueño y otras de pesadilla.

Agotado por la extraña aventura en la casa de Dicent, dormí una siesta con sobresaltos y fiebre. La lluvia que repicaba en mi ventana era la llamada con golpes de nudillos de algún sonámbulo, y no estaba dirigida a mí, pero me despertaba. La lluvia caía con tanta persistencia que me era imposible imaginar otros lugares, incluso otros mundos, donde no lloviese en ese momento y quizá hasta hubiese sol o demasiado sol, ese sol turístico que quema la barriga y los senos de veraneantes disfrazadas de lagartos. Bajo mi ventana, niños alborotados chillan como pájaros, persiguen a los caballos y a los turistas por una propina, juegan divertidos con juguetes pobres pero llenos de posibilidades. Son los nietos de los pescadores, hijos de los empleados y los vendedores de *souvenirs*, de aquellos que antes jugaron en las mismas calles mientras sus padres, a su vez pescadores o burócratas sin escuela ni oficina, trabajaban o inventaban trabajar para el progreso de la ciudad. Me levanto y veo a esos niños a través de la ventana nublada: gritan y se llaman entre ellos en un dialecto familiar que no entiendo, que me excluye, y que es el dialecto de todos los que viven en esta ciudad de dos idiomas sin incluir el inglés. Gritan, y sus gritos intentan decirme algo. ¿Qué gritan?… ¡Kaas ha vuelto! ¡Kaas ha vuelto!… parecen graznar aquellos granujas para luego salir corriendo, burlándose de mí que saco la cabeza por la ventana y busco crédulo a Kaas y sólo veo una rayuela de tiza, un corazón mal dibujado que un artista de parvulario desdeñó sobre la acera y repitió en un muro, los esqueletos de sus cometas, los aros doblados sobre el suelo; todos aquellos juguetes despreciados por las manos ágiles de esos niños monstruosos que Kaas jamás usaría como emisarios para anunciar su llegada, pues siempre los detestó, pero que en mi desolación confundo con sus enviados.

Esa lluvia no duró mucho o, mejor dicho, no se detuvo mucho tiempo en Busardo, y siguió su camino hacia otras ciudades igual de vulnerables al invierno. ¿Qué haría Kaas en esa lluvia, en este invierno? Se vería hermosa con esas chompas tan abrigadas que le gustaba usar, siempre una talla más grande que la suya y con los bordes de las mangas masticados por sus dientes de pericota. Recuerdo que una vez, en nuestra primera o segunda cita como enamorados, se soltó una llovizna de verano cuando salíamos de un cine. Fuimos hasta la casa de Kaas y me prestó una chompa para que pudiera volver sin resfriarme. Feliz con ese tesoro, con ese trofeo de guerra que enrostraría a quienes amaban a Kaas y no tenían la inteligencia que tuve yo para enamorarla, llegué a casa. La reacción de mi madre fue de burla.

—¿Otra vez lo mismo? —preguntó riendo—. Se nota que ya te conseguiste otra chiquilla.

Y recordé que ponerme, yo tan vanidoso, la chompa de otra persona, era una señal de advertencia para mi familia de que ya tenía un nuevo compromiso, literalmente una nueva piel. Pero por algún extraño motivo, aquella chompa de Kaas me produjo una fuerte alergia, mi cuerpo se llenó de ronchas y tuve que internarme en cama varios días con una comezón de la que no salí sino después de un tratamiento de decenas de dolorosas inyecciones. El médico informó que era una reacción a la naftalina o a algún químico con que protegía Kaas su ropa de invierno. Nunca averigüé qué sucedió, pues pensé que podría avergonzar a Kaas si le preguntaba dónde o cómo había guardado esa chompa, y mentí el motivo de mi alergia. Pero ahora me resulta muy significativo pensar cómo la asunción de mi amor por Kaas, el ponerme su chompa y presentarme así vestido delante de mi familia, estuvo tan ligada a la enfermedad. Era evidente que mi cuerpo percibió, muchísimo antes que yo, el verdadero clima de esa relación que recién se iniciaba, con la misma eficacia que la de los perros en los terremotos o con el mismo sacrificio de un canario de mina.

Cesa la lluvia y queda una llovizna pertinaz. Me decido a salir del cuarto. Las finas agujas de la garúa se extienden como una capa sobre mi pelo. Llego al bar y sacudo mi cabeza, saludando con mi sombrero de lluvia.

—Casi no lo puedo creer —dijo Zeta, divertido, mientras le contaba mi aventura en los jardines de Salvador Dicent—. Es toda una historia.

La tierra humeaba. El vapor del escampe ascendía hacia los árboles implorante, como las palabras de un niño a un padre demasiado severo. Yo acompañaba a Zeta con un pastís al que él pretendía aficionarme.

—A propósito —interrumpí a mi anfitrión, que profería insultos contra la vagancia de Agustín, quien en ese momento partía en su moto—, ¿sabe usted dónde vive Agustín?

—¿Quiere reclamarle algo? —preguntó a la defensiva Zeta—. Espero que no lo haya engañado. Engañar parece ser su único arte y beneficio.

—No, no quiero reclamarle nada, sólo quiero hacerle una visita amistosa. Me invitó a una partida de póquer.

—Pues en ese caso no le daré la dirección hasta que me compruebe que es usted un buen jugador. No quiero que ese muchacho lo "desplume" —dijo riendo por una broma de mal gusto que juzgó excelente, pero que yo no celebré—. Vamos, es sólo una broma, olvide ya el mal día que tuvo en casa de Dicent.

—No me molesta —mentí—. Y puedo asegurarle que soy muy buen jugador —mentí otra vez.

Zeta rió muy fuerte, fue a la cocina y regresó con una nueva botella de pastís y una baraja. Repartió mientras yo servía el pastís. Le pedí que me trajese agua helada. El dudó.

—Bien, le traeré el agua. Pero sería bueno que aprenda a beber el pastís puro, no debe dejar que Agustín lo crea timorato. Tiene que estar prevenido contra el muchacho —me advirtió didáctico—. En el póquer el éxito consiste en saber dominar al otro.

Me miró con ojos afilados de tigre y fue a traer el agua. Jugamos un buen rato. Por una buena racha gané dos o tres manos seguidas, luego de pérdidas lamentables durante una hora. Aquello hizo temer a Zeta que estaba burlándome de él. Algo resentido, guardó la baraja en el bolsillo izquierdo de su saco.

—¿La dirección, dijo? —preguntó Zeta, garabateando el nombre de la calle y el número en una servilleta, casi sintiéndose afortunado por pagar una apuesta que no comprometiera dinero.

La casa de Agustín quedaba cerca a la playa. Era pequeña, evidentemente planeada para depósito de algo menos complicado que Agustín. Toqué la puerta tres veces y en el interior parecieron dudar en abrir. Un murmullo, alguien que me escudriña a través del ojo mágico y un agitarse de pestillos y llaves, precedieron mi ingreso a la casa, que tenía un inconfundible olor a cubil de fieras. Agustín me recibió con un gesto que delataba su extrañeza. Le recordé que él me había invitado a la partida. Hizo un gesto indescifrable, que podía significar que acababa de recordarlo o que le daba lo mismo, y me pidió que me sentara en una banca incómoda alrededor de una mesa cuadrada, ocupada por muchachos de su edad que no reconocí. Me los presentó, diciéndome además sus pueblos de procedencia, pues ninguno era de la ciudad. Me presentó a mí como "el profesor" y todos movieron a un tiempo la cabeza, como reconociéndome o recordándome de algún lado, probablemente de alguna anécdota maligna de Agustín. Tomé asiento entre Agustín y un muchacho inmenso —medía quizá dos metros—, cuyo vaso de pastís desaparecía en la palma de su mano. Eran cuatro y, según la regla que habían impuesto, siempre debían ser cuatro, cuatro sin remedio, por lo que uno debía dejar de jugar para que pudiera hacerlo yo. Como nadie se ofreció, continuaron sin contar conmigo durante dos o tres partidas hasta que un muchacho rubio y pálido, de apariencia bastante díscola, arrojó con furia las cartas sobre la mesa, quejándose de su suerte. Abandonó el juego y me cedió su lugar. Se despidió de todos con un gruñido y de mí con una mirada intensa de sus ojos color de vino. Una nube cruzaba ese cielo turbio: un eructo de vino de seminarista. Entendí que me culpaba de su mala suerte y que los otros no me defenderían si en un rapto decidía insultarme o golpearme. Es más, quizá ni se tomarían la molestia de ver la pelea, tan concentrados como estaban en el juego. Pero no sucedió nada, el tipo se fue sin decir una palabra, cerrando la puerta con la delicadeza de un hipopótamo. Me repartieron cartas sin preguntarme si quería jugar y sin preguntarse si querían que juegue. Ocupaba un sitio, eran cuatro los que necesitaban, yo estaba ahí, y eso era suficiente. Las apuestas eran muy bajas para un extranjero como yo, que juega con hijos de pescadores porque se aburre en la ciudad. Pagué sin remordimientos lo que perdía y acepté con sincera modestia lo que ganaba. En el centro de la mesa, una botella de pastís iba mermando con los tragos apurados de Agustín y sus amigos. Serví mi vaso sólo hasta la mitad.

—¿No quiere agua para su trago? —preguntó Agustín.

Intenté descubrir algo de malicia en la pregunta, pero no era una burla. Acepté el agua, y el gigante a mi costado también quiso un poco. Agustín trajo una jarra amarilla y la puso al lado del grandote. Yo era el único que tomaba sin prisa, sin ganas de emborracharse. Hacia la medianoche ya éramos sólo tres los jugadores pues uno de ellos se levantó con una sonrisa después de haber ganado, al parecer, más de lo que esperaba esa noche.

—Se va con las putillas —exclamó el gigante, señalando a quien se iba y soltando una risa atolondrada.

—Quizás estoy interrumpiendo —dije, poniéndome de pie—; también ustedes querrán ir de putas.

—¿Está loco, profesor? —replicó Agustín—. Las mujeres de acá son horribles. Por mí, las bañaría a todas en creso y las dejaría afuera hasta que se desinfecten.

Agustín soltó una carcajada que repitió su amigo.

—Siéntese, profesor, no se rinda. Somos tres, pero podemos hacer una excepción, todavía podemos jugar. Aunque creo que ya ha perdido lo suficiente como para no ser un millonario esta noche —dijo Agustín, con acento un poco ebrio.

No contesté. Tomé asiento y seguí jugando. El silencio se instaló de nuevo en la habitación y se estiraba como un hule. Así durante un par de manos, hasta que un golpe en la puerta del dormitorio nos desperezó.

—¡*Dierg!* llegó el hijoputa —maldijo el gorilón y arrojó con enojo sus cartas al centro de la mesa—; quiere decir que se acabó el juego ¿no?

—No seas ambicioso, el profesor ya perdió mucho —dijo Agustín, que también tiró sus cartas.

Ambos se levantaron y, entreabriendo la puerta con risible cautela, inspeccionaron el interior del dormitorio, tropezándose con ellos mismos. La escena parecía la versión escolar de algún corto del Gordo y el Flaco.

—¿Y él? —preguntó, señalándome el amigo de Agustín después de mirar el interior del cuarto desde donde provenían muchos ruidos.

—Si quiere, puede quedarse a ver el espectáculo —dijo Agustín, sofocando una leve protesta de su amigo—. Total, ya pagó con creces el derecho de entrada.

La frase hizo reír a su amigo, que palpó un pequeño bulto en su bolsillo. Era evidente que aquella bestia era incapaz de ganar tanto dinero con sus usuales contrincantes. Rehusé, sin curiosidad, aburrido, a atisbar dentro del cuarto. Me recosté en un sofá largo que ocupaba casi toda la sala. Los dos entraron en la habitación y casi de inmediato empezaron unos gritos patéticos de mujer. Aún así me resistí a entrar durante un rato, no queriendo ser partícipe de una atrocidad provocada por ese par de mocosos enfermizos. Me levanté dispuesto a salir de la casa de Agustín, caminar hasta mi albergue y no meterme donde no me llamaban. Pero cuando estaba a punto de dejar la casa, miré hacia la puerta de la habitación y fui hacia ella, hipnotizado. Entré de golpe en el cuarto, sin comprender bien aquella decisión súbita, temiendo que estuvieran asesinando a alguien y me viera complicado en el crimen; tan estridentes eran los gritos de esa mujer. El cuarto olía a perro mojado o a gallina. En realidad, olor de cine antiguo (¿habrá sido cierto lo del creso?) y, además, la escena que la pantalla rota y sucia del interior mostraba no podía ser más degradante. Tirado sobre el suelo, el gigante se masturbaba golosamente. Parecía creerse pez y nadar de espaldas en aguas turbias. Y, a decir verdad, sus ojos se habían tornado laterales como los de un tiburón. De pie, disfrazado con una bata verde de enfermero, Agustín colaboraba con un doctor en lo que parecía una operación a una muchacha tendida sobre la mesa de un quirófano. La primera impresión que me dio fue que en ese cuarto se estaba practicando un aborto anochecido. El cuerpo de Agustín y la penumbra de la habitación cubrían al tipo obeso vestido también con bata verde, que tenía en su mano izquierda unos fórceps que de vez en cuando blandía al aire y otras veces acercaba a la vagina de la muchacha. Al contacto con el instrumento, la muchacha lanzaba un grito que oscilaba entre el horror y cierto espantoso placer. Más tétrico fue el grito cuando el gordo la penetró con un pene delgado y garfio, sexo de cuervo, con los testículos ennegrecidos. Entonces, de pronto, la voz atronadora del tipo —voz barroca, de catedral— silenció los gritos de la muchacha y empezó a recitar algo que parecía el monólogo de una tragedia griega que no podía reconocer. El doctor daba su discurso sin pausa y con solemnidad teatral. Recién entonces me di cuenta de que la muchacha estaba disfrazada con un peplo. Llevaba los tules voladores y desgarrados, y la nuca coronada por una cintilla de hojas otoñales. Su cabello blondo, largo y de rulos laberínticos, caía en cascada. A cada estremecimiento del tipo —estremecimientos que lo obligaban a hacer una pausa en su ensayado monólogo— ella serpenteaba como queriendo zafar de su condena. Era un forcejeo inútil pues tenía las manos esposadas a la cabecera de la mesa de operaciones y las piernas atadas a los estribos. A los pocos minutos, la muchacha había dejado el horror y jadeaba, entregada al placer, con voz monótona que acompañaba al cada vez más enfático y peor actuado himno del gordo.

El viento abrió de golpe la ventana. Paranoico, el estúpido gigante amigo de Agustín se levantó de un salto del suelo y corrió a esconderse en el baño de la sala, después de empujarme para desatorar la puerta. Desde ahí, agazapado, siguió observando la escena. Yo, retornando a mi lugar, estaba inmóvil, clausurando nuevamente la puerta de la habitación. Pero los protagonistas del espectáculo no se inmutaron con el golpe. Agustín siguió acompañando al monólogo del tipo obeso sin inquietarse y sin estremecimientos, desapasionado. La muchacha tenía la cabeza vuelta hacia el mar que ahora podía verse, descubierto por la ventana abierta, y ya no jadeaba. El tipo dejó los fórceps sobre la mesa de operaciones y fue a cerrar la ventana. Entonces pude descubrir entre sombras que, al parecer, era un hombre blanco, de aspecto europeo, con el rostro encendido y un brillante hilo de baba corriendo por las comisuras de sus labios. Caminaba pesadamente con el sexo hinchado. Volvió hacia la mujer tendida en la mesa y, recostándose a su lado sin tocarla, agobiado, prosiguió su discurso en voz apagada. La muchacha parecía desentenderse de su oráculo, quien ya no la penetraba, e intentar dormir. Agustín, por primera vez, volteó a mirarme y esbozó una sonrisa.

La escena estuvo dando vueltas en mi cabeza. Aún no lograba descifrar lo que acababa de ver. Tanta sordidez, tanto desagradable misterio, tanta demencia. ¿Qué hacía yo ahí? Cuando salí de casa de Agustín me di cuenta de que estaba bastante ebrio y tenía el estómago revuelto. Me detuve a vomitar en uno de los faros que iluminaban Vía Dolorosa. Luego, en vez de volver a mi albergue fui hasta el Reposo. Tendido en la arena blanca, escuchando al mar golpear la barriga de los barcos y los rompeolas, dejándome despertar por el viento frío del océano y la madrugada, me pregunté si no sólo había visto lo que vi sino también, con mi presencia, había participado de aquello. También me pregunté si iba a olvidarlo al día siguiente, como una pesadilla de borrachera. De pronto, me sentí estúpido. ¿De qué tenía que preocuparme? Solamente había sido testigo de un prostíbulo clandestino. Agustín debía ser no más que un alcahüete para turistas, era evidente, ¿por qué me extrañaba? Después de todo, Agustín daba exacto con el tipo. Y su cliente, un turista con ganas quizá de emociones nativas y sexo folclórico, un payaso seducido por una muchacha en un barcito miserable de Busardo, que cayó en casa de Agustín. La putilla, por otro lado, parecía muy experimentada, aunque no tendría más de veinte años según calculé. Y también estaba lo de los disfraces, todo muy bien montado. Quizá había subestimado las habilidades de Agustín, parecía ser un excelente alcahuete. En fin, pensé, levantándome de la arena, lo que en realidad me molestaba era enfrentarme así, intempestivamente, con el sexo en una de sus formas más tristes después de tanto tiempo. Desde que me abandonó Kaas, o quizá desde antes, mi vida sexual transcurría con abulia. Mi amor por Kaas, mi lucha por tratar de convencerme de que no iba a perderla, hacían que olvidara esa complicada dimensión del amor. Salvo con Kaas, no tenía recuerdos de mis otras relaciones sexuales, y el recuerdo del sexo con ella tenía poco que ver con el deseo y sí mucho con las ganas de que ella estuviera acostada a mi lado y acariciarla. *Baudelaire afirma que la cópula es el lirismo del populacho*, dice Purserwarden en alguno de los tomos del cuarteto de Durrell. Kaas y yo, deslumbrados por el hallazgo de un amor que considerábamos pleno y que no necesitaba más que de los sentimientos para realizarse totalmente, desdeñábamos aquella poesía fácil y demagógica del populacho, evitando rodear con una aureola de encanto o de magia algo tan pedestre como "tirar". No es que lo evitáramos con convicción, pero en las pocas ocasiones en que lo hacíamos me era difícil reconocer en aquella mujer, que a veces era tan torpe y no sabía pedir lo que necesitaba, y otras, tan ávida que jamás se satisfacía, a la mujer con la que conversaba todos los días, a la que necesitaba para discutir, para entender, para vivir. Sabía que a Kaas le sucedía lo mismo conmigo, aunque no lo conversáramos, y sabía también que el triunfo de la eyaculación —que en mí sonaba a quejido mudo y derrumbamiento— en vez de halagarla o entusiasmarla, la fastidiaba. Y, como no podía cerrar los oídos a mi voz, cerraba los ojos en inocente, inútil, triste sinestesia.

¡Kaas! ¡Kaas! Este invierno sepia, este invierno desesperado, ruin, que arranca las hojas viejas del otoño y las arroja al suelo, esta barrera de viento que impedirá la primavera, que enredaría tu pelo si estuvieras aquí, que interrumpiría tu sueño, que haría temblar tu imagen en el espejo, en la ventana con la cortina descorrida donde tu rostro se suspendería en medio y sobre el cielo, sobre las casas de Busardo, sobre el mar apenas visible; devóralo con la boca abierta, Kaas, con los ojos abiertos, con toda la pobreza de tu espíritu y tu belleza. Necesitaba hablar con Kaas y decirle que las cosas no me habían salido bien desde que se fue. Tenía que aceptarlo. Había dejado de ser el mismo, había absorbido todo el dolor. La pesadilla de la casa de Agustín era sólo una muestra de mi fragilidad, de un mundo que de pronto me era hostil. Desperté en el Reposo, lleno de arena y temblando de frío, y caminé hacia mi albergue. Toqué la puerta y sentí la voz de la dueña preguntando, desconfiada, quién era. No pude responderle porque tenía la boca pastosa. Abrió la puerta sin sacar el pestillo, me reconoció y me dejó pasar. Casi pude sentir su preocupación proyectándose en mi espalda mientras subía a mi cuarto. Su perro no ladraba en una especie de anticipado luto. La dueña cerró la puerta y, sin moverse del pie de la escalera, siguió mi ascenso grada a grada. Una vez arriba volteé a ver a la anciana, dispuesto a decirle que no se preocupara por mí. No pude verla, se había escurrido a la cocina. Frente a mí sólo veía la entrada: arriba, el ojo de buey, grande y empañado por la humedad, como el de un buque, encarcelado por una reja. Abajo, la puerta de cristal, con sus flores de lis de fierro forjado, clausurada, apartándome del mundo que transcurría apaciblemente del otro lado. Entré a mi cuarto casi sin ánimo. Me hundí en la cama sin desvestirme. Los ojos me dolían, estaban vidriosos, parecían haberse endurecido contra el sueño. A mi lado escuché un crujido. El viento se había introducido en el cuarto por una rendija. Movía un papel sobre el escritorio. La cortina también se movía como si ocultase a alguien. Vi el reloj: el tiempo había transcurrido y ya era muy tarde, pasada la hora del almuerzo. ¿Cómo era posible?

¿En qué había estado pensando mientras las horas corrían tan desmesuradamente? Ah sí, un recuerdo. Estaba recordando.

Todo viaje acompañado es un viaje sentimental. En todo viaje sentimental, por cualquier discusión arde Troya, y cualquier concesión amuralla y obliga a armisticios inverosímiles donde ambas partes pierden. Después de la muerte de su padre, Kaas me escribió pidiéndome que la esperara en Roma, y yo desdeñé de inmediato mi tranquilidad en Lisboa para ir a esperarla sin reclamarle ese súbito cambio de planes. Con cierta pena y mucha nostalgia adelantada, salí de Lisboa la mañana después de recibir el telegrama para poder tener todo dispuesto y solucionado el miércoles que llegaba Kaas. Como aún no conocía el nuevo plan, decidí tomar un cuarto de hotel mientras decidíamos si nos quedábamos un tiempo en Roma y por tanto alquilábamos un piso, o si viajábamos a otro lugar, quizá Londres pues Kaas, que aún no conocía Inglaterra, repetía siempre que le encantaría conocer Londres. Estuve en el aeropuerto de Roma varias horas antes de que llegara su vuelo, en parte por mis ansias de verla, pero también por una pésima información de la agencia. Mientras hacía tiempo en un café me entretuve pensando en cómo habían cambiado las cosas desde mi salida de Londres siendo adolescente y el regreso a mi país o, mejor dicho, al país de mis padres. Lo inminente de la llegada de Kaas me escarapelaba el cuerpo y empezaba a confundir con ella a todas las muchachas altas y elegantes que me daban la espalda. Un hombre bien vestido se me acercó y preguntó en italiano algo sobre el horario de unos vuelos retrasados. Le respondí algo sin mucha convicción, con el poco de italiano que había aprendido en Venecia, pero el hombre insistió en conversar conmigo, deletreando sus frases ahora que había descubierto que yo no lo entendía, empecinándose en mostrarme una foto en la primera plana de un periódico que tenía doblado y pegaba a mi vientre. Rechacé la conversación con un gesto entre amable y decidido, pero el

97

tipo siguió terco en su actitud, por lo que no me quedó más remedio que levantarme y salir del café, en el que estaba tan cómodo, y vagabundear por el aeropuerto. El tipo no me siguió; tranquilamente se sentó a mi mesa y pidió algo. Nadie se percató de lo sucedido. Me irrité contra mí mismo, contra mi falta de personalidad, contra mi timidez casi pusilánime, contra dejarme apabullar por cualquier problema. Kaas hubiese resuelto ese problema, hubiese puesto a ese tipo en su lugar, pensé, y por primera vez sentí que me asomaba al horror y al vacío de la posibilidad, hasta entonces lejana y casi inverosímil, de vivir sin ella. El anuncio del aterrizaje del avión que esperaba me sacó de mis tribulaciones. Entre la muchedumbre, la figura de Kaas destacaba. Ella me dio el alcance antes de que yo pudiera acercarme, atorado entre los demás viajeros que buscaban, miopes, a sus familiares. Kaas traía poco equipaje. Soltó sus dos pequeñas maletas y la abracé fuerte, fuerte, una tenaza con la que quería hacerle entender cuánto la había extrañado y también lo mucho que sentía la muerte de su padre. Kaas, denunciando claramente en qué había estado pensando durante todo el vuelo, entendió sólo el segundo significado del abrazo.

—Está bien, está bien —me dijo Kaas, librándose de mis brazos—. Sé que lo sientes. También yo lo siento. Pero no volvamos a mencionar ese tema ¿sí, amor? Por favor.

Entonces, dejando que se adelantara, tomando adrede un poco de distancia para disfrutarla, observé a Kaas. Se la veía agotada por el viaje, con el pelo desordenado y el rostro endurecido, aunque sin perder aquella serena sobriedad que tanto me enamoraba. Llevaba sus maletas como lastres, casi empujándolas con los pies. Y en la mano izquierda, un pequeño macetero donde asomaba apenas una despeinada flor de geranio que había sabido esconder de los controles del aeropuerto. Aquella imagen indefensa me enterneció y la abracé por la espalda.

—Mi pobre Kaas —dije— vencida por la aviación comercial.

Kaas no contestó. Con un gesto cansado me pidió que por favor dejara de mirarla así, que cogiera sus maletas y la guiara lo más rápido posible al auto porque ya no aguantaba las ganas de dormir en una cama.

Roma revisitada. Primero fue una vista a vuelo de pájaro desde el Gianicolo. Luego un nuevo paseo, de arriba a abajo, por el barrio arqueológico. El pasado abruma, la historia abofetea persistentemente con los restos que el azar nos ha heredado. Kaas y yo cruzamos una y otra vez la avenida de los Foros Imperiales. A pesar del murmullo de los turistas, a pesar del evidente futuro de algunas casas comerciales, a pesar de Kaas y de mí mismo, el pasado sobrevivía impecable, en medio de las ruinas de Roma y del siglo XX. Nos detuvimos en la columna Trajana.

—Aquí es adonde quería llegar, a estas reliquias de guerra. Las extrañaba, en serio, aunque suene snob. Superiores a las del Senado. Es evidente que los artesanos de Trajano eran mejores observadores de la guerra que de la vida cotidiana. ¿No te parecen insuperables? Me gustaría haber revisado mis notas sobre la guerra contra los dacios antes de venir. Detesto tener tan mala memoria.

—¡Caray! No seas tan turista —reprochó Kaas— ¿Qué importa eso? Velo sólo como algo bonito.

—A mí me interesan esas cosas.

—Pues es una lástima, pensaba que ya te habías curado de todo eso... Ese Leopoldo... la culpa es suya. Otra vez te volviste un anticuario.

—El riesgo de nuestra profesión es que podemos terminar convertidos en mistificadores del futuro o el progreso o "lo que vendrá" —pienso en voz alta mientras bordeamos la columna.

—¿Acaso tú no eres ya un mistificador? Y uno de antología, déjame decirte —contestó burlona, como en los viejos tiempos.

—Quizá, pero jamás un mistificador del futuro, eso nunca. El pasado no ofende cuando es solamente pasado, cuando no hay necesidad de progresar, cuando no tiene la urgencia de movilizarse a ningún lado ni iluminar el futuro.

—Otra vez el anticuario —dijo Kaas, aparentando estar decepcionada de mí—. Insisto, qué lástima, creí que habías cambiado.

—Mira solamente estas ruinas. No son sólo tumbas o nostalgias. Aquí también hay vida, una vida muy hermosa además. Para mí, más hermosa que cualquiera.

—Eres un decadente —rió—. Prefieres mirar lo que está detenido y no te das cuenta de que lo único que está vivo aquí somos nosotros y ellos —dijo, señalando a los turistas que no dejaban descansar a las paredes del Coliseo con sus fotos—, esa gente que tanto desprecias.

—No los desprecio —me defendí, sin mucha convicción—. No tanto.

—¿No? Bien por ti, aunque por esa forma despectiva que tienes de mirarlos me resulta difícil creerte. Pero no voy a discutir eso contigo. Te creo. Aunque, la verdad, es que a mí si me gusta Roma no es por sus ruinas, sino porque acá hay un pasado vigente que puede enseñar mucho al futuro. Y ese pasado no está ahí, en estas piedras viejas y secas, sino en las plazas, en las calles, en cada uno de esos sitios se mantiene el espíritu. Los italianos han sabido mantenerlo vivo. Mira eso por ejemplo...

Señaló hacia el centro de una plaza que teníamos al frente. Un mimo pretendía hacer malabarismo parado sobre el borde de la fuente. Tenía la cara pintada de blanco y negro, con dos chapas rojas encendidas en las mejillas. También un globo en forma de flor en la mano izquierda. Busqué con la mirada el nombre de la plaza. Habíamos abandonado los Foros y caminado distraídos, sin rumbo fijo, y por eso no pude reconocerla, para mi desesperación, porque aunque no era tan bonita como otras más famosas, yo pretendía ser un buen conocedor de cada lugar y cada agujero de la Roma arqueológica.

—Mira —insistió Kaas, sentándose en el borde de la fuente—. Ese muchacho actuando en medio de esta plaza, estas personas alrededor, esos jóvenes que lo están mirando cogidos de la mano, hasta esos turistas que sacan fotos; ellos son la historia de Roma. Sólo ellos, no otra cosa, nada más.

—Otra vez el discurso de la historia como faro de náufragos y no sé cuántos —repliqué, ofendido por el tono didáctico de Kaas—. Pues, por mi parte, nada en esta plaza ni en esas tiendas de la Vía Veneto ni esos turistas ociosos, valdrían algo si no existieran estas ruinas. No te rías, lo digo en serio.

—Pues en serio te digo también que tú eres un turista. ¿O acaso has nacido aquí? Por el amor de Dios…

—Siempre he pensado que alguien tan distraído como yo no puede ser turista —dije pacífico—. Soy un desubicado irremediable, tú sabes.

—Me vuelves loca. ¿Qué tiene que ver tu distracción con que seas turista? Pero eso me lo vas a explicar después, por ahora es suficiente, no quiero discutir más.

—Pues yo quiero decirte únicamente que si la historia de Roma puede enseñarle algo al presente es una cosa, una sola cosa.

—A ver, explícame eso —dijo Kaas, ya sin sonreír.

—Pues que éste es un pueblo que pagó cara su ambición de futuro. En vez de vivir su pasado, prefirieron entregarse al futurismo, y de ahí al fascismo hubo sólo un paso. Y dieron ese paso. Y después, tuvieron que aceptar la ofensa de ser invadidos por sus camaradas nazis porque no podían defenderse de los aliados. Ahí tienes la gran moraleja, saca tus propias conclusiones. Y como tú dices: nada más.

Kaas me escuchaba en silencio, mordiéndose el labio inferior y con los ojos bajos. Había enrojecido.

—Es muy extraña la forma que tienes de interpretar la segunda guerra —dijo, tratando de iniciar una discusión histórica. Pero de súbito se quedó en silencio, atragantada, llorosa.

El mimo recibía el aplauso del grupo de turistas. Caminó hacia nosotros y nos extendió su sombrero lleno de billetes arrugados. Contribuí con un billete. Kaas no lo miró.

—Ahora entiendo —me imprecó Kaas, levantándose de golpe— Claro, ahora entiendo todo, todo está clarísimo. Ahora sé a dónde quieres ir con toda esta conversación. Te molesta que haya dejado a mis familiares en pleno velorio y haya venido aquí. Es eso, ¿no es cierto? No tienes por qué usar metáforas. Pues yo siempre he pensado que los muertos se entierren solos. Yo amaba a papá, tú no sabes cuánto lo amaba, no tienes la más mínima idea de nada, pero él ya está muerto, no pienso levantar un mausoleo a su alrededor y mucho menos acompañar a esa sarta de magdalenas de mi casa, que nunca, escucha bien, "nunca" hicieron nada por papá cuando estaba vivo.

—Kaas, Kaas, yo no me refería a eso —balbuceé sorprendido—. En serio, me has malinterpretado.

—Sí, claro que sí, tú eres igual a todos los que querían que me quedara haciendo luto en la casa de mis padres, acompañando a mamá, a sus hermanas, y no sé qué demonios más. Que me exponga al luto que no tiene cuándo acabar, donde todo el mundo me da palmaditas en la espalda o abracitos y me repiten "el más sentido pésame" y toda esa mierda. Pero no, yo estoy viva, yo quiero vivir, yo quiero ver el futuro. Y si tú no quieres ser parte de ese futuro, pues muérete y entiérrate junto con mi familia en ese país miserable…

Le dio un acceso de llanto y se cubrió la cara. La abracé tratando de convencerla de que yo no me refería a su padre y que no la juzgaba por lo que había hecho. Pero fue inútil. Me limité a verla llorar en silencio, sin dejar de abrazarla, mientras abandonábamos la plaza seguidos por las miradas chismosas de los turistas —que habían encontrado un nuevo espectáculo en nosotros— y del mimo que descansaba en el borde de la fuente.

—¿Entonces? ¿no tuvo suerte en el póquer? —preguntó Zeta.

Miré la hora y me di cuenta de que era muy tarde. Aquel día, después de la pesadilla en casa de Agustín, sólo con el crepúsculo había tenido fuerzas para levantarme. Comí de prisa algo que me preparó la dueña del albergue. El diagrama de lo ocurrido la noche anterior ya no era tan borroso, pero aún formaba un rompecabezas turbio cuyo modelo me negaba a reconstruir. Salí hacia el bar de Zeta, un poco guiado por el ansia de ver a Agustín tranquilo, como si nada hubiera pasado, y darme cuenta de que todo fue un mal sueño con pretensiones de tragedia griega.

Agustín tenía la misma expresión imperturbable de otras veces y apenas si me sonrió mientras me servía el primer martini. En todo caso, fuera o no fuera aquello una pesadilla, le agradecía esa distancia.

—Agustín me contó que su amigo lo desplumó anoche — dijo Zeta algo triste—. Y parece que también bebió mucho pastís sin agua, además. No digo "se lo advertí", porque le advertí también que no se lo diría.

Zeta sonrió cogiéndome del brazo con fuerza. Pude entender por esa sonrisa que tenía algo que decirme. Una de aquellas cosas que él llamaría "una excelente noticia" y que, de seguro, no tendría la menor importancia para mí. Después de un breve suspenso, que saturó con una conversación cargada de ripios y observaciones sobre el clima, me dijo con gran emoción que estaba dispuesto a arreglarme, personalmente, una cita con Salvador Dicent. No esperó mi respuesta; supuso mi gratitud infinita y corrió hacia el teléfono para llamar a Dicent. Parecía que sólo marcaba números altos: el disco demoraba en regresar a su punto de origen. Luego, dejó de marcar y esperó la respuesta del otro lado sin dejar de mirarme.

—¿Salvador Dicent? —preguntó con el auricular muy cerca a su boca y levantándome las cejas en señal de que lo habían reconocido—. Sí, acertó. Pensé que, como siempre, no me reconocería. Está bien… digamos muy a menudo. No, no me pongo engreído y también usted es del pueblo señor Dicent, así lo consideramos desde hace mucho. ¿Cómo va el arte? —me llamó con la mano y tuve la desagradable sensación de que me obligaría a compartir el auricular—. No, no, de ninguna manera puede usted permitir tal atrevimiento. Pero permítame decir que yo tuve otras noticias. Al revés, halagüeñas por demás. Todo un éxito según los críticos. Parece que hasta querían llevarlo a vivir a Nueva York. Así es —dijo con una risita afeminada—, digamos que querían arrebatarlo de nuestro lado, pero como bien dice usted, que vayan las pinturas que para eso tienen patas —rió mirándome, compartiendo la broma conmigo—. Aquí todo igual, señor Dicent, ayudándome como puedo con Agustín, el muchacho que trabaja conmigo. Ése mismo, sí, ya sabe, pues conmigo se porta cada vez más responsable aunque sigue detrás de las extranjeras. Sí, pobre. Y, por otro lado, para bien de mi barcito los extranjeros no dejan de venir al Zeta. A propósito, tengo a mi lado a uno muy notable, de los nuestros, usted sabe... Sí, claro, pero no me refería a eso. Sé que Agustín es un muchacho, pero no por eso tiene que estar saliendo con cada casquivana que se encuentre ¿no? ¿Cómo? Oh, no, estoy seguro de que nuestra juventud no fue así de desencaminada, si no no hubiésemos logrado todo lo que nos propusimos, ¿verdad? —aprovechó que me había acercado y me cogió de un hombro con intimidad—. Señor Dicent, tengo aquí a un joven que quisiera entrevistarse con usted. No, nada de eso, no es periodista —y me miró rogando que no lo fuera en realidad, como si me hubiera desconocido de pronto—. Vive aquí desde hace mucho tiempo, es otro hijo adoptivo de la ciudad, como usted. Quizá lo haya visto alguna vez, aunque hace tanto que no viene a visitarnos. Eso mismo le decía yo, ¿el martes estará bien? ¿Incluso antes? ¿Esta noche quizá? —preguntó Zeta, haciéndome un guiño cómplice—. Caramba, ya se lo había dicho al joven, usted es siempre tan amable con los amigos, me alegra no haberme equivocado. ¿Se lo paso entonces?

Hice un gesto de rechazo, negándome con la cabeza, pero Zeta ya me daba el auricular y se retiraba a una distancia que consideró prudente.

—¿Hola? Señor Dicent, yo... —balbuceé.

Zeta no ocultaba el orgullo mientras Agustín, desde la cocina, seguía con curiosidad los acontecimientos. Salvador Dicent, con voz alta y profunda, me saludó y empezó a contarme no sé qué historia de la ciudad, de la que concluyó que nosotros, los extranjeros, debíamos confabular contra ella. Rió estrepitosamente y me invitó ese mismo día a visitarlo en su palacete. "Mi pequeño búnker", lo llamó. Colgué, después de unos minutos en que el pintor se hizo cargo de la conversación y yo de los monosílabos.

—Bueno —anuncié a mi auditorio compuesto por Zeta y Agustín—, me espera dentro de unas horas.

Agustín se introdujo en la cocina después de una media sonrisa y Zeta se sirvió un vaso de pastís sin agua que bebió de un trago, en fanfarrón gesto de vanagloria, luego de advertirme que, por supuesto, no mencionara a Dicent la cacería de pájaros del día anterior.

—Tal parece que ayer debí ir con usted, Zeta, y no con Agustín. Así me evitaba el disgusto.

—Se equivoca. Agustín es una excelente compañía para conocer a Dicent. Ese pillo no sé cómo se las ingenia para ser amigo del maestro. Olvide de una vez lo de ayer, amigo, fue sólo un poco de mala suerte, eso es todo.

Eso era todo pero no era suficiente para mí. Estaba intrigado.

—¿Y por qué es tan buena compañía Agustín para conocer a Dicent? —pregunté—. Si se puede saber.

La sola mención de Agustín por parte de Zeta me había devuelto a la sórdida escena de la noche anterior. Tenía mis hipótesis y quería comprobarlas. Quizá Zeta pudiera darme una respuesta o una pista, pensé, para comprender en qué estuve metido.

—Por ejemplo —dijo Zeta—, ¿recuerda a la niña que vio en la moto de Agustín? Pues seguramente era una de las modelos que Dicent le pide que le lleve. Son varias, extranjeras y de aquí. Debería usted ver los cuadros que les hace, aunque para eso tendría que viajar a París. Son unos encantadores retratos de niñas bonitas. No sé cómo puede el maestro convertir esas sucias flacuchas en bellezas. Sus madres estarán orgullosas. Bueno, entonces, ¿a qué hora es su cita? No olvide preguntarle si es cierto que abandonará Busardo, se habla mucho sobre eso en los diarios. Sería una pena, él es ya de los nuestros, usted entiende.

Aquella tarde, en Roma, Kaas caminaba delante de mí sin esperarme, como una autómata. Había dejado de llorar y cambió su cara triste por una de expresión dura.

—¿Hacia dónde vamos? —pregunté—. Responde, Kaas…

Ella no me escuchaba, no entendía, no quería pensar. Su arrebato en la plaza la había dejado silenciosa. Descendimos por Villa Borghese. Aunque iba de prisa tras Kaas, las estatuas del bosque me deslumbraban y tenía que hacer un gran esfuerzo para no detenerme a mirarlas. La de Goethe, por ejemplo, y su rostro demasiado severo observando desde su altura mi pequeña humanidad. Quien diseñó el bosque había colocado a Goethe entre las ramas, en un lugar sin luz, como si hubiera querido esconderlo. Otras estatuas menos bellas estaban más a la vista, a la luz del día, pero la de él estaba paradójicamente a oscuras. Kaas continuaba caminando sin detenerse. De pronto, como si al fin hubiera despertado de un sueño, me dijo que quería comprar algo que había visto el día anterior. Entramos por Vía Veneto para buscar un pañuelo de seda del que se había enamorado. Coleccionar pañuelos era la única manía de Kaas, pero en ese momento me costaba creer que pudiera pensar en eso en vez de detenerse, conversar y de arreglar las cosas. Sin embargo, la dejé hacer. Como de costumbre, Vía Veneto estaba repleta de gente. No eran sólo turistas, sino también romanos. Entramos a una tienda muy elegante. Kaas estaba hermosa, había perdido ya su expresión dura y vuelto a su habitual serenidad. Anudaba los pañuelos a su cuello y se miraba detallosamente en un espejo. No hacía ningún gesto que me indicara que esperaba mi aprobación para comprarlos. Eligió varios donde predominaba el color verde, como el de sus ojos. Intenté entretenerme con unas corbatas, pero no tenía mucho ánimo para eso. Me acerqué a la puerta de vidrio y miré hacia afuera. En un café frente a la tienda se veía un grupo pequeño, media docena de jóvenes, muchachos y muchachas con aspecto de estudiantes, que rodeaban una mesa. Como Kaas no me necesitaba, crucé hacia el café con curiosidad por saber qué había en medio del grupo de estudiantes. Vi a un hombre pequeño, sentado al lado de dos mujeres muy guapas y cercado por varios jóvenes de pie, que autografiaba un libro y hablaba a los jóvenes con la voz pausada de hombre mayor, pero aún firme y brillante. La admiración del grupo hacia su profeta era total. Me pareció reconocer al hombre, canoso, arrugado y de orejas grandes y coloradas, pero no podía recordar dónde lo había visto. De pronto, como si se hubiese agotado de tanto homenaje, se levantó dejando su café a medias y aceptó el brazo de una de las mujeres. La otra también se levantó, pero partió en dirección contraria después de despedirse del hombre con un provocador beso en la mejilla. El anciano se abrió paso entre los jóvenes y cruzó cerca de mí justo en el momento en que Kaas, llevando una bolsa delicada en la mano derecha, me daba el alcance. "Moravia", murmuró, reconociendo de inmediato al personaje y sacudiendo su cabeza como diciéndome "eres incorregible". Alberto Moravia se alejaba del brazo de una mujer más joven que él y bellísima, robusta y bien formada, del tipo romano cinematográfico, se diría, y volteó como última concesión a sus admiradores. Al mirar al grupo sentí que Moravia se detenía también en mí, pero sin verme. Y es que, en realidad, no podía verse nada en medio de la muchedumbre.

Dormí mucho esa noche y desperté un poco tarde la mañana siguiente. Ese día Roma nos saludaba con un viento bastante amable. Quizá eran más de las diez. Sentí la puerta entreabriéndose y supuse que sería el servicio. Me cubrí hasta el cuello con la sábana, sin salir de la cama. Desde ahí grité a quien fuera que podía pasar. No era el servicio, era Kaas. Yo había creído que estaba duchándose. Instintivamente miré hacia la puerta cerrada del baño, como si no creyera en la realidad. Kaas traía una bandeja con desayuno para dos. Tenía puesto un pequeño vestido azul de algodón, sostenido sobre los hombros por dos cintas delgadas. Se le veía fresca, descansada, con el cabello recogido en un moño. La cinta dejaba suelto algunos cabellos rubios tan brillantes que parecían destellos. Cerró la puerta con el pie y sonrió. El cuarto oscureció un poco, a contrapelo del sol que afuera era estridente.

—Buenos días —me dijo.

Me incorporé un poco, me apoyé sobre un codo para admirarla y le sonreí.

—Estás bella. Bellísima.

Intentó sonreír de nuevo, pero la risa se le congeló a medio camino. Entonces, abruptamente, dejó caer la bandeja con el desayuno y se llevó las manos al rostro. Se oyó un estrépito de platos y vasos rotos, de cubiertos regados por la alfombra. Salté de la cama y fui a abrazarla. Ella se dejó rodear por mi abrazo sin dejar de sollozar.

—Es inútil, no lo acepto, no puedo aceptarlo —dijo entre lágrimas—. No entiendo que mi padre haya muerto, por más que haga no lo entiendo.

—Yo sé que es difícil, amor, tienes que ser fuerte.

—No —dijo separándose de pronto—, tú no sabes que es difícil, tú no puedes saberlo porque tus padres no están muertos.

Luego, dándole una mirada de soslayo al destrozo de los trastos, intentó calmarse diciendo que era una torpe. Me pidió disculpas por la escena y se arrodilló para recoger lo que estaba tirado sobre la alfombra. Me arrodillé también, pero Kaas no permitió que la ayudara. Me levanté sintiéndome inútil. De pie, a su lado, miraba su cuello tenso que un mechón de cabello cruzaba con delicadeza. Cogí a Kaas de los hombros y la levanté.

—Es mejor que nos vayamos de Roma —me rogó, esforzándose en controlar su llanto—. Vámonos de inmediato, amor, ¿crees que puedas arreglarlo para lo más pronto posible? Es urgente que dejemos este lugar de inmediato.

—¿Pero a dónde iríamos? —dije.

—Por favor…

Entonces se recostó sobre mi pecho durante unos segundos, con los ojos abiertos mientras yo le besaba la nuca, antes de que volviera a agacharse para terminar de recoger los pedazos del desayuno arrojados sobre la alfombra.

Como si hubiese creído o hubiese querido creer que yo era escritor, Dicent me había pedido por teléfono que llevara mis "papeles". Pero yo no sólo no escribía, desde mi adolescencia, ni poemas ni prosas, sino que incluso casi no podía recordar alguna hoja con mi letra desde mi llegada a Busardo. No tenía pasta de escritor —pese a que me preciaba de escribir buenas cartas— porque era desidioso y falto de método; aunque durante mi estadía en Venecia y Lisboa, mientras esperaba a Kaas, y quizá por influencia de mis diálogos con Leopoldo, me entusiasmó la idea de llevar un diario. Tenía la secreta intención de publicarlo algún día, quizá como crónica de viaje o libro de reflexiones, y evitaba que aquel primer cuaderno de tapas azules, y un segundo cuaderno después, de tapas marrones, fuesen una parábola de mi caos intelectual, de mis pocas posibilidades de entender la vida. Anotaba mis trajines en una libreta de apuntes y luego seleccionaba por la noche aquellas frases e interpretaciones que consideraba más acertadas (estéticamente correctas o modestamente bien escritas) para transcribirlas en cuadernos limpios y asépticos. No tardé mucho tiempo en cuestionar mi método: un auténtico diario debería ser ese desorden de ideas, de errores y desinformaciones que era mi libreta, fiel reflejo de mis contradictorias hazañas cotidianas y de la poca sistematicidad de mi inteligencia, y no ese cuaderno pulcro y de buena letra que parecía mi rostro lavado y maquillado para una actuación. Pero entonces sobrevino mi encuentro con Kaas en Roma y, dejando de lado las dudas artísticas o éticas, las páginas de mi diario se llenaron de notas apasionadas, de esa necesidad toxicomaniaca de escribir sobre ella. Mantuve conmigo ese diario sellado durante mi estadía en Europa llevándolo en todos mis viajes, con o sin Kaas, descuidándolo en cuartos de hoteles y cajones sin llave, pero cuando llegamos a Busardo empecé a temer que esas páginas terminasen en manos extrañas y que alguien se enterase de mi vida. Temor infundado pues el diario que escribía, sin fechas, sin nombres, sin lugares, tan ficticio como una novela, no podía ser para alguien que no me conociera una buena fuente de información. Aun así, el pudor a que lo leyeran me paralizaba, me hacía sentir un delincuente espiándome a mí mismo y escondiendo luego las anotaciones en un acto en el que arriesgaba la vida. Pero ninguno de esos temores hicieron que me decidiera a quemar el diario. Pasaron los meses y finalmente algo en mí se rebeló contra aquellos cuadernos. Estaba un día en mi habitación en Busardo redactando en el diario una anécdota que acababa de suceder por la mañana, y que ponía de manifiesto mis dudas sobre mi relación con Kaas, cuando de pronto me di cuenta de que aquellas anécdotas, que con tanto esfuerzo y pasión había escrito, sólo eran materiales que, inconscientemente, con naturaleza de pájaro, como alguna vez me dijo Dicent, había ido acopiando como hojarasca y pajillas con el oscuro deseo de escribir algo, quizás una novela, y nada valían en sí mismas mientras no existiese ésta. Me negué a prestarme a mi pasado, a convertirme en literatura, a desaparecer de mí mismo para aparecer en otro, a vampirizarme. ¡No soy un personaje! me dije en un arranque de furia, mientras rompía las páginas de los cuadernos y las arrojaba al fuego, una Emma Bovary abofeteando sin compasión al pretencioso Flaubert mientras éste intenta justificarse repitiendo *c'est moi, c'est moi* con su insufrible acento normando. Cuando, luego de unas semanas, Kaas se separó de mí dejándome solo en Busardo, aquellos cuadernos ya no existían.

Entonces, nada podía llevarle a Dicent y tampoco me interesaba hacerlo. ¿Por qué me había pedido que le llevase algo? ¿Quién podía haberle hecho creer que yo era escritor? ¿Zeta? ¿Agustín? No había respuesta para esas preguntas. Tomé el camino de la Vía Dolorosa, a esa hora vacía de turistas, y anduve durante un rato al lado de las ruinas vigiladas por luces y cercas de alambres, internándome en el bosque oscurecido en esa noche especialmente negra, y trepando sin esfuerzo la cuesta empinada hacia la casa del pintor. Crucé la reja de fierro y me sorprendió descubrir no sólo las sombras de un jardín más cuidado que el del día anterior, sino uno sin el menor vestigio de la batalla ocurrida hacía tan pocas horas. Alguien había estado recogiendo plumas y secando charcos. No me hubiera sorprendido encontrarme con un mayordomo con penacho de halcones o una gorda ama de llaves con tutú de plumas de paloma atendiendo ese manicomio. Un delgado camino de piedra surcaba el jardín y llegaba hasta la puerta principal del palacio. Bordeaban aquel camino varias estatuas de mármol —verdes de moho hasta la cintura y con las piernas forradas de musgo, sobre todo en las rodillas, formando una greba durísima— que representaban jóvenes sátiros comiendo racimos de uvas. Pero lo que más resaltaba eran los mascarones de proa que llenaban el jardín, erguidos al costado de los árboles. Sirenas varadas, Neptunos furiosos o enormes rostros de ángeles a los que su escultor quiso dotar sólo de cuello y busto, y cuyo límite era el nacimiento de los senos. Seguí por el camino de piedra hacia la puerta sin detenerme a ver de cerca los mascarones, y de pronto, como por arte de prestidigitación, me encontré en el centro de una sala, sin saco, esperando al pie de una escalera a que bajara Dicent a recibirme o, en todo caso, una orden que me permitiera subir a verlo. No sucedió ni lo uno ni lo otro. No había mayordomo ni ama de llaves, y quien había abierto la puerta y recibido mi saco, aquel a quien creí un anticuado y flemático perkins a mis espaldas, era el mismo Dicent. Un hombre de baja estatura, más bien regordete pero de doméstica apariencia juvenil, vestido con una camisa color lavanda, un pañuelo de búlgaros en el cuello y gris pantalón de franela.

—Adelante. Acompáñeme a la torre, por favor —dijo—. Me gusta recibir ahí a mis visitas.

Trepó la escalera en dirección al minarete. Pasamos sin detenernos por varias habitaciones cerradas. Al final de las escaleras había una puerta de madera tan carcomida por la humedad como los mascarones de proa del jardín. Por su apariencia y grosor bien podría haber pertenecido a algún barco pirata. Dicent abrió la puerta jalando de un manillar de fierro mohoso y me cedió el paso a la habitación circular de una de las torres almenadas que flanqueaban el minarete, torres que tenían un aspecto muy contundente vistas desde la cuesta de la Vía Dolorosa. Esa torre, explicó, le servía de taller. Lienzos enormes, llenos de trazos descoloridos y abandonados a su suerte, resbalaban apoyados en las paredes. También había bastidores vacíos, clavos sueltos, un par de martillos y largos trozos de tela. Pero, sobre todo, tubos de pintura aplastados y pinceles endurecidos. El cuarto, de ventanas pequeñas y con una escalera de mano para subir al techo clausurado por un pedazo de madera, estaba infestado por un olor a óleo, aguarrás y acrílico.

—Éstos son los brazos, las piernas, la cabeza, los genitales y los dientes de mi Frankenstein —dijo Dicent, señalando los lienzos sin entrar en la habitación—. El corazón lo tengo en otro cuarto. Es un monstruo que demora en nacer.

Jaló del manillar nuevamente y cerró la puerta. Desdeñó la otra puerta, la que con seguridad debía dar a la segunda torre, y empezamos a trepar por una escalera en espiral de difícil ascenso. Una luz intensa me advirtió que ya debíamos estar cerca de la cúspide. Pero sólo era el indicativo de un giro más indócil que el resto. Seguimos trepando en un silencio alargado por lo difícil que me resultaba la subida, lo que permitió a Dicent sacarme una buena ventaja.

—Trate de no golpearse la cabeza —me advirtió Dicent, una vez arriba, calculando de reojo mi altura.

Bajé la cabeza y crucé el umbral. Al volver a mi postura me encontré frente a una nueva habitación circular, mucho más grande y ventilada que la anterior, cercada por ventanales de cristales opacos y con un inmenso telescopio en el centro que encajaba en un agujero en el techo y husmeaba con su nariz introducida en el espacio. La habitación parecía un museo de pájaros disecados, con diagramas gigantes en las paredes donde se representaban las partes de las aves; eran dibujos hechos a carboncillo o *bistró*, con mucha destreza y precisión. Del cuerpo de las aves brotaban varias flechas señalando los nombres técnicos de cada detalle. Algunos diagramas era muy complicados. Dicent había escrito anotaciones con lápiz al borde de los más complejos, y hecho algunos dibujos reducidos de detalles como para establecer comparaciones a escala con el dibujo central. Una computadora encendida mostraba en la pantalla el dibujo geométrico de un ala girando despacio sobre un fondo oscuro. Del techo de la habitación, techo ovalado y transparente cubierto por un cristal que dejaba ver el cielo, colgaban algunos móviles de madera que representaban pájaros flotando y agitando sus alas como por inercia. Cada una de esas maquetas, al parecer, estaba programada para no salirse de su órbita y no estrellarse con otro de los juguetes, dando la impresión de un muy coherente sistema planetario donde los planetas eran aves silenciosas.

—Debo decirle —le advertí antes de tomar asiento y sin dejar de mirar el techo de vidrio— que no he traído ningún texto pues no soy escritor. No sé de dónde pudo sacar esa información.

—¿No has traído nada? Bueno, mejor. Hoy no tenía ganas de leer. Tengo que hacer unas observaciones por este aparato —dijo, señalando un microscopio que yo no había visto—, si me permite.

Se enterró en el pequeño lente y yo aproveché su desinterés por mí para jugar con algunas maquetas de pájaros esparcidas por la habitación. Me di cuenta de que el lugar no sólo era un buen refugio para un ornitólogo, sino también el cuartel ideal de un lepidopterólogo. En algunos diagramas había dibujado también alas de mariposas y, encerradas en pequeñas cajas oscuras, asomándose por un vidrio que clausuraba herméticamente la urna, se veían colgadas en las paredes mariposas que aún guardaban sus colores y hasta el cuerpo frágil de gusano del que brotaban enormes alas. También me llamó la atención el telescopio. Aun sabiendo que quizá cometía un error, viré sin permiso el curso de su lente y lo conduje del cielo hacia la ciudad. Ahora podía verse la línea apacible del océano, el horizonte con nubes y la orilla bañada por el mar. Modificando un poco más la dirección empezaban a verse las casas de los pescadores, las cajas inmensas y selladas que dormían en la dársena y el movimiento de algunas personas, sin duda parejas, que bajaban hacia la playa para tenderse en la arena. Giré apenas el aparato, variando el ángulo, y pude seguir la silueta de Vía Dolorosa que cruzaba el bosque y se internaba en la ciudad antigua. Vi el bar de Zeta, vacío y a oscuras, iluminado por un farol como el resto de casas a su alrededor. En ese momento, entendí que Dicent no vivía tan apartado de la ciudad como se creía, y que desde su solitario minarete podía seguir el ajetreo, acompañar a los ciudadanos que lo habían acogido en su rutina, controlar a la ciudad que era su casa. Recordé entonces aquella terrible escena de Nessim y su telescopio de cuarenta aumentos espiando los movimientos de Justine y Darley en la novela de Durrell. Solté el aparato como si quemase.

—¿Reconoce usted eso? —me preguntó Dicent, obligándome a desviar mi vista hacia un texto garabateado en la pared.

No pude reconocerlo.

Lo leí. El texto hablaba sobre la naturaleza y sobre cómo el hombre solía intervenir en ella sin advertir la predestinación, el curso natural, la ética de los elementos.

—Es un anónimo garabateado hace siglos en una caverna en Asia Menor. Me gusta ese fragmento, lo conozco desde pequeño, desde que lo leí en uno de esos enormes libros científicos que tenía mi padre, un lepidopterólogo famoso, por si no lo sabía. Puedo acusar, sin dudas, a ese fragmento garabateado por un bárbaro de ser el culpable de mi afán por imponer la disciplina científica en todos los planos humanos.

Salvador Dicent me dijo que era un erudito en varias ciencias. No sólo la ornitología o la lepidopterología, sino que, según me confesó, se consideraba un aficionado con talento para la astronomía y hasta la astrología, que veía no como un contrario, sino como el lado místico, la dimensión oscura pero igualmente importante, de la astronomía. Le comenté que la astrología era para mí una ciencia de charlatanes, pura habladuría. "Está en un error", me reprochó Dicent, quien se empeñaba en asegurar que mi carácter era reservado, tímido, además de nostálgico, y que eso se debía a que en la fecha de mi cumpleaños —que acababa de preguntarme e introducir en la computadora— un enjambre de estrellas fugaces, al que los astrónomos conocen como las oriónidas, cruzaba la constelación de Orión. Mi guía era entonces la brillante Betelgeuse, envidia del cielo y de Escorpio, enemigo rencoroso cuyo lugar en el campo de las constelaciones era diametralmente opuesto al de Orión. Y ambos se observan a cada lado del campo de batalla con odio y silenciosos, corporeizados por las líneas que trazan los astrónomos y que Dicent, mi Virgilio, sin darle importancia a mi absoluto desinterés por lo que me decía, trazaba con empeño sobre un mapa para explicármelo mejor.

Tomamos asiento en unas sillas frente a los ventanales, uno al lado del otro, con los ojos fijos en la ciudad que dominaba el minarete. Dicent parecía hipnotizado por un incesante monólogo sobre su pintura, como si creyera que oír ese soso discurso aprendido era el principal motivo de mi visita. Se había puesto unos lentes alargados que le afeaban la cara. Había algo bovino en sus ojos pequeños y poco inteligentes, sus ojillos redondos y sin malicia como círculos oscuros. Mirada de vaca.

—Señor Dicent —lo interrumpí, tratando de desviar la conversación hacia mi único interés en la visita—, ¿qué hay de cierto en el rumor de que está usted pensando en abandonar para siempre Busardo? Lo leí en el bar esta tarde, lo decía un diario local, y Zeta parecía preocupado.

—Bueno —contestó Dicent con una sonrisa anticipada—, hay un

rumor más o menos extendido de que tarde o temprano "todos" los que viven ahora en esta ciudad la abandonarán para siempre.

Ahora sí rió plenamente, felicitándose por su ingenio. Su risa me pareció aquella vez, no sé por qué, quizá con exageración, despreciable.

—No me refería a eso… —repliqué sin compartir su sentido del humor.

—Mire —me interrumpió—, el presente sólo es la cúspide del pasado y el futuro no existe. Entonces ¿cómo voy a saber lo que haré mañana? Vamos, deje de preguntarme tonterías y dígame qué hace una persona como usted tanto tiempo estacionada en Busardo.

En ese momento, un par de timbradas anunciaron que llegaba un fax. Parecía un cuestionario. Dicent se levantó para cogerlo y llevó la hoja lustrosa para que yo la viera.

—Es de un muchacho del *Post*, uno de esos geniecillos cagatintas. A ver, a ver, el pillo me pregunta: "¿En qué obra está usted trabajando?", y yo debería responderle… —se quedó en silencio, invitándome, con las cejas levantadas, a sugerirle una respuesta ingeniosa.

—No se me ocurre nada —me disculpé.

—¿Qué tal esto?: "Estoy intentando pintar un óleo que sea un sucio e infinito regodeo en el yo, pero sólo me sale un perezoso reflejo de la realidad".

Otra vez la risa le desencajó la mandíbula. Arrastró su silla hasta donde estaba la computadora para escribir su respuesta antes de olvidarla. Tenía prisa.

—¿Sabe una cosa? —dijo, dándome la espalda mientras escribía—. A veces pienso que debería haber un signo tipográfico en las computadoras para la sonrisa, una especie de signo cóncavo, un corchete redondeado boca arriba, para ponerlo como respuesta a algunas preguntas. Vea ésta por ejemplo: "¿Cuál es su posición dentro del mundo del arte?" Respuesta inmediata: "Muy buena vista desde aquí arriba. Gracias".

Volvió la carcajada. Pensé que Dicent me tomaba por un periodista y que estaba haciéndome su show de artista difícil para desanimarme.

—Parece que usted no se toma en serio a sí mismo —ataqué.

—¿Tú crees? Bueno, puede ser. La verdad es que mientras más grave e importante el problema, menos me interesa. Algunos de mis intereses más serios en este momento son, por ejemplo, manchas microscópicas de color.

Dicent se levantó y fue hacia el telescopio. Parecía nervioso y molesto por mi presencia. Corrigió la posición del lente, después de darme una pequeña reprendida mirándome de soslayo, y lo dejó como antes. Empezó a hablarme con tono dubitativo, observando, muy concentrado, el movimiento de sus aves de madera.

—Entiendo que eres un joven escritor y supongo que por eso crees tener permiso de ser tan romántico y atribulado. El único consejo que puedo darte es advertirte que el arte trae un camino que es largo y es duro y difícil, y créeme que si hubiese una forma de no ir por ahí evitaría ese camino, pero no existe esa forma, "no existe". Y no he necesitado llorar dramáticamente o tomarme muy en serio para aprender eso.

—Está equivocado, soy historiador, no artista. Y si me permite un consejo, no es necesario que se comporte así delante de mí, no soy un periodista ni un crítico para que me haga la representación del artista. Sólo quería preguntarle por qué eligió Busardo para vivir; necesito hallar respuestas a mi propia elección, no sé si me entiende.

—Si es ésa la intención de tu visita, lo lamento. En ese sentido yo no puedo ayudarte.

—En fin, puedo imaginarlo. Se hartó de la crítica y huyó al paraíso perdido, sin diarios ni críticos de arte.

—¿La crítica dices? —dejó el telescopio y me señaló como si hubiera cometido un pecado imperdonable—. ¿Qué crees que puede significar la crítica de arte para mí fuera de un montoncito de polvo y pelusa en el casillero sucio de un estudiante de primer año de dibujo?

—No era mi intención ofenderlo. Quizás es mejor que me despida, parece que ninguno de los dos lleva un buen día.

Me levanté, pero Dicent continuó con su discurso sin dejarse interrumpir.

—Nunca desprecio a nadie ni me vengo de los críticos cuando se trata de mi obra. Ahí las flechas de la crítica adversa no pueden ni arañar, y mucho menos perforar, el escudo de lo que esos arqueros defraudados llaman una "excesiva confianza en mí mismo". Además, déjeme decirle que no entiendo por qué debo preocuparme por esas mentes lentas y máquinas de escribir rápidas de los críticos de arte, de esos comentaristas profesionales, en su mayoría mercenarios o patanes, que llenan regularmente el espacio que se les asigna en los cementerios de los periódicos dominicales. Usted, que pretende ser escritor...

—No pretendo ser escritor, no sé de dónde puede usted haber sacado esa idea.

—Como sea, sólo quiero decirle que debe saber de una buena vez que cada artista de talento tiene muchos payasos y muchos críticos alrededor, y que con sus bufonadas se derriban unos a otros antes que al artista. Pero bueno, eso no interesa —se acercó a mí y me puso una mano en el hombro—. Como tú dices, no eres escritor y no lo comprenderías. ¿Ve esa maravillosa golondrina que vuela como saeta detrás de la ventana y se interna entre los árboles?

Miré lo que su dedo señalaba y sólo vi un cielo negrísimo.

—No la vi, está muy oscuro afuera.

—En fin —dijo con un gesto agotado—, pudo haber sido sólo un murciélago. He aprendido mucho de los pájaros ¿sabe? Mi método de pintar tiene mucho que ver con su método para construir nidos. También yo tengo ese impulso de recoger trocitos de madera, pelusas y paja, y de comer guijarros. Nadie puede decir con cuánta claridad visualiza un pájaro, o si visualiza o no, el futuro nido y los huevos de ese nido.

—Sin embargo, sus pinturas no parecen tan naturales y simples como los nidos de los pájaros. Sobre todo desde que vive en Busardo.

—¿Y por qué tendrían que ser simples? El arte nunca es simple. Uno se encierra en una torre de marfil y empieza a crear un mundo lleno de complejidades y correspondencias. El arte simple y llano, es un producto para lobotomizados o para que se emocionen sectas o grupos pegajosos de mediocres. El verdadero talento es solitario —se levantó dramáticamente, estaba serio pero parecía, de pie y con la voz engolada, una caricatura de sí mismo—. Yo me siento un artista único, completamente personal, sin comparación posible con otros pintores, habitante de un exilio voluntario, feliz náufrago sin Viernes, Napoleón satisfecho de la vegetación de su colorida Santa Elena. A veces, cuando encuentro en las islas privadas de otros pintores una planta o un animal que es parecido a alguno de mi isla, me siento tan conmovido, excitado o vanidoso como el *Petit prince* comparando los baobabs, los volcanes y la rosa de su planeta con los otros planetas que visita. A propósito, ¿conoce usted la obra de Balthus? Tengo un cuadro en la galería de la casa, si le interesa. Y las primeras ediciones de todas las obras de Vladimir Nabokov también. Y, para participar yo mismo del festín, también tengo ahí dos de mis cuadros: el retrato de la boda de Poe y uno de los picnics de Lewis Carroll bajo un cielo cruzado por una bandada de estorninos que se baten con las copas de los árboles como espadas en un duelo.

—Espíritus afines, supongo.

—Enemigos más bien. El creador debe de tener en cuenta y estudiar cuidadosamente las obras de sus rivales, incluido el Todopoderoso.

Una vez terminado el discurso se quedó callado durante un buen rato mirando alternadamente el vuelo de sus aves de madera y sus manos con los dedos cruzados. Tampoco yo tenía muchas ganas de hablar. Un aleteo proveniente del jardín despertó a Dicent de su letargo. Un sonido de alas en cautiverio que me hizo recordar la escena del combate con las aves. Aunque tenía mucha curiosidad, no me atreví a comentarle lo del día anterior.

—Mis pájaros —dijo enternecido, tratando de atisbar en la oscuridad—. No lo he llevado a que los conozca y ahora estoy muy cansado para hacerlo. Quizás otro día. Tengo todo tipo de pájaros, desde golondrinas hasta halcones, petirrojos y cacatúas. También tengo un cóndor, un animal magnífico, pero con una expresión melancólica y somnolienta de rey en cautiverio. ¿Ha visto alguna vez un cóndor?

—A decir verdad, he visto muchos.

—El pobre está solo en su mazmorra —dijo, sin interesarse en mi respuesta—. Pero si el cóndor no le llama la atención, quizá sí lo atraiga un pequeño colimbo cretado que secuestré de Ginebra. Está en mi lago artificial junto con algunos patos copetudos. Quizá pueda verlos dormir antes de retirarse a su casa —se levantó para despedirme y me condujo hasta la puerta—. Disculpe que no lo acompañe hasta abajo, pero estoy agotado. Si no me equivoco, todas las puertas están abiertas.

Le di la espalda, pero cuando avancé hacia la puerta, la voz de Dicent me detuvo.

—¿Qué pretende realmente? —me dijo en voz bastante alta— ¿estar sentado en los cafés o donde Zeta sin hacer nada, mientras le limpian los zapatos?

Bajé las escaleras sin contestarle, sin siquiera voltear a verlo. Dicent se quedó en su laboratorio, quizá derrumbado en la silla y jugando mansamente con el pie de su microscopio. Descubrí una luz débil en un cuarto del segundo piso. La curiosidad me hizo husmear el interior. Se trataba de la galería de la que me había hablado Dicent. Entré a observar el Balthus y sus cuadros. Había muchos objetos que no mencionó, entre ellos una escopeta de caza del siglo XIX y una rabiosa ametralladora de este siglo. También una red para atrapar mariposas, agujereada e inservible, y varias fotografías de escenas de películas o de obras teatrales, entre las que destacaba una de Klaus Kinski joven (notablemente parecido a su famosa hija Nastassia) representando, según lo advertía una anotación a tinta al pie de la foto, *El hereje de Soana*. Por lo demás, erró en el recuerdo de sus propias pinturas pues los estorninos volaban en el cuadro de Poe y no en el de Carroll, donde el cielo era más bien limpio y muy celeste.

Dicent estaba en lo correcto y todas las puertas estaban abiertas. Escogí salir por la puerta trasera para observar el lado de la casa que el frente anulaba. Los elevados robles, cuyas coronas se observaban desde la Vía Dolorosa, parecían indicar a la distancia un laberinto boscoso y descuidado. Pero no era así. Al contrario, aquel espacio trasero destacaba por el orden. Los robles cercaban una espaciosa cancha de tenis y un jardín pequeño y oloroso bordado de amarilis, príncipes negros, lirios y mirabeles, y con una fuente de piedra en el centro donde cuatro amorcillos vaciaban sus vejigas con un guiño coqueto del ojo izquierdo. Hacia el fondo se levantaba un invernadero vacío y más allá un par de inmensas celdas que, supuse, eran las jaulas de los pájaros. Iba a visitar aquella parte cuando, súbitamente, tuve la desagradable sensación de estar siendo espiado por Dicent desde el pequeño telescopio del minarete. Me sentí vulnerable y busqué huir por la ruta más corta para alcanzar el camino de piedras que conducía a la entrada. Tuve que cruzar en línea recta la cancha de tenis, sin preocuparme de que mis zapatos podían estropearla. La arcilla roja donde quedaban marcadas mis huellas estaba llena de excrementos de murciélagos y cagarrutas de pájaros. Me introduje por el jardín, apisonando algunas flores y tropezando con los sátiros de mármol y los mascarones de proa. Mi cercanía a las esculturas me permitió descubrir que éstas, y también los mascarones, tenían agujeros y astillas por todo el cuerpo, quizá producidos por las balas del día anterior, pero que especialmente los ojos eran los más dañados, como si Dicent, cuervo doméstico, hubiese estado practicando tiro a un blanco muy complicado desde la aspillera de alguna de las torres o desde el mismo minarete; aunque esta última era una presunción exagerada considerando la distancia.

Palpé la madera de una sirena especialmente hermosa y me hice de una astilla de su seno herido. Después, levanté el brazo mostrando mi trofeo al supuesto observador de mi huida y avancé por el camino de piedra, ahora con cierta tranquilidad, para alejarme del palacete.

La Kaas vespertina se despide de mí, como antes la diurna, y deja un breve espacio sin ella que será llenado por la Kaas nocturna que es la celadora de mis sueños y mis pesadillas, incluso de aquellas atroces sin rostro ni anécdota, las que no recordaré, las que he olvidado. Descendí por el bosque de Busardo por unos minutos hasta alcanzar la Vía Dolorosa. A lo lejos, podía ver a los jóvenes entrando y saliendo de sus casas, volviendo de una fiesta o partiendo hacia la discoteca. En vez de dirigirme hacia mi albergue, decidí darme una vuelta por ahí. Pero, cuando estaba por llegar, me arrepentí al ver que ingresaban unas muchachas ruidosas y disforzadas, menores de edad, y decidí que sería mejor ir a un bar sin tantos muchachos y mucho menos bullicioso. Era una lástima que el Zeta cerrase apenas caía la noche. Me senté en un bar que en realidad era sólo una casa de pescadores que ilegalmente abría su puerta para vender licor y que a veces, los días de semana o cuando la policía no parecía dispuesta a molestar, sacaba un par de mesas y las ponía en el patio trasero. Pedí una cerveza y la bebí dando tragos cortos. A mi lado, unos pescadores huraños bebían sin conversar, cerca ya del colapso. La imagen de Kaas discutiendo conmigo durante las dos semanas que estuvimos en Roma empezó a parpadear en mi mente, aunque yo evitaba volver a ella. Esquivé el recuerdo tratando de abstraer mi vida como si fuera sólo una idea que podía sistematizar para llegar a una conclusión, una ley, una verdad de perogrullo o lo que fuese que no me hiciera sufrir. Pensé en la idea del amor. Se me ocurrió un símil. El amor, me pareció, era idéntico a un anciano que baja las escaleras a oscuras, apenas iluminado por una vela que lleva encendida y se derrite en su mano derecha. Una peca de luz que des-

122

ciende hacia las catacumbas mientras a su alrededor todo es penumbra.

El solitario se vuelve autócrata. Sentado ante una mesa sucia de un bar miserable de Busardo, con una cerveza más bien tibia, me veía a mi mismo como un solitario tratando de encontrar una verdad absoluta sobre el amor. Qué torpeza, qué falta de escrúpulos, qué soledad. Volvía a tener esa sensación antigua, de cuando vivía con Kaas, de estar convirtiendo mi existencia sólo en un pretexto para la escritura del diario. Esa sensación de que me ocurrían frases y palabras y no cosas o hechos. Era el estancamiento, el no tener una verdadera vida.

—Has atrofiado tus pensamientos y pronto atrofiarás tus arterias —me atacó Kaas al ver que cogía el cuarteto de Durrell y lo metía en mis maletas antes de partir de Roma—. Por culpa de la literatura te has convertido en un personaje literario.

Ella tenía razón. Mi vida no se parecía en nada a la de los personajes de Durrell y, sin embargo, me sentía partícipe de sus trajines. Pero lo más patético o trágico era que no podía competir con ellos. Los protagonistas de Durrell eran epifenómenos de inteligencia, mientras nosotros, Kaas y yo, indefensos, teníamos que luchar día a día contra nuestra pobreza espiritual y nuestra poca capacidad de entender el mundo.

—Sientes como nadie siente —juzgó Kaas—. Estás lleno de convicciones en las que sólo tú crees. Eso no es necesariamente bueno. Yo diría, que estás podrido de literatura.

—No lo niego —dije—. Me enamoré de los libros y desprecié la vida. Pero ya está hecho. No voy a llorar sobre la leche derramada.

—Otra frase hecha, y las dices sin dudar. ¿Nunca se te ha ocurrido que en el fondo de esa pasión por la literatura no se encuentra sino un cobarde que no se atreve a aceptar la realidad?

—En eso estás equivocada, Kaas. Te aseguro que la alimentación de la realidad es menos dañina que la de la imaginación. Mil veces menos dañina.

Kaas me miró con lástima

—Tú nunca pierdes ¿no? Tú nunca quieres perder. Tienes una tremenda capacidad para empapelarme de razones.

Kaas cerró de un golpe su maleta y salió al balcón de nuestro cuarto de hotel. Desde ahí podían observarse el coliseo y el cielo romano un poco oscurecido por el fin del atardecer. Kaas, dándome la espalda, encendió un cigarrillo y empezó a fumarlo con pitadas largas como una prisionera.

Kaas había decidido que quería conocer Venecia. Esa decisión no me molestaba mucho, así que obedecí de inmediato, con la salvedad de que debía disponer de un par de días de la semana siguiente para viajar a París, presentar mi trabajo y dar por finalizada mi beca. Antes de partir, di una última vuelta, solo, por la avenida de los Foros Imperiales. Empecé a sentir, aunque con resignación, aquella ansiedad llamada "síndrome de Stendhal", que tienen los estudiantes becados en Roma: la urgencia por conocer más de lo que se conoce, la sensación de que cada camino que se toma anula una centena de posibilidades turísticas para conocer en Roma. Sentí grandes deseos de ir hasta las Thermas, pese a que eso demoraría mi regreso al hotel donde me esperaba Kaas. Tomé un taxi y le pedí que me llevara hacia las ruinas. Las Thermas estaban llenas de obreros envueltos en un gran ajetreo, pues levantaban con prisa el escenario donde se iba a realizar, al día siguiente, una ópera al aire libre. Recordé a Leopoldo e imaginé que le entusiasmaría ese espectáculo. Había pensado encontrarme con él en Roma, pero no fue así. Incluso fui a su dirección en Roma y sólo me encontré con una casa clausurada. Era imposible saber en qué parte del mundo estaría él en ese momento. Di unas cuantas vueltas a las Thermas. Sólo alguien que sabía de historia romana podía reconstruir en la fantasía aquella zona ruinosa, imaginarse la grandiosidad de lo que se levantó en ese lugar del que sólo quedaban vestigios. Los obreros empezaron a mirarme un poco hartos. Comprendí que los estaba estorbando y me fui. Pero me quedó la sensación de lo inconcluso, acompañada de la convicción de que no debía abandonar Roma. No aún, en todo caso. Pero Kaas no podía esperar. Al día siguiente, mientras metía las maletas en el auto que alquilamos para viajar a Venecia, trataba aún de convencerla para que nos quedáramos unos días más en Roma. Pero Kaas estaba inconmovible. Subí al asiento del conductor como quien se dirige a un duelo.

—Uno debería poder morirse por un tiempo —le dije mientras conducía por la carretera, saliendo de Roma—, renacer luego de unos meses o años, con el ánimo renovado y el espíritu bien dispuesto.

—Dentro de un rato me gustaría que me dejes manejar —dijo Kaas con tono monótono y sin prestarme atención.

—No estás escuchando lo que te digo ¿verdad?

—Claro que sí. Creo que para eso está el sueño ¿no? —repuso Kaas desinteresada.

—El sueño no, el sueño es un contrabando. En todo caso, preferiría ser como esas orugas que jamás duermen, que sólo tienen pequeños síncopes, desmayos diarios que les duran hasta el día siguiente.

Después de eso, como si Kaas se hubiese vuelto oruga, adorada oruga, estuvimos en silencio durante todo el camino. Me percaté de que ella se había quedado dormida y con su cabeza golpeaba el vidrio de la ventanilla. Estaba ovillada en su asiento y con los puños cerrados. Un hilo de saliva resplandeciente bajaba por una de las comisuras de sus labios. Se veía indefensa y pequeña. O, más precisamente, se veía huérfana. Estaba observándola dormir tan apacible y me sorprendía que nada en ella durmiendo anunciara a la Kaas que me sobrepasaba, que discutía conmigo por un quítame estas pajas. Nada, digo, salvo sus manos. Incluso en esa posición tan desamparada era evidente que toda la fuerza de Kaas radicaba en sus manos. Eran grandes, de dedos largos y no tan finos, blancas, flacas. Parecían las manos de esos cachorros de tigre que luego serán gigantes, pero a los que de pequeños les sobra piel. La piel que cubría sus dedos era así, excesiva, se arrugaba en los nudillos. Pero ella parecía vivir a través de sus manos: besaba con las manos, hacía el amor con las manos, hablaba con ellas, decía secretos, confidencias, resolvía misterios con las manos. Eran pecosas. Una constelación que ninguno de sus novios supimos entender, y cuyas líneas ninguno de sus amantes supimos trazar. Kaas, de vez en cuando, mientras conversaba conmigo sobre cualquier cosa dejaba descansar sus manos en mi espalda. ¿Qué me decían?... Sólo hablaban en un lenguaje que se mantuvo cifrado la mayoría de veces. Viéndolas en el auto, aún apretadas, escondiendo sus dedos mientras dormía incómoda en el asiento, esas manos eran toda su fortaleza y anunciaban que, sucediera lo que sucediera, Kaas iba a resistir cualquier sufrimiento, cualquier abandono, todo tipo de orfandad.

Sin consultar con Kaas, para no despertarla y para no discutir con ella, y dado que detenernos en Padua no nos desviaría demasiado de la ruta a Venecia, decidí visitar la pequeña capilla Scrovegni, donde se conservaban los frescos de Giotto. Faltaban unos metros para llegar a la capilla cuando Kaas despertó sorprendida. Le expliqué que nos detendríamos unas horas en Padua porque quería ver los frescos. También podíamos comer algo en la ciudad. No dijo nada, pero la sentí hastiada de tanto pasado de anticuario. Entramos en la capilla cogidos de la mano pero sin hablar. Admiramos los frescos manteniendo un silencio sepulcral, auspiciado por el hecho de ser los únicos visitantes a excepción de una pareja de ancianos de aspecto británico. Pronto la arquitectura de colores, el azul celeste del cielo, el encendido pastel de los trajes, me sobrecogió. Sentí algo muy parecido a la congoja cristiana al observar la intensa humildad de los personajes santos retratados por Giotto. A mi lado, Kaas también parecía conmovida. Cuando días antes había visitado la Capilla Sixtina pensé que no había lugar más propicio para el arte que esas capillas cuyo cielo raso cobijaban las pinturas. Las cuevas de Altamira, me dije entonces, no eran sino una confirmación. Pero si aún tenía alguna duda, la visita al Scrovegni confirmaba mi idea definitivamente. Salimos de la capilla sin creer lo que habíamos visto, tocados por la gracia, como descendiendo del interior de una nube cuyo delicado piso apenas si nos podía sostener, pero lo hacía. También la pareja de británicos parecía tocada por la gracia, y murmuraba su admiración mientras salía detrás de nosotros. Kaas y yo nos dirigimos hasta el auto ahorrándonos los comentarios. Una mujer extendió ante mis ojos la reproducción del célebre detalle de la Anunciación. La compré sin dudar, pagando el precio exagerado que la mujer me pedía por ella. Volteé y descubrí sobre mí la mirada de zarpa, dura y reprensiva, de Kaas.

—Tú puedes dar todas las explicaciones que quieras, puedes intentar racionalizar todo lo que quieras. Pero, digas lo que digas, eres un turista de la peor especie —dijo, tajante, mientras yo salía de Padua y tomaba la ruta hacia Venecia sin nada que replicar.

Kaas continuaba una discusión que habíamos tenido los primeros días después de su llegada, mientras caminábamos por Roma. Aquella vez le había comentado que, según me parecía, el turismo, desde el siglo XIX, era el producto más sofisticado del ocio inteligente e individualista, corrompido en los últimos años. El turismo, tal como lo entendió el romano Germánico cuando visitó con su familia las ruinas de la historia antigua en un descanso de sus batallas, era un nomadismo aristocrático, una holgazanería espiritual que no era sinónimo de poca convicción, sino de un gran amor al pasado. Kaas me había oído con atención pero manteniendo una sonrisa sardónica que no se esforzaba en ocultar.

—Si piensas que voy a seguirte de punta a punta por Europa para que vayas recogiendo los rastros de no sé qué pasado, estás muy, pero muy equivocado —me advirtió Kaas aquella vez—. Eso contradice todas mis ideas sobre la historia, tú sabes. O quizá no lo sabes. Total, nunca me prestaste atención.

Entonces se quedó en silencio. Era un hecho que desde su llegada a Europa no podíamos comunicarnos como antes. Apenas empezábamos a hablar terminábamos discutiendo. Conduje unos minutos también en silencio, rumiando mi desconcierto, enojado con la dureza y el poco tino para tratarme de Kaas. De pronto, sin poder contenerme, detuve el auto con violencia a un lado del camino. Volteé a mirar a Kaas. Sentía mis ojos encendidos por la ira y la impotencia. Ella también volteó a mirarme, sin miedo, sin piedad.

—Será mejor que no vayamos a Venecia —le dije.

—Sí. Es lo mejor —entonces dudó unos segundos, como si intentara medir el exacto alcance de lo que iba a decirme a continuación—. A decir verdad, no podría soportar Venecia contigo. Tanta decadencia sumada a esa pasión tuya por lo muerto… sería insufrible. ¿Me entiendes, no? Espero que no te enojes conmigo, que no lo tomes a mal.

Puso una mano sobre la mía tratando, sin éxito, de parecer menos dura, pero ya todo estaba dicho. Encendí el auto y di una esforzada vuelta en U para tomar la misma carretera pero en sentido contrario. Volvíamos a Roma, tal como yo pretendía desde el principio, pero aquello no significaba un triunfo para ninguno de los dos.

No nos enamoramos de una persona sino de su coherencia. Había descubierto en Kaas ciertos rasgos que podía amar. ¿Por qué exigírselos siempre? ¿por qué me los exigía ella a mí? Durante esos días en Europa ella era una mujer derrumbada, una mujer que no entendía la vida sin su padre o sin el geranio que lo reemplazaba y cuya presencia se instalaba en los lavabos de todos los baños de hotel que visitábamos. Pero lo dramático era que se resistía a ser eso, trataba de alejar de sí esa imagen espectral y quería levantarse y vivir, aunque para lograrlo debiera aplastar todo lo que estuviera a su paso, así lo amase. El mundo giraba, las situaciones devenían, las cosas cambiaban su naturaleza. ¿Por qué entonces ella debía arrastrar un dolor tan profundo y tan inevitable como si fuera perpetuo?, parecía preguntarse en silencio. No, no era justo sufrir tanto por el pasado. Ella no lo consideraba justo. Así, Kaas se rebelaba contra sus sentimientos. No quería recordar. Descontada Venecia de nuestros planes, debíamos decidir nuestro próximo destino. Volvimos a Roma sólo por unos días para pensar con calma nuestro itinerario. Propuse Londres, donde mis parientes, o París, para ofrecerle una cultura de moda que sustituyese, o impidiese, mis afanes de anticuario. Kaas escuchaba mis propuestas con desidia. Me abstuve de proponerle Portugal para que no pudiera ofender mi agradable recuerdo de Lisboa con esa sonrisa hiriente que había aparecido entre sus gestos, una novedad que yo empezaba a odiar con toda mi alma. Sentados uno frente al otro sobre la cama de nuestro hotel, o cenando en un restaurante de Vía Veneto, revisábamos nuestras opciones sobre un mapa imaginario sin llegar a ponernos de acuerdo.

Siempre he creído que viajar con escritores debe ser terrible. Que los escritores se apoderan de los recuerdos y convierten todo en el guión de una vulgar película de viajes. Pero en Roma Kaas parecía creer lo contrario. Acababa de cerrar *El cielo protector* de Bowles y miraba un punto fijo en el techo de nuestra habitación.

—Amigo…

Recuerdo que estaba visiblemente emocionada. Decía haber descubierto al fin qué quería: necesitaba hacer un viaje iniciático, una aventura de extramuros. Tenía ganas de conversar sobre cosas inteligentes con personas brillantes y en lugares interesantes y distintos, en un escenario con color local y música exótica. Ganas de sentir, de confundirse, de pensar. Pero yo no sólo no compartía su entusiasmo, sino que hasta me aburría la idea que sugería ese libro de moda.

—Amigo…

Si alguna vez tuviera que viajar con un escritor no hablaría, no le contaría qué veo ni qué siento. Eso explicaba mi mutismo frente a Leopoldo; aunque lo consideraba un amigo, no podía confiarle mis pensamientos más íntimos. No quería después encontrarme reflejado en un libro. No quería encontrarme con ese yo que sólo es una caricatura equívoca, fruto de los prejuicios y las malas interpretaciones, de los sofismas que el escritor ha convertido en certezas en su libro. No me reconocería, pero sabría que soy yo, y eso me dolería mucho. Le dije lo que opinaba a Kaas como una defensa, pues ella pretendía obligarme a leer a Bowles. Ella replicó diciendo que era un exagerado y un prejuicioso y me conminó sin descanso a leer la novela que juzgaba como excelente y "vital". Al parecer, por el rostro de satisfacción que ponía al leer, se imaginaba a Paul Bowles caminando de su brazo por un desierto de camellos o tomando un trago en un bar de hotel en Tánger, con letreros en castellano y francés y agobiantes aspas de ventiladores sobre sus cabezas.

—Amigo…

Kaas estaba aburrida de Roma, de Europa. Quería vivir lo que estaba leyendo. Contradiciéndose, olvidó que sólo unos días atrás me había calificado como "podrido de literatura" por mi fanatismo hacia Durrell. Me despreciaba con ternura y pena, juzgando severamente mi espíritu nostálgico, enfermo de ocio y pobre de ese ingenio verbal que suele enmascararse de inteligencia, y mi afición incondicional a occidente. Ella quería viajar con un escritor para regalarle su vida a cambio de que éste le regale un personaje, una obra. Yo insistía una y otra vez en que los viajes literarios me resultaban insufribles. Le decía a Kaas que perdía el tiempo leyendo ese libro frívolo. Kaas replicaba, con justicia, diciendo que el libro de Durrell era lo mismo hacía unas décadas. El argumento de que el olvido de los últimos años limpiaba la imagen de moda del cuarteto de nada sirvió. Tratando de ser justo, cedí un poco y tomé la novela que Kaas me obligaba a leer. Empecé a mentirle sin descaro, encerrándome con el libro de Bowles en el baño, supuestamente para leerlo, o fingiendo que lo leía en la cama antes de dormir. Pero jamás pude avanzar más de una página. No sólo mi inteligencia, hasta mi cuerpo lo rechazaba. La única excusa que tenía para mentirle con tanto descaro era que no quería que Kaas siguiera acusándome de juzgar a priori la novela, pero me sentía incapaz de leerla. Cumplí una semana de engaños antes de anunciar que había terminado de leer lo que apenas si había leído, y ser así un interlocutor válido para Kaas. Luego, discutimos bajo los mismos términos de antes —aunque los míos al fin eran dignos de ser tomados en consideración pues se suponía que había leído el libro— en peleas en las que nos gastábamos la vida. Al fin de tantas broncas vanas, ella terminó muy ofendida conmigo. Ahora me acusaba de intransigente. Yo, para reconciliarme, besé mil veces sus labios, su coraza. Le pedía disculpas, le dije que volvería a leer la novela. Le dije que la amaba.

—Amigo… amigo… ¿se encuentra usted bien?

Un hombre con aspecto de pescador me zarandeaba para despertarme de un letargo echándome su halitosis al rostro. Sacudí la cabeza en un gesto de afirmación o negación que, en todo caso, dejó tranquilo a mi alcohólico e improvisado ángel de la guarda. Bajé mi mirada hacia el vaso de cerveza que mi mano había entibiado. Miré el bar donde estaba, ese oscuro agujero para pescadores de Busardo. Cerré los ojos. Seguí recordando.

Mientras Kaas tomaba una decisión yo aprovechaba para pasear por Roma como un condenado a destierro o muerte que visitara por última vez su patria. Aunque los turistas accidentales, esa nueva forma de piratería, esa nueva raza de vándalos, asaltaba cada resquicio de la ciudad con cámaras fotográficas y manuales de interpretación, yo me sentaba en los parques, junto a las hermosas fuentes del siglo pasado, para conseguir siquiera oler un poco el sutil aroma de la antigüedad que me negaba a creer perdida. Más allá del pensamiento y de la voluntad, yo sabía que había un pasado vivo atrapado en gestos, en paredes, en aceras, bajo la sombra de las cornisas. No estaba, no podía de ningún modo estar de acuerdo con Kaas. Me parecía arbitrario y hasta canallesco proclamar a voz en cuello la agonía de Europa, con ese regusto y esa soberbia con que suelen relamerse los bigotes los profetizadores del ocaso, con esa sonrisita del "ya lo sabía" y el "yo lo predije" de ciertos verdugos inmerecidos para un condenado tan grandioso. Me negaba a aceptar que mi Kaas pudiera pertenecer a tal desfile de impresentables.

—Tengo una idea —dije tratando de tomar una decisión—. Podemos ir a Berlín y Viena e incluso después, si quieres, a Friburgo donde un amigo lingüista que trabaja en la Universidad. Sólo una semana, mientras pensamos algo, para salir de Roma, que te pone tan nerviosa. Una semana pacífica en una zona neutral ¿Qué te parece?

—Nunca entenderás nada —me contestó—. Imagínate: Berlín, Viena, Friburgo… Pareciera que no escucharas lo que digo.

—Entonces qué propones —dije al fin un poco harto.

Ella se tomó un tiempo para pensarlo, dando vueltas por la habitación.

—Málaga —dijo de pronto, como resucitando—. Vamos a Málaga. No a Barcelona ni a Madrid —recalcó para evitar que la interrumpiera, dando un saltito feliz hacia la cama—. Vámonos a Málaga y de ahí nos pasamos a Marruecos. Está a sólo un paso. Es una buena idea, sí, amor, ¿o no? ya estoy harta de Europa. Es demasiado decadente, irrespirable, enfermiza. Parecemos dos tuberculosos dando vueltas en una clínica. Vamos a Málaga y luego a Marruecos. No puedes negar que es una buena idea.

Escuché con atención lo que decía. Kaas, sin saberlo, me estaba haciendo daño. O quizá a propósito. Pero, por otro lado, me había llamado "amor". ¿Era posible que las cosas aún no estuvieran perdidas? ¿Aún no tenía que quemar las naves?

—Málaga —repetí—. Bueno, vamos a Málaga si quieres. Pero hay una cosa que me sorprende ¿De cuándo acá hablas como bohemia parisina? "Europa decadente", la verdad es que nunca pensé oírte decir eso y menos aún con ese tono.

—No te burles de mí —se defendió—. Es lo único que te pido. Tienes que respetarme. Te advierto que no voy a aceptar que te burles de mí.

Mientras decía eso, dibujaba amplias elipsis con las manos. Sus labios se movían nerviosos y rápidos. Estaba muy irritada y tensa, como si hubiera sido herida en el centro.

—Perdona por ser tan brusco —dije, francamente arrepentido.

—Está bien, ya pasó. Entonces —dijo, cambiando de humor— ¿vas conmigo a África o me tengo que ir sola?

Kaas no estaba bromeando. Decidí ir con ella, por lo menos hasta Málaga, pues lo de África aún no me convencía mucho y estaba seguro de que lograría que ella abandonase esa idea. Devolvimos el auto alquilado en Roma y cambiamos nuestros boletos con destino a París, que teníamos reservados para nuestro regreso de Venecia, por unos con destino a Madrid y de ahí a Málaga, el mismo día, teniendo que esperar tres horas en el aeropuerto, lo que me pareció un exceso... pero Kaas se veía tan feliz y tan llena de planes después de tanto tiempo que preferí callarme.

Un hombre con aspecto de pescador pone delante de mí una última botella de cerveza que acabo de pedir. La realidad se ha convertido en un tacho de luz colgado del techo al que alguien (el recuerdo) ha dado un golpe y oscila de un lado a otro del escenario, alternadamente, iluminando un ángulo primero y luego el opuesto. Uno de los rincones es el de la lucidez, apenas sostenida con los dientes, según la cual me encontraba solo en ese barcito desconocido en el que me estaba emborrachando como un miserable. El otro rincón, hacia el cual el tacho de luz estaba dirigiéndose en ese momento, me llevaba a un recuerdo difícil de aceptar: el viaje a Málaga. Bebía la cerveza sin ganas, con los labios y los párpados apretados tratando de evitar el pasado y detener la luz sobre el rincón menos desagradable; mi borrachera, mi presente en Busardo. De pronto, la luz que iluminaba el rincón del bar se apagó definitivamente y se encendió, obstinado, el otro lado, proyectando la escena en la que bajábamos del avión y entrábamos al aeropuerto de Sevilla —pues al final no conseguimos un vuelo idóneo hasta Málaga y tuvimos que viajar a Sevilla—, y luego caminando rumbo a un taxi que nos llevara a la estación de buses para coger uno que partiera lo más pronto posible hacia Málaga.

Málaga acababa de pasar Viernes Santo. Por las calles se veía una buena cantidad de borrachos apoyándose en las esquinas o arrojados en medio de la acera. También costras oscuras de vómito a lo largo de las calles. La acera de El Corte Inglés, sobre todo, parecía un gran vomitadero. Kaas y yo estábamos en un taxi, mal ubicados en ese descanso de Sábado de Gloria, cargados de maletas, demasiado sobrios y bien vestidos para la ocasión.

—Deja de mirar así, por favor —dijo Kaas.

No entendí a qué se refería. Le pedí que se explicara.

—Que dejes de mirar así —repitió—. Eres tan moralista como una vieja. Tienes que cambiar de actitud, en serio. No puedes ir por el mundo mirando a los demás con ese desprecio enfermizo. Están borrachos ¿y qué? No todos son tan estrictos como tú, tan perfectos. Pareciera que para ti todos son bárbaros.

Preferí no responder. Desde la llegada de Kaas a Europa casi no podía recordar una conversación con ella que no nos condujese a un pleito. Me estaba hartando de toda esa violencia. Cerré los ojos para tranquilizarme y esperé a que el taxi nos dejara en un hotel de la Plaza de la Marina, un cinco estrellas hermoso al borde de olivos despeinados y con grandes gradas de cemento que daban una impresión de rigor y orden casi feudal. Aunque no habíamos hecho reservas, tenían habitaciones disponibles y nos ofrecieron una bastante sobria y acogedora. Cuando entramos al vestíbulo, un grupo de adolescentes caminaba en traje de baño rodeando la recepción del hotel ante la mirada aprensiva del recepcionista, que sólo esperaba, con una sonrisa congelada que a duras penas lograba ser amable, que subiéramos a nuestra habitación para poder reprender la falta de gusto de esos muchachos. En el ascensor hacía mucho calor y no provocaba conversar, por lo que la subida se nos hizo más larga de lo esperado. El botones abrió la puerta de nuestra habitación e introdujo las maletas. Kaas entró al cuarto y se derrumbó en la cama.

—Espero que no te hayas ofendido por lo que te dije en el taxi —me comentó, poniendo las manos detrás de su cabeza.

—No. Bueno, sí. Un poco.

—No te lo tomes en serio. Estoy agotada, es solo eso. Estoy pensando que quizá deberíamos descansar un tiempito más del pensado en Málaga para conocerla bien. Parece una bonita ciudad. Si no te molestan tanto los bárbaros, claro.

Sonrió con cierta tristeza y me acarició el pelo.

—Ya sé que te parecen tonterías —contesté más tranquilo—, pero a mí me apena ver a Europa convertida en este circo. No se lo merece. Te lo digo en serio, no se lo merece.

—Qué petulancia la tuya. ¿Y qué se merece Europa según tú? Quizá viajeros envejecidos como tú y tu amigo Leopoldo, a quien por cierto nunca conocí. ¿No iba a alcanzarnos en Roma?

—Era sólo una posibilidad. Ni siquiera sé si estaba en Roma.

—Bueno, será para otra vez —estiró el brazo que aún tenía detrás de su cabeza y empezó mirarse los dedos—. La verdad es que no sé qué te sorprende tanto. Europa siempre ha estado abandonada a la rapiña. Y tú más que nadie deberías saberlo, ¿o no leíste tus propios trabajos sobre el Mediterráneo?

Lanzó una risa que se cortó de pronto. Incómodo, fui al baño a mojarme la cara y quebrar la pesadilla. Volví al dormitorio y vi que Kaas estaba durmiendo. Inspeccioné la habitación. En efecto, era acogedora y silenciosa, pero antiséptica. Demasiado "hotel de lujo cinco estrellas" para mis planes. Quería convencer a Kaas de que yo podía cambiar, de que podía dejar de comportarme como un anticuario y convertirme en un meteco en África, en Asia o en los Andes, donde ella quisiera ir, si eso la hacía feliz. Estaba dispuesto a hacer las paces, a comprender el difícil momento que pasaba desde de la muerte de su padre, a ser tolerante con sus ráfagas de mal humor. Dejé que se durmiera y bajé al vestíbulo. Pregunté al recepcionista dónde podía conseguir direcciones para alquilar un departamento por un mes. Me dio varias direcciones, aconsejándome especialmente un par de ellas ubicadas en zonas muy tranquilas. Salí del hotel y tomé un taxi. Me crucé en la calle nuevamente con los bañistas que ahora estaban comprando licor antes de bajar a la playa. No parecían tener mucha prisa en aprovechar los últimos rayos de sol. Unos cuantos de ellos voltearon a mirarme cuando pasé por su lado y soltaron una breve risilla de hiena. Aunque quizá no estaba dirigida a mí. El taxi me llevó a varios lugares y visité dos o tres departamentos hasta que al fin me decidí por uno de ellos, amoblado y con todo lo necesario para ocuparlo de inmediato, ubicado cerca al centro de Málaga. A pesar de que era Semana Santa me dijeron que no había ningún problema si queríamos mudarnos al día siguiente. Aunque el piso tenía un dormitorio muy grande, me pareció mucho más acogedor y con más personalidad un pequeño estudio que usualmente debía servir como biblioteca. Su ventana daba de frente a un jardín de palmeras y limoneros. Ayudado por el dueño del piso, me entretuve acondicionando el escritorio para convertirlo en el dormitorio donde Kaas y yo dormiríamos. Cuando todo estuvo listo volví al hotel dispuesto a guardarme el secreto por esa noche. Kaas despertó y decidimos cenar de inmediato. Cenamos un lenguado cocinado muy simplemente en vino blanco en un restaurante sólo regular a unas cuadras del hotel y dimos una caminata pequeña por las calles ya vacías de borrachos y limpias de sus despojos. El paseo, a pesar de la deliciosa brisa marina, se interrumpió de pronto porque Kaas volvía a tener sueño y se sentía sonámbula. Volvimos al cuarto y dormimos hasta muy avanzado el día siguiente. Apenas se levantó Kaas, sentí que empezaba a mover cosas y trajinar en el clóset. Le dije que no deshiciera las maletas porque nos mudábamos después del almuerzo.

—¿Ha pasado algo? —preguntó ella aún somnolienta—. Porque este hotel está perfecto para mí, no necesitamos buscar otro.

—Tú solo acompáñame, por favor, confía en mí.

Nos subimos a un taxi y le di las señas. Kaas estaba muy intrigada, sin dejar de hacerme preguntas que yo no respondía. Ella no era alguien a quien le entusiasmaran las sorpresas. Al contrario, le gustaba planear todo hasta el mínimo detalle. Por eso estaba tan inquieta por el súbito cambio de planes. El taxi nos dejó en la dirección indicada. La casa se veía más bonita a la luz del día. Era una casa antigua cerca de las mansiones y los cafés más tradicionales de Málaga. Sólo cuan do descendimos del auto le expliqué a Kaas mi plan: tomarnos con calma el viaje, vivir en ese piso mientras pensábamos bien lo de Marruecos y disfrutar de Málaga. Kaas enarcó las cejas de una forma graciosa, que casi había olvidado, cuando terminó de oír lo que le decía. Besé su frente y le cogí la mano.

—Éste es el cuarto que te he preparado —le dije una vez dentro—. Era el escritorio de la casa. Tendrás que perdonar el ambiente intelectual, los papeles, tantos libros. Hubiese querido preparar algo distinto, algo más bonito…

—¿Algo como qué? ¿Rosas?

Se quedó mirándome sin sonreír. No supe qué contestarle. Pero, de pronto, la dureza de su mirada se volvió maternal y sus labios rígidos dibujaron una sonrisa.

—Es una broma, tonto, no te preocupes —me dijo con un beso—; me gustan las rosas, y este cuarto es perfecto para nosotros. Pero no esperes que nos quedemos mucho tiempo, amor, recuerda que ya hemos hecho planes. Cada segundo me convenzo más de que tenemos que viajar a Marruecos. Pensé en Tánger ¿qué te parece?

Como me quedé en silencio, sin que se me ocurra algo para decirle, un poco triste por la broma, Kaas volvió a darme un beso cogiéndome de la barbilla como a un niño.

—Me ha encantado la sorpresa, amor —dijo—; ¿ya ves? todavía eres capaz de sorprenderme.

Obsesivamente, un recuerdo se vuelve en el símbolo que encarna mi breve y último tiempo feliz con Kaas. Ocurrió en Málaga. El piso que había alquilado tenía el dormitorio grande que habíamos desocupado, el escritorio que volví dormitorio, un baño pequeño, una de esas cocinas enanas que llaman kitchenet y una sala-comedor. Kaas estaba arreglando sobre la mesa del comedor unas flores encendidas que compró en el mercado mientras yo leía en el dormitorio. Entró la encargada de la limpieza que los dueños del piso me habían recomendado.

La mujer empezó a arreglar la pequeña sala de recibo. Podía ver a ambas atareadas pues la puerta de la habitación estaba abierta. La luz de la lámpara de noche estaba encendida aún, pese a la claridad de la mañana, y la apagué. Me percaté entonces de un dibujo muy delicado, hecho, al parecer, con acrílico sobre el capuchón de la lámpara. Y junto a ésta, la pequeña maceta con el geranio de Kaas.

—Señora —pregunté, aún cubierto por las sábanas, gozando de mi felicidad en el sosiego, mientras señalaba la lámpara del velador—, ¿sabe qué flor es esta que está pintada en el capuchón de mi lámpara de noche?

—¿Ésa? —señaló ella sin dejar de limpiar—. Pues, si no me equivoco es un tulipán.

Kaas se detuvo al oír el diálogo. Echó una mirada leve al dormitorio, a la cama donde yo estaba tendido, sonrió con dulzura y continuó arreglando las flores. Cerré los ojos. La fotografía cotidiana había sido tomada y jamás se olvidaría. Como cuando era una niña, mi novia del inicial, y me obligaba a jugar sus juegos, la sonrisa de Kaas ese día era, podía ser calificada como… buena.

Entonces vino la pelea, el golpe de dados, el impacto de estrellas que obliga a desviar el curso de los planetas y rompe la costumbre de su cuerda. Habíamos estado caminando toda la mañana y, después de almorzar, buena parte de la tarde la pasamos haciendo compras para preparar nuestro viaje a Marruecos. Entre las callejuelas, cerca de una librería de viejo, encontramos un café. Entramos. Kaas pidió un expreso y yo, además, un oporto. Bebimos en silencio. Desde hacía unos días Kaas no parecía tener ganas de hablar. De pronto, en un súbito rapto de inspiración, cogió una servilleta y empezó a sacar cuentas con un lapicero que extrajo de su bolso. Yo la miraba sumar y restar en silencio. Silencio suyo y silencio mío. Luego, también de pronto, empezó a acusarme, primero con debilidad, pero luego furibunda, de que el dinero no nos iba a alcanzar para viajar a Marruecos. Le pedí que no se preocupara por eso, pero ella insistía en sacar cuentas incomprensibles y en desesperarse. Ahora, además, había aumentado a sus acusaciones la de no ocuparme jamás de ese tema y dejar todo en sus manos. Le dije que aún tenía respaldo mi tarjeta de crédito y que, en todo caso, podía pedir más dinero a mis padres, o ella a su madre; eso la hizo explotar.

—¡Hasta cuándo vas a seguir cobrando salario de hijo!

No quise continuar con esa discusión. El oporto ya no me sabía bien y el café parecía un nudo, una espesa bola de fuego en mi estómago. Kaas seguía diciendo cosas sobre el dinero y mi total incapacidad para organizarme. ¿De cuándo acá esa preocupación? Traté de tranquilizarla, pasando un brazo por su hombro y diciéndole que todo saldría bien. "Está bien. Para ti todo está bien siempre", dijo. "Está bien, entonces", repetí.

—Bien, muy bien —replicó poco inspirada, con las manos cogiendo su rostro.

—Sí, muy bien —repetí—. ¡Perfecto!

Kaas se levantó y salió del café haciéndome un desplante. Yo demoré en salir pues tenía que pagar lo que habíamos consumido. Ella no caminaba muy de prisa y supuse que quería que la alcanzara y, quizá, que me disculpara. Hice ambas cosas.

—¿Puedes dejar de seguirme? —dijo cuando terminé de pedirle disculpas—. Quiero estar sola.

Me quedé parado y la dejé irse. Por unos minutos, aún de pie, en el mismo lugar, pero sin Kaas a la vista, no supe qué hacer. Después, di una media vuelta sobre mis talones y decidí desandar mis pasos y volver al café. Pero por más que hice no pude encontrar la calle ni la librería ni el café. Había oscurecido y ya no tenía ganas de seguir perdido en Málaga. Había mucha más gente. Recordé lo que me dijo Kaas sobre los bárbaros y traté de superar mi misantropía. Poco a poco, casi solidario, fui internándome en medio de la gente y dejándome llevar

139

por ella. Llegué así hasta una avenida en el centro que podía identificar muy bien y decidí pasar lo que quedaba de la tarde en la casa natal de Picasso, convertida hoy en museo y que antes no me atreví a visitar por temor a las recriminaciones de Kaas. Entré a la casa y subí las escaleras hasta el piso donde nació el pintor. Las puertas estaban barnizadas de blanco. Me hacían recordar las puertas de mi infancia en la casa de unos tíos "sin fortuna", como los llamaba mi madre. El linóleo se mantenía aún lustroso por sectores. Todavía podía sentirse el olor a cera mezclado con el de las pisadas sucias de los visitantes del día. Faltaba poco para que cerraran el museo y ya no había guías. Pero me permitieron dar vueltas por los cuartos y ver los objetos que compartieron con el pintor sus primeros años. La casa daba la sensación de estar aún habitada, como si viviese una familia que sólo esperase la hora de cierre del museo para volver a su hogar. Apenas una vitrina que ofrecía postales, posters y *souvenirs* le daban el rango de museo. Compré unas postales, demorando a propósito la elección. Al final tuve la impresión de que elegí unas que podría haber comprado en cualquier otro sitio. Por primera vez no había sentido esa larga estela de placer que suelo sentir cuando visito un lugar excepcional que alimenta mi fetichismo. Creí haber desperdiciado la visita y, con rencor, eché la culpa de eso a Kaas. Pero mi furia, en realidad, ya se había domesticado y sólo tenía ganas de volver al departamento. Además, empezaba a tener un sentimiento de culpa, como si por haber cedido a mi placer de anticuario hubiera traicionado a Kaas. Más tranquilo, el diseño de la ciudad perdió su disfraz de laberinto y supe ubicarme. Fui a cenar al restaurante al que solíamos ir con Kaas, seguro de encontrarla ahí. Ella estaba ahí, en efecto, sonriendo ampliamente y casi feliz a un muchacho que la miraba con cara de escolar. No entré al restaurante, compré unas cosas —pan y jamón, una gaseosa— en una bodega sin personalidad, repleta de luces fosforescentes y fría, y me llevé la comida al departamento. Le pedí a un muchacho que trabajaba en el piso de arriba que me invitara un té pues había olvidado comprarlo. Me preguntó si quería alguno en especial y le contesté que cualquiera estaría bien. Empecé a comer solo, deprimido, tratando de no pensar en la discusión con Kaas ni en su cena feliz con ese desconocido. Un par de golpes en la puerta me anunciaron que mi té estaba listo. Abrí la puerta, recibí la taza y sin esperar llegar hasta la mesa del comedor empecé a beberlo en pequeños sorbos, sin prisa, de pie en medio del departamento. Entré al dormitorio y me recosté en la cama. No había pasado ni un minuto cuando me vino una arcada. Corrí al baño y arrojé lo comido y bebido. Luego, tocaron de nuevo la puerta. Aún con náuseas fui a abrir. Era Kaas. Entró en silencio y se dejó caer sobre la cama como una autómata mientras yo me metía en el baño, me enjuagaba la boca y cepillaba mis dientes. No quería que ella se enterase de que me sentía mal y había vomitado. Inútil precaución pues Kaas estaba derrumbada, sin percatarse de mí, junto al trozo de pan y jamón que sobró de mi cena. Se notaba por sus mejillas encendidas que había estado llorando. Había llorado mucho quizá, y puteado también, pero ahora estaba tranquila y sólo quería dormir.

Al día siguiente, en el desayuno, Kaas estaba más animada. No me preguntó qué hice durante su ausencia y por eso no tuve que contarle lo de mi visita a la casa Picasso ni tampoco mentirle. Por mi parte, no le pregunté por el muchacho desconocido con el que había cenado. Pidió jugo de naranja, se llevó un mechón rubio hacia atrás y bebió su jugo con la cara baja, pero los ojos levantados hacia mí.

—Ayer —dijo mientras cogía con apetito un pan—, me contaron una historia fabulosa sobre Jane, la esposa de Paul Bowles.

—¿Vive en Tánger? —pregunté tratando de parecer interesado.

—Qué tonto eres. Claro que no, ella ha muerto, si te lo comenté hace unos días lo que pasa es que andas en otro mundo. Está enterrada en el cementerio británico. No quiso terminar en Marruecos. Aquí se enamoró y aquí se quedó. ¿No te parece simbólico? No se atrevió a dar el salto.

—Me parece más bien… triste.

—Bueno, también eso. Creo que "tenemos" que visitar su tumba. Quizá después del desayuno. ¿Estás de acuerdo?

—Claro, vamos.

Imposible decirle lo que pensaba sobre visitar cementerios, o decirle que no tenía la menor idea de quién era Jane Bowles y que la fama de su célebre esposo me hastiaba. Imposible decir nada; ella tenía una mano sobre la mía y apretaba ligeramente mis dedos.

El cementerio británico de Málaga era pequeño, pero hermoso, casi se diría que delicado. Una reja de fierro y una explanada de canto rodado trepando hacia un montículo eran todo lo que se veía desde la acera. La reja estaba abierta y nadie nos impidió la entrada, aunque tenía la apariencia de ser un lugar privado. Dimos vueltas por entre las tumbas que, como parcelas de andenería, iban formando los peldaños de una ordenada escalera en espiral. El cementerio estaba vacío y las tumbas, en su mayoría, parecían desamparadas. Leimos el nombre grabado en algunas, pero no encontramos el que buscábamos. Se me ocurrió bajar hasta la entrada para pedirle a un encargado que nos ofreciera una guía o algo parecido. Kaas quiso acompañarme. Al lado de la reja se ubicaba un pequeño cubículo cerrado, pero con una ventana abierta. Llamamos por ahí y salió una señora robusta, no mayor de cuarenta años, de aspecto apacible. Kaas le preguntó por la tumba de Jane Bowles, y la señora no supo ayudarnos pues, desde luego, como nos explicó, no estaba obligada a conocer el nombre de todos los muertos de su cementerio; y era evidente que el de la esposa de Bowles no era un nombre especialmente destacado para ella. Se me ocurrió entonces preguntarle por la tumba que todo el mundo iba a visitar. La señora, entonces, se dio una palmada en la frente y nos indicó, sonriendo, el camino para encontrar la tumba más famosa de ese cementerio. Volvimos a trepar la cuesta y llegamos a un pequeño huerto lleno de rosas y con lápidas bien cuidadas al ras del pasto dispuestas en dos filas. Kaas leyó las de un lado y yo las del otro. Poco después de haber leído un par de lápidas encontré la tumba a la que la señora hizo referencia. No era la de Jane Bowles, sino la de Jorge Guillén. No sabía que él estaba enterrado ahí y su hallazgo fue una sorpresa gratísima. Llamé a Kaas y ella fue hacia mí pero su entusiasmo decayó por completo al descubrir que era otra la tumba que me animaba y no la que ella estaba buscando. Pero, a pesar de eso, mi felicidad iba superando la sorpresa inicial y se volvía inocultable. Justo la sepultura de Jorge Guillén, enterrado en el límite mismo de Occidente. La poesía de Guillén, desde que la leí en la universidad, estuvo siempre ligada para mí a la felicidad y al fervor, pero sobre todo a la fe absoluta en Occidente, en una mezcla inteligente de pasión y sensatez. Estuve unos minutos en cuclillas, incapaz de recordar algunos versos como lo hubiese hecho Leopoldo, o de moverme de ahí o de rezar siquiera, mientras Kaas me esperaba aburrida, sin ánimo como para seguir buscando lo que había ido a buscar. Diez minutos después salimos del cementerio. A pesar de su decepción, Kaas estaba conversadora, irreconocible comparada con la de los últimos días. Yo, en un silencio conmovido, la escuchaba hablar. Ella había entendido todo, estaba seguro.

—Por lo que a mí respecta —dijo de pronto—, todo está muerto y enterrado. Mañana mismo deberíamos irnos a Tánger.

Dejé de caminar y la cogí del brazo. La miré por un minuto tratando de no creer lo que había oído, luchando conmigo mismo para convencerme de que había oído mal. Tratando de reconocer a Kaas en aquella mujer extraña que me miraba a su vez sin entender qué había pasado. Pero la verdad era inevitable. Ella era Kaas, mi Kaas, pero no había entendido nada.

Un solitario comete actos de soledad. No es sólo la ausencia de compañía, pues las otras personas cuando están a su alrededor lo devuelven de nuevo a su soledad. ¿Cuál es el fondo? No hay fondo, siempre puede uno caer más bajo. Cada acto, cada gesto, lo convierte en un

hombre abandonado y lo hunde en su estar solo. Comerá siempre solo, dormirá solo, caminará solo, comprenderá el mundo que observa
estando solo, y lo que ignora lo volverá aún más solitario. Salí del bar
miserable y caminé apestando a cerveza y suciedad. Sin darme cuenta, me dirigí por la cuadra que desembocaba en la casa de Agustín, y
decidí hacerle una visita. Toqué la puerta y nadie me contestó. No era
improbable que hubiese salido. Rodeé la casa y pude ver la ventana
del cuarto de Agustín, iluminado por la luz de una lámpara de velador. Me acerqué a la ventana y descubrí que esa noche también había
función. La muchacha ahora estaba apoyada en un taburete y Agustín
había levantado la falda escocesa que llevaba y la penetraba por el culo. Esa noche ella estaba disfrazada de interna: falda de pliegues con
cuadros rojos y verdes, la basta unos centímetros más arriba de la rodilla como quien desafía la autoridad de la madre superiora, medias
blancas de hilo caídas en los tobillos y zapatos de charol con hebilla.
No llevaba blusa ni sostén y sus largos y dorados bucles de puta griega habían sido divididos ahora, a contrapelo, para esta representación,
en un par de gruesas colas a cada lado del cráneo. El maquillaje en la
cara, vertido ahí sin oficio, como si su rostro fuera una trajinada paleta de pintor, le daba un aspecto de payaso mal lavado. Con todo eso
aquella representación de la adolescencia era, por decir lo menos, esperpéntica. En nada se parecían ese rostro enfermizo y esos jadeos de
mujerzuela intoxicada, a los gritos púberes y mudos de la virginidad
que se entrega por primera vez. Sólo la curva de su espalda, visible e
iluminada por la pantalla azul cerúleo de la lámpara, era una exacta
imitación de una espalda de niña. ¿Cómo había conseguido su espalda tener esa apariencia engañosa? No podía ser una virtud del disfraz
ni deberse al talento de la actriz, sino a una extraña concesión de la
naturaleza o a un capricho de los años para con esa putilla. Concesión
o buena suerte a la que Agustín sabía sacar mucho provecho. El cliente,
un hombre obeso como el de la noche anterior, vestido de traje azul
marino, daba la espalda a la ventana. De vez en cuando giraba la ca

beza para dictarle órdenes a Agustín, quien las cumplía sin reclamar ni quejarse, como reclamaba o se quejaba de las de Zeta. Dejó de penetrarla por el culo e hizo que ella se pusiera a horcajadas encima de él. El cliente, esta vez sin voltear, dio una nueva orden y ella empezó nuevamente a moverse y gemir. El gorilón amigo de Agustín en esta ocasión no estaba arrojado en el suelo, observaba la escena sentado sobre una silla del comedor, desnudo, con los brazos caídos y una correa atada a la altura de las tetillas cuya función no supe imaginar. Estaba abotagado, muy borracho y sin la menor emoción, sin preocuparse si quiera en limpiar el curso de una gota de semen que resbalaba por sus piernas flacuchentas y sin pelos. El gigante se desinteresó de la escena erótica y dirigió su vista hacia la noche que mostraba la ventana. Sus ojos me descubrieron agazapado en la oscuridad, pero no hizo ningún gesto de alerta. Ni siquiera farfulló una sílaba ni gruñó. Sólo su ceja se alzó un poco en ligera señal de reconocimiento y saludo hacia mí, y luego volvió a dirigir su mirada al espectáculo de Agustín, el tipo obeso y la supuesta colegiala como un espectador que, de pronto, tomara conciencia, en el entreacto de una obra que él no era el único espectador.

Sólo que en esta representación los actores estaban entre sombras, y el público, iluminado.

HABITACIÓN EN BUSARDO

Alzados frente al mar, los olivos otean el viento, introduciendo sus cabezas tremantes entre las nubes; viejos testigos del desembarco del héroe y su banda de granujas tocados por el ala de la historia y el azar. Me distraía en mi cuarto viendo una mariposa de vaga luz aletear en la pared. Era la luz del crepúsculo colándose por las rendijas de la persiana. Rumiaba mis pensamientos, ocioso, tratando de entender el secreto a voces de mi poca capacidad para estar solo. No era más que la necesidad enfermiza de hacerle daño a cualquier persona, como si ese daño diera sentido a mi vida: una fuente inagotable de sufrimiento para los que aman; así es el amor que aprendí de mis padres y éstos de sus abuelos y que casi olvidaba hasta que Kaas le dio aliento de vida y lo despertó. Sin embargo, a diferencia de muchos de mis amigos o conocidos, yo jamás me dejé seducir por ese truco barato de espejos y cuentas de colores que era el sexo. Imposible para mí aceptar el placer como sustituto del amor. No hay alivio en el placer. "¡Pero hombre! Deberías dejar de ser tan romántico y ser más liberal", aconsejaban mis compañeros a lo largo de mi adolescencia y juventud. ¿Cómo tomar en serio esas bravuconadas? Nunca existió para mí nada tan bovino y falto de rebeldía como el sexo fácil y sin compromiso de esos amigos. La gran rebeldía, el gran enfrentamiento contra lo establecido, la gran prohibición, siempre ha sido el amor. "El sexo es un arte", decían. ¿Un arte? Posiblemente, tan artístico como el trabajo de una pedicura atiborrada de clientes. El auténtico arte, la música de Beltenebros, es el amor: exige una imaginación prodigiosa y obliga a los amantes a saber transformarse en otros para amar.

Sin embargo, entonces, a siglos de distancia del "gran amor" y del "verdadero amor", encerrado en una habitación en Busardo, intentaba rescatar algo de aquel antiguo diario que había escrito y que quemé luego con excepción de algunas páginas que se salvaron milagrosamente de la incineración; intentaba rescatar algunos de sus párrafos sólo para reencontrarme con Kaas o con mis viejos sentimientos hacia Kaas. Encuentro esas viejas páginas entre mis maletas. Me dedico a releerlas sin sufrimiento, casi distraído, esperando recuperar —o no perder— aquello que alguna vez resbaló por mi cuerpo y que mis puños, cerrados bruscamente en el aire, lograron atrapar. Buscaba una frase en especial: *Kaas tenía algo del color de las tinieblas pero también sabía salvarme.* No recordaba si había escrito eso en alguna nota desdeñada luego del diario o en una carta. Pero quería leerla. Finalmente, no encontré lo que buscaba y arrojé las páginas a la basura, negándome al pasado como un niño caprichoso que se niega a abrir la boca, que desoye los chantajes que su madre trama para darle de comer algo nutritivo aunque desabrido. Un niño que niega la posibilidad de amar en el futuro a alguna de esas chiquillas entrometidas que entonces interrumpen sus juegos y por quienes luego se jugará la vida.

El tiempo, cinco días en Málaga, se nos había agotado. No podía retrasar más nuestro viaje a Marruecos. El joven que conoció Kaas, y una muchacha de aspecto bandido, la inseparable novia de éste, se hicieron amigos de ella y recorrieron toda Málaga, incluso los pueblos más apartados, sin contar conmigo después de que me negara a seguirlos tres o cuatro veces. Yo, por mi parte, volví un par de veces más al cementerio británico a visitar la tumba de Guillén. Una mañana Kaas despertó dispuesta a vencer al mundo. Abrió de golpe las cortinas de la sala permitiendo que entrara la luz e inundara todo resquicio de la casa como una marea desatada.

—Despierta, dormilón —dijo, sacudiéndome un pie oculto debajo de la sábana.

—Qué ánimo —dije—. Parece que has dormido bien.

—He dormido muy bien. Hoy bajo a la playa con Mario y su novia. ¿No vienes?

—Vaya, se acordaron de mí. Gracias, pero paso.

—Eres un aburrido. Después te quejas de que nunca te invitemos.

—¿Nunca me invitan los tres o sólo tú y Mario?

Kaas me miró con dureza. Acababa de hacer una injusta escena de celos y eso era, en el decálogo de Kaas, una de las cosas más intolerables. Absurdo desde todo punto de vista, pues la fidelidad de Kaas era un principio, aunque no significara amor sino sólo dignidad. Me apresuré a pedirle disculpas, pero la magia ya se había roto.

—Mario y Estefanía salen la próxima semana para Busardo —dijo después de un rato, dando vueltas por el departamento, inventándose trajines.

—¿Busardo? Qué extraño, no es temporada —contesté.

—Ellos van por las ruinas. No son tan frívolos, y menos aún estúpidos como tú crees.

La torpeza de mis celos había convocado al espectro indócil de Kaas. Otra vez la violencia. Kaas cogió uno de sus pañuelos y se lo probó en el cuello. Luego de un rato frente al espejo, indecisa, se lo desanudó, sacó la maleta del ropero, la abrió y echó dentro, despectiva, el pañuelo. Yo la miré hacer.

—También nosotros nos vamos mañana —dijo, bajando sin cuidado su ropa de los colgadores y llenando su maleta.

—¿A Marruecos?

—Por supuesto, ¿a dónde más podemos ir?

—A Busardo, por ejemplo.

Hubo un largo silencio durante el cual nos medimos el uno al otro.

149

—Es el colmo —dijo, mientras continuaba guardando las cosas en su maleta—; estamos hablando de librarnos de toda esta mierda y a ti se te ocurre viajar a un podrido balneario decadente.

—Pensé que sólo Europa era decadente para ti. Y Busardo no es precisamente Europa. Además, podemos ir a ver las ruinas como Mario y su novia. Tampoco nosotros somos frívolos.

—Oh, ya cállate —chilló Kaas—. A veces eres insufrible.

Blandió una de mis camisas blancas con la que coronó su ropa en la maleta, que cerró luego con violencia.

—Muy bien, donde sea pero mañana mismo —dijo.

Nuestro ingreso a Busardo es un viejo recuerdo cinematográfico, un lugar común donde el viento levanta el cerquillo rubio de Kaas y yo me defiendo del frío, abrazándola, con las solapas de mi gabardina levantadas y sus flecos como una bandera flameando contra el océano. El viaje en barco desde el continente fue tranquilo y breve. Desembarcamos a varios metros de la orilla y subimos a una lancha que nos condujo, zigzagueante, al ritmo de los tumbos de las olas, hacia la playa de Busardo. Mientras ataban la soga de la lancha al embarcadero, Kaas y yo avanzábamos por el puente de madera que cruzaba la playa desde la orilla hasta Vía Dolorosa, oliendo la sal de la arena y del mar que humedecía y carcomía el puente en cuyas barandas algunos enamorados han garabateado sus nombres desafiando al destino —que acepta de vez en cuando el desafío y destruye a esas parejas sin compasión— y al tiempo. Un hombre, hablando un inglés deficiente, se ofreció para llevarnos al hotel Normandía que es el hotel más lujoso de la ciudad. Lo ha impresionado el porte de Kaas, su traje fino oculto tras el abrigo de piel, su costoso pañuelo gris atado al cuello. Después de todo no se equivoca, pues tenemos dinero y nos dejamos llevar sin oposición hacia el célebre hotel Normandía. Nuestro primer paseo por la ciudad nos cogió con los sentidos despiertos. Nos devoramos la ciudad: la olemos, la tocamos, la oímos despertarse, la vemos, gustamos su sabor a historia, a personas humildes, a tiempo detenido. El taxista nos ayudó a bajar nuestras cosas, las introdujo en el hotel y recibió una buena propina, además de su paga, que agradeció con una sonrisa amplia y entregada. En la recepción, un muchacho vestido de librea y parecido a Agustín recogió nuestro equipaje mientras un hombre grueso, de terno riguroso, anotaba nuestros nombres en el libro.

—Esperamos a unos amigos —le advirtió Kaas— y no les hemos avisado dónde nos hospedaremos.

—No se preocupen —dijo el recepcionista—, llegaran aquí definitivamente. ¿En qué otro lugar pueden desembarcar si no es en Normandía?

El botones pueblerino (pescador disfrazado: olía a sal y en sus brazos llevaba marcas de anzuelos) cogió con brusquedad las maletas, las puso en un armatoste para llevarlas al ascensor y dio un vistazo a la indicación del número grabado en la llave. Mientras tanto, el encargado aún no terminaba de sonreír celebrando su broma favorita, aprendida quizás en algún manual para recepcionistas, donde se suponía que mostraba cierto aire cosmopolita, además de un acertado conocimiento histórico. Kaas y yo le devolvimos la sonrisa y seguimos al botones que nos esperaba en el ascensor.

—Hasta ahora no sé cómo has podido convencerme —me dijo Kaas, apretada a mí por la estrechez del ascensor—. Busardo... debo de estar loca.

Quienes nos enamoramos abandonamos la soledad por el amor, la pereza por el sacrificio, la crueldad por la concesión, la gentileza por la caridad, la poesía por las palabras. Nos hacemos fuertes ante los demás y débiles y vulnerables frente a quienes nos aman, como si nuestra sangre fuera, simultáneamente, de acero y horchata. Kaas miraba desde la ventana de nuestra habitación el desplazamiento de los habitantes de Busardo y los turistas. Luego, sentándose en la cama, abrió su maleta, sacó una blusa para reemplazar la que llevaba puesta y se desnudó delante de mí sin pudor y sin sensualidad, cualquiera de las cosas que yo hubiera agradecido infinitamente.

—¿Es que nunca comprenderás lo que digo? —me reclamaba Kaas antes de salir de nuestra habitación.

Efectivamente, como estaba previsto por la broma del recepcionista, Mario y Estefanía desembarcaron en Normandía. Después de una rápida visita turística a las ruinas, una visita casi por compromiso y para matar la mañana, fuimos a un restaurante y devoramos el almuerzo típico acompañado de vino casero. Durante el almuerzo los amigos de Kaas decidieron seguir la ruta de las batallas entre las tropas del Coso Verisse y las del héroe. Kaas y yo no quisimos acompañarlos porque tal expedición implicaba dormir varios días en el bosque de Busardo. Mario, con ese fin, había alquilado un caballo, un guía y una carpa, además de comprar las provisiones necesarias. Los esperaba una jornada agotadora: tendrían que avanzar hacia ciudades del interior en un viaje de cinco días. A mí me seducía el recorrido, pero no la compañía, ni me sentía con la fuerza suficiente como para hacerlo, así que preferí esperar el regreso de Mario y su novia disfrutando de la playa y del pueblo. Kaas, silenciosa desde que habíamos salido del hotel y durante el almuerzo, no opinaba. Los acompañamos hasta la parada de buses y esperamos a que se presentara su guía en un bar cercano: el Zeta. Aquella primera vez que fui al bar que luego se convertiría en mi refugio, no bebí martini sino una copa de vino y una fuente de mariscos frescos rociados con aceite de oliva compartida entre todos, y que no volví a probar jamás pese a las alabanzas, no del todo sinceras, que le ofrecimos a Zeta. Luego de que los amigos de Kaas se pusieron de acuerdo con el guía, volvimos al hotel; ellos para preparar maletas y nosotros para una siesta.

—Yo no le tengo miedo a las palabras —dije, recostado a la orilla de Kaas, continuando la discusión que habíamos interrumpido para ir a almorzar—. Si digo "te amo" es porque lo siento, no me preocupo por saber si eso es o no amor según la definición del diccionario.

—Pues no me gusta que digas "te amo" tan fácilmente —atacó Kaas—. Me da la impresión de que estás mintiéndome o de que en realidad te importa poco lo que me dices.

—Bueno, si el problema es una palabra, no la digo más y se acabó el problema.

—Es inútil discutir contigo. ¿Realmente nunca podrás entender lo que te digo? —repetía Kaas y cubriéndose el rostro con las manos, no en un gesto trágico sino de cansancio.

—Por favor, Kaas, no digas nunca que no te amo.

Intenté tomarla por los hombros pero ella me esquivó. Vencido, le di la espalda y probé dormir. La respiración de la cortina del cuarto, inflamada por el viento, me remitía a la vela de un barco, a una ola que reventaba contra las rocas, contra la orilla de la cama. Aquel día no hablamos más hasta la cena. Y la cena fue tranquila.

Tarde en el bar de Zeta. Zeta no estaba y Agustín se encargaba de todo. Me puse a jugar con la aceituna del martini dejándola naufragar en el líquido antes de comérmela. La hundía con un mondadientes y la dejaba sumergida esperando que detrás de las burbujas salieran las ratas. Las ratas siempre son las primeras en abandonar el barco.

—Durba te extraña mucho —me dijo Agustín.

—¿Quién es Durba?

—Mi amigo de la noche pasada, que te está muy agradecido por ser tan mal jugador en el póquer. Nunca tuvo tanto dinero en el bolsillo. Se emborrachó todo el día siguiente y hasta consiguió que una mujer le hiciera caso —rió Agustín.

—No me pareció que les fuera tan difícil conseguir mujeres.

—¿Se refiere a lo que pasó? —preguntó Agustín con fingida ingenuidad.

—Muy interesante en realidad —mentí—. Sobre todo el monólogo del gordo. Muy interesante. A propósito, me hubiera gustado también escuchar el monólogo del "maestro". ¿O no hubo monólogo esa vez?

Agustín recibió el golpe con sorpresa. También yo me sorprendí de su reacción. Pensé que había advertido mi presencia aquella noche o, en todo caso, que Durba me había reconocido y se lo había contado a Agustín.

—Si es por el cliente, despreocúpate, estaba de espaldas y así lo hubiera visto no diría nada. No me meto en tus asuntos.

Agustín me miró incrédulo, pero de pronto pareció tranquilizarse.

—No, no hubo monólogo esa vez —dijo, tratando de parecer cínico—. No seas tan severo con Durba y conmigo, profesor, venga otro día a jugar póquer. No volverá a ocurrir lo de la muchacha.

—¿Y esa docilidad? ¿Temes que no vuelva a perder mi dinero para que Durba se divierta? O quizá que te acuse ante la policía por alcahuete. Si es por eso, no te preocupes, no me meto en esos asuntos.

—Se equivoca, ella no es una puta, ella es una chica, una amiga. Ella dice que es una artista, como el cazador de pájaros —y luego, provocativamente— o como usted.

—¿Artista? Ya es suficiente con esa broma ¿quién demonios te ha dicho que yo...?

Agustín me dejó explotar, riéndose de mí, feliz por haber logrado sacarme de mis casillas. Se fue caminando lentamente a la cocina, sin terminar de burlarse de mí, porque llegaba Zeta.

Visité de nuevo la casa de Salvador Dicent un día en que la lluvia se desató menos severa que otras veces, pero más dolorosa, como si las gotas fueran pequeñas aspas que buscaran la piel.

Como aún no sabía leer en el cielo de Busardo los signos de la lluvia, no me había preparado para el chaparrón y estaba empapado. Cuando entré al jardín del palacio presentí una sombra opaca que me seguía, apuntando desde un árbol, como un cazador en la oscuridad.

Aunque pensé por un segundo que era un nuevo ataque de Dicent contra los pájaros, en realidad estaba seguro de que sólo era otra extravagancia de su parte. Y tuve razón. Dicent salió del árbol y fingió que me atacaba. Estaba vestido con un impermeable de goma que chorreaba agua y llevaba en la mano una vara de acero cuya punta era una pequeña garra. No se fijó en que yo estaba completamente mojado. Lanzó una risita y me dijo que no temiera.

—Tengo que cubrir la jaula. Esta lluvia no es buena —dijo mientras avanzaba entre los mascarones.

Lo seguí. Dicent llegó a la jaula y con la vara de acero cogió una punta de lona que estaba enrollada en el techo. La lona cayó sobre uno de los ángulos de la jaula, provocando el estrépito de los hasta entonces somnolientos pájaros. Un aleteo que soltó algunas plumas y un chillido persistente se instauró a partir de ese momento y acompañó las maniobras de Dicent, quien se había trepado a una escalera y luchaba por atrapar con su pértiga uno de los lados más indóciles de la lona.

—Ayúdame, hombre —me gritó, confundido, desde lo alto de su escalera—. Tira del doblez que está atrapado en ese barrote.

Hice lo que me pidió y un nuevo pedazo de lona cubrió el frente, causando aún más alboroto. Luego, por propia iniciativa me coloqué del otro lado y ayudé a cubrirla sin esperar las instrucciones de Dicent. Concluida la tarea, me invitó a tomar un café y, como si recién se percatara de mi traje húmedo, a secarme en su casa. Avanzamos por el jardín completamente empapados por la lluvia que parecía no querer terminar, como si tuviera voluntad y supusiera que aún podía hacer alguna clase de daño. Antes de entrar al palacete pude observar, sobre nuestras cabezas, una cariátide de yeso con rostro de mujer doliente. De sus labios se desprendió un sucio goterón que tenía la consistencia del aceite, y estalló sin ruido sobre el suelo, entre Dicent y yo.

Dicent me invitó un café limpio y falto de azúcar que probé sin poder ocultar mi desaprobación. Me había sacado el saco, las medias y la ropa interior y los había colocado sobre una estufa, pero por mi incómodo pudor contra la ropa de otros, rechacé la bata que ofreció prestarme a cambio de mi camisa y pantalón que también estaban mojados pero que aún llevaba puestos.

—Quizá prefieras algo de tomar. Yo no acostumbro, pero… ¿qué quieres?

—Un martini.

—Ah, un martini, bien —salió hacia su bar y luego de unos minutos volvió con una mirada avergonzada—. ¿Podrás preparártelo tú? Nunca recuerdo la medida.

Me levanté y fui a servírmelo yo mismo. Cuando volví a la sala, Dicent ya había tomado asiento y escuchaba, muy bajo, algo de Mahler. Llevaba el compás con el pie y miraba el cielo raso como si estuviese pensando en algo sombrío.

—Espero no ser inoportuno —dije—. Puedo irme si prefiere estar solo para trabajar.

—De ningún modo. Como comprenderás, no es un bonito día para hacer visitas, pero sí para recibirlas —dijo— Tú sales perdiendo, pero te agradezco que hayas venido.

Tomé asiento frente a él y su rostro se volvió, de pronto, amable.

—Creo que mi tiempo en Busardo se termina —confesé bajo el auspicio de aquel nuevo rostro—. Estoy cansándome de todo esto.

—Si eso es verdad, nuestro Zeta se va a sentir defraudado. Será mejor que invente una buena excusa. Si le importa quedar bien con él, claro.

—Lo voy a hacer.

—Yo lo entiendo. Está en la etapa más difícil de superar, esa especie de limbo que hay antes de una auténtica adopción de otra nacionalidad. Si quiere darle un poco más de tiempo a Busardo, quizá supere el trance. ¿Está bueno su martini?

—Excelente, gracias. Si quiere, puedo prepararle uno.

—Hace años que no bebo. Hace muchísimos, muchísimos años. Pero no estoy orgulloso de eso. ¿Me trajo hoy algo de lo que escribe?

—Ya le dije que yo no escribo.

—Oh, sí, tiene razón, ya me lo había dicho. Una lástima, hoy tenía ganas de leer algo interesante. Estoy seguro de que usted sería un buen escritor, aunque un poco melancólico. Es extraño, a veces tengo la tentación de tutearlo, me pasa desde la primera vez que le hablé, no sé si se ha percatado de eso. Espero no confundirlo. Es fácil tomarle confianza a pesar de ese aire distante que pretende imponer a los demás. ¿Puedo preguntarle qué hace en Busardo? Es demasiado pronto para esperar el verano, y las ruinas… bueno, usted no parece muy entusiasmado en hacer investigaciones arqueológicas.

—Vine con una antigua novia. Ella se fue y yo me quedé. Alquilé un cuarto en una casa y me fui quedando, un poco por abulia y otro por falta de ganas de hacer otra cosa.

—Bien el planteamiento, pésimo el final. Falta convicción. ¿Realmente cree en lo que me ha contado?

—Supongo que no tendría por qué mentirle.

—Está bien. Concedo que puede ser sincero… por ahora —dijo con una gran seguridad—. Es suficiente para una primera conversación sobre el tema. ¿En serio no quiere que le preste una bata? Puede terminar muy enfermo.

Tenía razón y acepté la bata. Me cambié en el baño, sin apuro. Cuando regresé vi que Dicent observaba caer la lluvia por un gran ventanal. De pronto sus ojos se iluminaron. Seguí la dirección de su mirada. El montículo de las ruinas de Busardo se veía bajo el agua como coronado por una luz dorada y resplandeciente.

Por aquel entonces, las ruinas parecían un desierto de arena pálida, un paisaje lunar con sus grietas y cráteres sin historia. Poco quedaba de la roca dura, del laberinto de árboles (parientes de los árboles de Busardo que aún quedan como telón de fondo) donde hubo una batalla, donde se inmoló un héroe luego de hacer retroceder a sus enemigos. Salvo unas pocas piedras levantadas en la zona sitiada, y que probablemente habían sido las bases del fortín donde la misma noche de la batalla se veló el cadáver del héroe, el resto de edificaciones ruinosas eran de una época posterior, construidas porque después del éxito de la batalla de Busardo éste se volvió un buen lugar para vivir; el testimonio de que un triunfo, cualquier triunfo, hace habitable incluso los territorios más inhóspitos. La historia del cerco a la ciudad alimenta aún los sueños de algunos turistas y el discurso de los guías y las páginas de los manuales históricos que se venden en torno a las ruinas. Hay momentos en que la historia se confabula para crear un momento de tensión, un breve instante en que se prueba la dignidad de un hombre. Pienso que ese momento debe ser mantenido intacto, debe detenerse para siempre en el espacio menos corrupto y maleable de la memoria. De todas las historias de Occidente que he leído como estudiante, hay una que siempre me atrajo sobre las demás: la de Germánico, el héroe romano, visitando con su familia las ciudades históricas y literarias de Grecia y Roma. En la bahía de Accio no puede evitar conmoverse ante la belleza del lugar, ante la importancia de la guerra civil que se desarrolló ahí, que selló el Imperio y cambió el destino de Roma y cuyo aroma heroico Germánico aún puede sentir en el aire, en el trueno de las olas; se conmueve y deja caer unas lágrimas. El pequeño y ladino Calígula, su hijo, al ver las lágrimas se burla de él: ¿cómo puede emocionarse en un lugar donde su abuelo (Marco Antonio) fue derrotado por el suyo (Augusto)? Germánico no se toma siquiera la molestia de reprender al futuro emperador, y le da la espalda, ignorando su impertinencia. Como lo entendió aquella vez Germánico, es natural que pocas personas entiendan la nostalgia de los héroes.

Pero la burla del canallesco Calígula se extiende más allá de su propia risa, de su época, de su momento.

—¿Sabe usted, profesor, que ayer la policía detuvo a unos turistas que organizaban una orgía en las ruinas? Pues debieron dejarlos tranquilos. Al fin sirvieron para algo esas ruinas inútiles ¿no cree? —decía

Agustín, dándosela de mordaz, guiñándome un ojo, mientras me servía un trago.

—¡Agustín! Es el colmo —gritó Zeta detrás de su empleado, quien no se había percatado de su presencia—. No le haga caso a Agustín, amigo, es sólo un necio al que le gusta parecer muy astuto. ¡Ya te voy a enseñar lo que es ser astuto!

Gritó Zeta, amenazando con el índice al muchacho y tratando de alcanzarlo con un puño dado al aire. Agustín esquivó el golpe y se alejó sonriendo y mirando de soslayo de vez en cuando para ver si su patrón estaba realmente molesto. Como había terminado su turno, trepó en su moto, la hizo rugir unos segundos y partió hacia Vía Dolorosa. Zeta bebió de un sorbo su pastís y me ofreció un nuevo martini. Aún no había acabado el mío y le enseñé el vaso casi lleno levantándolo a la altura de mis ojos. Un breve pero audaz rayo de sol que logró abrirse paso entre las nubes se estrelló contra el vidrio de la copa y refulgió en vano. Triste final para el arrojo de ese rayo de sol. Bebí también de un trago mi martini. La cabeza se quedó dándome vueltas y zumbidos por un rato. Unos turistas pidieron la bebida típica, Zeta fue a la cocina y trajo una botella llena un líquido verdoso, el desagradable licor del pueblo que yo siempre me negué a probar. Mientras les servía licor, me quedé mirándolo un minuto con el vaso en la mano para hacerle entender que estaba listo para otro martini.

Por entonces estaba haciendo un clima agradable en Busardo después de la última lluvia y un viernes decidí ir a pescar, cosa que no hacía desde que era adolescente y solía ir al Sur con mi padre y un amigo de éste. Entré a una de las tiendas cerca al Reposo y elegí sin prisa la carnada y los anzuelos. Alquilé también una excelente caña para pescar desde las rocas. Me preparaba para pagar cuando me percaté de que Dicent entraba a la tienda y se dirigía, con paso cansado y casi torpe, al dependiente. Me acerqué a él.

—Es una sorpresa verlo fuera de su palacio.

—¿Palacio? Oh, mi casa —dijo—. Es usted irónico. ¿Y? ¿Aún piensa en abandonar Busardo?

—Por ahora mi único plan es aprovechar el buen tiempo para ir de pesca.

—Veo que está más tranquilo que en su última visita.

Dicent cogió mi caña de pescar y la inspeccionó durante algunos minutos.

—Nunca he entendido este pasatiempo —dijo devolviéndome la caña—. Para mí tiene una desafortunada mezcla de rudeza y crueldad que lo hace intolerable.

—Una pena pues pensaba invitarlo a que me acompañe. Y después podríamos ira a almorzar donde Zeta.

—Jamás almuerzo fuera de mi… ¿cómo lo llama usted?, ¿palacio?

El dependiente le entregó una pequeña bolsa negra a Dicent. Abrió la bolsa y espió el contenido. Sólo entonces pagó.

—Veneno —dijo levantando la bolsa—. Para las ratas. Puedo mandar a cualquiera a comprar mis óleos, pero no confío en nadie para comprar el veneno.

Salió de la tienda luego de despedirse de mí con una palmada fraternal en la espalda y una invitación a que lo visite cuando guste. Mientras pagaba mi compra y el alquiler de la caña, vi que Dicent había sido detenido en la calle por un par de muchachas turistas con aspecto de universitarias. Aunque no podía oír lo que decían, se notaba que conversaban amablemente. Incluso hubo sonrisas. Si acaso le pidieron un autógrafo, él se negó pues en ningún momento sacó su mano derecha del bolsillo ni dejó de aferrar con la izquierda, con vehemencia, el veneno.

Para quien no conoce bien su historia es difícil calibrar la importancia que tiene este balneario, ahora tan de moda, para la historia del mundo. Busardo fue, desde su inicio, una pequeña caleta de pescadores. Sus habitantes tuvieron siempre fama de trabajadores y muy diestros para aprender cualquier oficio, además de cierta propensión lírica algo fallida que dio sus mejores frutos en dos o tres poetas de tono menor. Una vez consolidado el gobierno del Emperador Paria, como se conoce a Corretto, éste no tuvo ningún problema en apoderarse de la ciudad que no supo, o no quiso, defenderse. Busardo fue entonces convertido en un fortín de las tropas de Coso Verisse, las tropas de ocupación más sangrientas del Emperador Paria, célebres por tener un ave de rapiña devorando una rata como pica de lanza. Eso pudo significar el gran progreso de Busardo, el salto cualitativo para convertirse en ciudad, pero no fue así. Más allá de servir como cuartel para las tropas, la ciudad misma valía poco en la estrategia del Imperio, por lo que se transformó en prostíbulo para la soldadesca. Se calcula que fue por aquella época en que el héroe nació, y tuvo que cruzar el mar hacia el continente para conseguir trabajo como muchos jóvenes peninsulares de su edad (y como ninguna muchacha, especialmente si era bella, pues servía como prostituta para los del Verisse). Él nunca se adaptó a ese exilio involuntario. Participó de muy joven en una revuelta contra el Emperador organizada por una secta regicida que luego se convirtió, tomando ciertos elementos ortodoxos, en secta religiosa. La revuelta falló, y el héroe, quien pese a su juventud había tenido una participación descollante, fue enviado a una prisión para delincuentes comunes y no a la pena de muerte como los líderes de la rebeldía, menospreciando de ese modo sus méritos e insultando su patriotismo. Fue en esa prisión donde, junto con otros presos, planeó el rescate de su ciudad natal ocupada por las tropas de rapiña. Una de las anécdotas más hermosas sobre su vida es aquella que muestra al héroe tratando de convencer a los delincuentes, muchos de ellos simples ganapanes mal comidos apresados por ociosos, con discursos apasionados sobre conceptos tan lejanos a ellos como la libertad, el heroísmo o la dignidad, alzado sobre un parapeto dentro de su mazmorra, como una figura bíblica con el traje palliato y sucio. De algún modo pudo convencer a los presos y huyeron de la prisión. Lograron hacerse de armas y precarias embarcaciones para cruzar el mar hacia la ciudad sitiada. El silencioso desembarco nocturno a orillas de Busardo y la demorada y difícil caminata sin antorchas hacia la colina donde estaba el cuartel Verisse son cuadros famosos de una vieja representación pueblerina que se escenifica para los turistas en la primavera. La primera batalla se efectuó en el Reposo (el lugar donde hoy se levanta la dársena) y fue sangrienta, pero dejó mal parados a los presumiblemente ebrios soldados centinelas del Coso Verisse y dio confianza a los sobrevivientes de las tropas del héroe. Se corrió la voz entre su gente de que él estaba iluminado, de que era hechicero e inmortal. Toda la caminata hacia el cuartel en medio del bosque (el camino que celebra la extensión de Vía Dolorosa) fue acompañado por escaramuzas donde el héroe no sólo ganaba terreno sino la admiración de los pescadores, quienes veían en él a un ángel sucio y astroso pero resplandeciente. Las tropas del Coso Verisse decidieron dejar a los rebeldes introducirse en ese laberinto de trampas ocultas que era el bosque, convencidos de que ninguna osadía sería suficiente para llegar hasta el cuartel mismo, mientras ellos se daban tiempo para sobreponerse a la borrachera. Sin embargo, el héroe tuvo buena fortuna, o quizá sí estaba iluminado, pues con el amanecer llegó hasta la cúspide misma del bosque, hasta el cuartel, con una tropa herida pero alimentada por la fe de los del pueblo y engrosada por los más jóvenes de Busardo, casi todos ellos pescadores con deseos de venganza pues sus novias o hermanas habían sido utilizadas por los del Verisse. La batalla que se ejecutó en la colina, donde actualmente están los vestigios y la tumba del héroe, significó el triunfo de los rebeldes aunque el inevitable precio fue la muerte de éste. Las tropas del Coso Verisse debieron internarse en desordenada y vergonzosa huida en el bosque Busardo, tratando de esconderse en las olvidadas ciudades del interior, pero los rebeldes no quisieron permitir que se reorganizasen y los persiguieron durante varios días hasta sellar la definitiva derrota de los del Coso Verisse en una ciudad limítrofe a Busardo. Desde luego, la batalla de Busardo y la liberación de la ciudad movilizaron brotes insurgentes en el centro mismo del Imperio y fue cuestión de pocos años la caída definitiva del Emperador Corretto, despojado de sus tropas de asalto. El resto es historia conocida por todos y está escrita en cientos de libros, aunque cada vez aleja más sus pasos de esta ciudad olvidada para siempre por el azar, detenida en su cuarto de hora de fama, y que discretamente fue ascendiendo de bastión de los Coso Verisse a aldea liberada, de aldea a pueblo durante el imperio Romano, de pueblo a ciudad portuaria en el medioevo y de ciudad portuaria a balneario turístico y ruina contemporánea.

Los pequeños buses para turistas han eliminado en Busardo la nostalgia de los trenes, de su faro delantero que tiraba de los bordes de la oscuridad y devoraba los rieles oxidados, algunos de los cuales aún ascienden por la colina que bordea la ciudad y el bosque Busardo y son el muro invisible, la línea que divide un lugar de otro. La estación, los rieles, los vagones, todo se mantiene intacto como cruces de cementerio. La estación sobre todo, clausurada para siempre, refugio de vagabundos, mala casa, puño cerrado que se niega a soltar la arenisca de los recuerdos cogida al vuelo en la despedida, donde alguien atrapó un pañuelo y otro nada. El bus expulsa su carga de turistas y los aparejos de los exploradores. Toda la noche y todo el día llegarán los extranjeros y se hospedarán ruidosos en el albergue donde yo dormito, en otros albergues, en lóbregos hostales, en el hotel Normandía, en otros hoteles. Vienen de todos lados, una babel que se dispersa por la ciudad para volver a reunirse en la mañana, dispuesta a empezar las visitas a las ruinas de la batalla de Busardo o seguir las huellas de la persecución por el bosque, buscando inverosímiles reliquias, un jarrón, la astilla de una espada o la tira de una sandalia, reproducidos tantas veces en las guías del perfecto explorador y los manuales escolares de historia, y cuyo valor en el mercado moviliza la codicia de esos bribones.

Uno de esos días, como una concesión a la tristeza, al recuerdo de Kaas, a la lástima, decidí ir a cenar al hotel Normandía. Aunque casi no tenía clientes, demoraron en servirme. Mejor así pues quería disfrutar, en medio de un número solitario de mesas vacías, el salón antiguo recubierto de madera. Pedí salmón, algo poco complicado, pero parecía que no esperaban ni eso. Oía trajinar en la cocina para cumplir mi orden como si estuvieran preparando un banquete. Una pareja de esposos veteranos, extranjeros, muy blancos y flacos, que yo había visto caminar esa semana cerca a mi albergue, tomó asiento al otro extremo del salón. Hablaban todo el tiempo sin dejar de mirarse a los ojos. No había ni ternura ni odio, era una mirada sin intención, pero me sorprendía que después de tantos años juntos aún quisieran verse a los ojos mientras conversaban, al parecer, de cosas banales. Por otra parte el Normandía, agazapado, esperando al verano de Busardo y sus turistas, era un buen escenario para ese amor crepuscular. La soledad alargaba el tiempo, demoraba mis actos más simples como tomar agua o llevarme el tenedor a la boca. Pero algunas cosas no habían cambiado desde que Kaas se fue. Por ejemplo, por algún motivo que no alcanzo a comprender, el hotel Normandía siempre tenía olor a mar y las olas parecían reventar en su acera. Afuera, un chubasco acababa de desatarse y llenaba de agua los largos ventanales del comedor. No era el primero del invierno. Tampoco sería el último. Los ancianos empezaron a sonreír al ver la lluvia, como si les recordara algo. A mí, esa sonrisa compartida me recordó la actitud cariñosa con que Kaas introducía sus manos en las mangas de mi camisa cuando llovía. Era la época en que pensábamos que podríamos estar juntos durante toda la vida y hacíamos planes en la universidad para nuestro viaje a Europa. Yo era feliz y lo era Kaas. Pero, a la luz de los acontecimientos, sabiendo muchos años después que nuestra felicidad se debía a una ignorancia absoluta del destino que nos separaría, podría decir sin dudas que rechazo esos momentos de dicha ciega. Decididamente, prefiero la desgracia a esa oscura felicidad.

Abandoné el comedor del Normandía apenas la lluvia cedió un poco. Mientras caminaba por la calle aprovechando la tregua, una imagen iba precisándose como se precisa una fotografía en la cubeta de revelar. Los días de Kaas en Busardo se sucedían nuevamente, amparados por esa lluvia amainada pero todavía maligna que como un metrónomo me devolvía al recuerdo luego de una pausa.

Estábamos en nuestra habitación en el Normandía. Mario había subido para invitarnos a tomar una copa con su novia en el bar del hotel: quería contarnos los pormenores de su expedición, pero lo rechazamos sin mucha amabilidad pues acabábamos de tener una nueva discusión. Mario se fue decepcionado; estaba enamorado de Kaas, desde luego. Yo veía la televisión por encima del pálido hombro descubierto de Kaas. Su hombro recortado sobre la pantalla. Su hombro iluminado por la luz menguante. Intenté tocar con el pie una parte de su cuerpo, la curva de sus caderas. Estiré una pierna y con el pie descalzo toqué a ese ser vivo que sólo con el contacto empezó a latir de nuevo. Pensé: ese cuerpo, ese cúmulo de órganos dispuestos, sangre circulando por las arterias, huesos sosteniendo el edificio, ese cuerpo sobrevive, trabaja cada segundo, se esfuerza por no morir, y ella, sólo porque me quiere, porque cree amarme, sólo porque le gusto, me ofrece y comparte aquel aliento de vida y decide ser parte de mi vida, de mi arquitectura, de mi propio esfuerzo y mis afanes que también son parte de ella porque se los ofrezco.

—Creo que yo sí voy a aceptar la invitación de Mario —dijo, levantándose apenas sintió mi pie acariciándola—. No arreglo nada quedándome encerrada en el cuarto.

—Está bien —contesté—. Quizá yo también vaya luego.

Kaas entró al cuarto de baño y dejó correr el agua del lavabo. Sobre la cama había abandonado su bolso abierto. Podía verse su diario, un cuadernito dorado que yo compré en Roma para usarlo como bitácora y terminé regalándole. Aún lo tenía, no escribía mucho entonces. Al lado del diario, podía ver su ejemplar con anotaciones de *La filoso-*

fía de la historia, de Hegel. Kaas era una fanática fiel de Hegel, convencida de que toda historia debía ser la historia del pensamiento. Su tesis de grado —la influencia de Herder, Kant y Schelling en la obra de Hegel— analizaba una serie de sucesos de una pequeña revolución colonial del XVIII aplicando los conceptos de estos pensadores. Por mi parte, aunque creo en el devenir, la idea de que detrás de toda historia existe un proceso lógico, el que tanto defiende Kaas amparada en Hegel, siempre me resultó inaceptable y hasta ofensiva frente a la dignidad de los personajes, la autonomía de las hazañas y la heroicidad de los protagonistas. El discurrir histórico, para mí, siempre fue susceptible y abierto a cualquier modificación que sólo podía introducir la voluntad individual de un héroe. Desde que estábamos en la universidad, Kaas solía discutir largamente mis puntos de vista, incluso en los salones de clase frente a los profesores, que tendían a darle la razón. Nuestra vida en Europa, y en Busardo, parecía una larga secuela de esas discusiones. Mientras ella demoraba en el baño, yo repasaba las hojas del libro de Kaas sin poder evitar pensar que esas diferencias intelectuales no eran sino el signo exterior de nuestras profundas diferencias espirituales. Llegué a la súbita certeza de que me aferraba a Kaas con la misma fuerza con que algunos se aferran a su patria: Kaas era mi infancia, era el origen de mi pensamiento, de mi nostalgia. Me sostenía en ella como quien se sostiene al esplendor desde la miseria. El amor de Kaas era la única astilla que yo había rescatado del pasado y me acompañaba en el presente. En un sentido íntimo, ella me hacía ciudadano. Pero para Kaas, sólo contaba el futuro. Kaas, aunque tuviera que morir lo que ella amaba, como su padre, quería mirar lo que renacía. Solté el libro de Hegel y cogí, pensando en otra cosa, casi como un acto reflejo, su diario. No leí nada, pues ésa no era mi intención, sólo pasé las hojas sin detenerme en lo escrito. Anotaciones de no sé cuántos naufragios.

—Ahora sabes todas mis verdades —dijo Kaas, recortada en la puerta del baño, con expresión abatida.

Miré el libro de Hegel tentado a darle la razón. Pero entendí que se refería a su diario.

—¿Desde cuándo estás ahí? —pregunté.

—Lo suficiente para saber que ya no puedo confiar en ti.

Me arrebató el diario de las manos con una ingenuidad enternecedora. Estaba convencida de que leyendo su diario uno podría conocer sus "verdades". ¿Verdades? Como si Kaas pudiera escribir alguna verdad sobre alguien que jamás conoció, o apenas si comprendió. Sobre ella misma.

La velada con Mario y su novia Estefanía fue un desatino, una reunión insufrible, conmigo empeñado en no decir nada y Kaas un poco ebria hablando hasta por los codos. Por su parte, Mario también se había emborrachado y ofendió a Estefanía cuando ésta le pidió que dejara de tomar. Ella se fue dolida al hotel sin que pudiésemos impedirlo. Mario, sin interesarse en Estefanía, insistía en que fuéramos a la discoteca de los pueblerinos. Comenzaba el verano y esa discoteca ya cogía ambiente, aseguró. Kaas le sonreía desde el borde de su copa de vino, como la había visto hacer en Málaga, y se hacía de rogar. Mario rogaba. Pero al final se impuso su cansancio y decidió volver al Normandía, seguida por mí y mi silencio de tumba. Regresamos a nuestro cuarto caminando uno al lado del otro como dos enemigos encerrados en el pasillo de una prisión. Desde que llegamos a Busardo, Kaas nunca abría una brecha por donde entrar para reencontrarnos. Estaba distante aunque bella, pues había adquirido la belleza de las cosas lejanas. Ella había impuesto la pausa y yo sabía que eran muchas las cosas en las que me quería obligar a pensar, y muchos sentimientos los que debía evaluar, pero estaba rendido. El deseo de estar con ella empezó a alzarse como un cerco que no me permitía pensar con sensatez. Lo que Kaas me pedía, que no la bese, que no la quiera para siempre, me resultaba imposible de cumplir. Por más que ella me lo pidiera yo no podía reciclarme y volver luego siendo el mismo pero otro.

—También tú debes darte cuenta de que las cosas entre nosotros no están funcionando. Pero eres tan nostálgico que te aferras al pasado como un loco. Te haces daño y me lo haces a mí. ¿No te das cuenta?

—No puedo cambiar, Kaas, si pudiera hacerlo juro que lo haría.

—Déjate de disfuerzos, todo el tiempo estás lamentándote.

—¿Cómo voy a cambiar? —me defendí—. ¿Qué pretendes? ¿Que me viole a mí mismo y que atrofie por completo mi naturaleza?

—Oh, por Dios, basta ya —dijo Kaas y dejó el cuarto dando un portazo.

La seguí desde la ventana. Cruzó la calle, dudó en irse hacia la derecha o hacia la izquierda. La derecha debió parecerle más atractiva y tomó esa dirección dando grandes trancos y con los puños cerrados. En una esquina, fumando con paciencia, esperaba Mario.

Toda ciudad es una miniatura cuando escapamos de alguien, cuando queremos estar solos; un laberinto cuando lo buscamos; un albergue, un vientre, cuando amamos y nos acompañan; un enemigo cuando ese amor es complicado, extremo, de menos de dos; un museo cuando el amor se termina.

Una pareja de jóvenes se besaban en la esquina del bar. Luego, el muchacho abrazaba a su novia, quien bajaba la vista, y se echaban a andar despacio, no satisfechos, dueños del mundo y, sin embargo, indefensos.

—Había aquí —recordó Zeta— un hotel para los amantes furtivos.

—Todos los amantes son furtivos —respondí.

—Ingenioso, muy ingenioso —celebró Zeta—. Bueno, ese hotel lo derrumbaron, e hicieron un edificio de departamentos para alquilar en verano. Era más rentable. Después de todo, los jóvenes siempre prefirieron tirarse en la arena para extinguir sus ardores, usted sabe —rió Zeta—, tú entiendes.

Sonreí también. Cumplía un poco más de ocho meses en Busardo. A partir de entonces empecé a vivir mi vida en la ciudad despreciando el día a día, el *carpe diem* angustiante, entregándome a la molicie de un invierno de sol pálido, garúas, lluvias y chubascos; invierno de truenos. Me alejaba cada vez más del bar de Zeta para no ver a Agustín o, mejor dicho, incapaz de soportar la sonrisa estúpida de su adolescencia. Pasaba ahí sólo un par de horas, casi siempre coincidiendo con la llegada de los turistas, como si esperase algo o a alguien, como si me hubiese convertido yo mismo nuevamente en un turista. Zeta me extrañaba y no dejaba de hacérmelo saber. Después de tantos meses, recién se le había ocurrido que yo podía ser un buen par para el ajedrez, ya que el póquer no se nos daba ni a él ni a mí. Me invitaba a largas partidas que por lo habitual yo rechazaba pues había encontrado una nueva manera de pasar los días: visitando el palacete de Dicent. Pasaba horas conversando con él, ganándome su confianza. Dicent se había aburrido ya de burlarse de mí, o de tratarme como un turista, y me escuchaba con atención y afecto. Incluso un día en que me quejé de la bulla que los turistas hacían en mi albergue, llegó a pedirme que dejara mi cuarto y me hospedase en su casa. Me ofreció una habitación de gusto histórico:

—Con cruz de pino en la pared de cal y un catre robusto de patas cuadradas y gruesas sin tallas. Lo tengo todo pensado. Un primor que en la puerta tiene una alabarda con la pica original de los Coso Verisse y otra lanza que robé de un cuento de hadas medieval. Y las almohadas son de miraguano como las de cualquier cura de convento que se respete. Un sitio ideal para la lectura, la escritura y la ascesis, en serio, decídase.

Me explicó que estaba solo y que, a su edad, eso no era bueno. También intentó halagarme diciendo que desde hacía años no conocía a alguien como yo, una persona cuya neurastenia al fin pudiera soportar. Y, como si pretendiera darle alguna clase de sustento científico, dijo que había comprobado que nuestras cartas astrales eran afines y, además, ambas propiciaban cambios en el plano espiritual de nuestros signos ese año.

—Hace un tiempo —confesó Dicent— no le habría dado a usted ninguna oportunidad de acercarse a mí. Esa mirada *je ne sais quoi*, ese tufillo a fatalidad mezclado con unos ojos grandes, inteligentes aunque siempre están mirando hacia otro lado, un rostro encantador para destacar en un salón de aristócratas, todo eso me hubiera hartado de inmediato. Pero la vejez nos hace más condescendientes. ¿Se mudará entonces conmigo? Mañana mismo, si lo quiere.

La proposición, que al principio me pareció descabellada, terminó por entusiasmarme. Por primera vez viviría en una habitación extranjera, un coto vedado para los recuerdos, para el fantasma doméstico de Kaas y de las cosas que decía Kaas, de las cosas que tocaban sus dedos transparentes y de la música de David Jones, conocido como David Bowie, o de Barret o de Eno, de la que Kaas era fanática; fantasmas que demoraron en desaparecer de nuestra habitación en el Normandía y que, cuando abandoné ese cuarto, no tuvieron mejor idea que seguirme hasta el albergue.

—¿Pero realmente podría usted dejar todo esto, *Babik*, la comodidad de una casa donde lo queremos como si fuese de la familia, después de casi un año?

La dueña del albergue me sonreía con su perro recién bañado que tanto molestaba a los demás huéspedes porque se sacudía bajo la mesa del comedor y ensuciaba la basta de sus pantalones.

—Yo me ofendería mucho si se fuera —contestó engreída.

—No me iré —reconocí frente a la dueña y también al espectro de Kaas.

El perro de lanas recibió la decisión de quedarme con un ladrido de bienvenida. Tenía los ojos resplandecientes como aceitunas negras y la nariz era otra aceituna.

—Además —dijo la dueña contenta de su triunfo—, ¿dónde recibiría sus cartas? A ese castillo demoniaco no sube nadie, salvo usted y los turistas locos que quieren visitar a ese tipo. No sé qué le ven al cazador de pájaros, a mí me parece un *olirioti*. ¿Qué le ve usted?

No dijo loco o demente, como todos, sino que usó la expresión del dialecto de Busardo para decir "hombre de mal", recalcando con ese ardid, la muy astuta, que su opinión era compartida por el pueblo. Me resultaba extraño oír el dialecto. Zeta rara vez lo usaba, Agustín jamás. Pero la dueña no perdía ocasión de pronunciarlo, pretendiendo ser eufónica, sin preocuparse de si su interlocutor podía traducir esas palabras extrañas o al menos identificarlas por el contexto. "¿Podría usted dejarnos?", volvió a preguntar la dueña segura de su triunfo. No, definitivamente no podía dejar esa dañina habitación de albergue en Busardo.

La anciana mencionó unas cartas. Una vez dentro de mi habitación pensé en aquello. ¿Cartas? Kaas no me escribió ninguna desde que se fue y no tenía por qué hacerlo entonces. Incluso lo hizo pocas veces mientras duró nuestra relación, a pesar de estar tanto tiempo separados debido a mi beca y la enfermedad de su padre. Sucede que a Kaas no le gustaba poner de manifiesto sus sentimientos, y yo debí aprender a encontrar lo que quería decir en lo que parecía estar diciendo. Sus labios se anticipaban a sus palabras. Conmovido, trataba de leer esos mensajes secretos que sólo osaban a asomar su cabeza en cada balbuceo. Cuando ella hablaba yo no miraba sus ojos sino sólo sus labios, tratando de entender. Ella se molestaba conmigo por lo que consideraba una impertinencia de mi parte. Se pintaba la boca, se la limpiaba pensando que había un hilito resplandeciente de saliva, se ponía furiosa. "¿Qué tengo?", preguntaba una y otra vez repasando sus dedos por los labios, "¿qué tanto me miras?" A decir verdad, yo sabía bien lo nerviosa que la ponía mi actitud, pero eso no impedía que insistiera en mirar sus labios intentando atrapar las entrelíneas que se transparentaban tras sus palabras. Cuando la comunicación era telefónica —como lo fue durante mi viaje— no podía tener la menor idea de lo que habíamos hablado. Quizá por eso ella prefería el teléfono. Leer sus pocas cartas, en cambio, era una experiencia deliciosa, era intentar escuchar sus énfasis, seguir sus gestos y entonaciones a lo largo de su letra que se extendía, se ofuscaba, se hacía temblorosa u opaca. Su rúbrica era un vuelo de gaviota. Aquellos cerros de tristeza que formaban la cúspide de su letra y aquellos valles agónicos que descendían como si el esfuerzo de escribir hubiese sido demasiado, son recuerdos dolorosos que llevo conmigo como grilletes. Aunque, a decir verdad, no son grilletes sino un resquicio en el pasado, una oquedad en la que me gusta habitar, con la misma melancolía de Germánico visitando su Occidente, con esa misma nostalgia de los héroes.

—Jamás llegan cartas para mí —le dije a la dueña cuando bajé de mi habitación—, así que eso no sería un motivo de preocupación si hubiese escogido vivir donde Dicent.

Quería preocuparla, hacerle entender que su soborno había fallado, aunque estaba seguro de que no dejaría el albergue. Ella sólo sonrió. Mi angustia delataba lo que había estado pensando en mi cuarto. Me había clavado el aguijón la muy avispa. Ella ganó. Había caído mansamente en su trampa.

—¿Por qué dice eso, *Babik*? A quien tiene amigos siempre le llegan cartas. No a mí, por ejemplo, que sólo tengo a este hijito.

Y apretó al perro que se quejó con un ladrido de juguete.

—Entonces quizá también yo deba hacerme amigo de su perrito —dije acariciando el hocico del animal—, o conseguirme uno que sepa escribir.

—¿Porque no recibe cartas hasta hoy? No sea impaciente —dijo rebuscando algo en su delantal—. Tarde o temprano las cartas llegan a las personas que saben hacerse querer.

Y me entregó, con pompa e imaginario redoble de tambores, un sobre doblado que extrajo del canguro de su delantal.

Era una carta, cierto, y tenía la dirección del albergue. Pero no era para mí. O más bien sí, lo era, pero enviada por mí mismo. Se la envié a Leopoldo la misma semana que Kaas se fue, con la esperanza de que él me diera alcance en Busardo y me acompañara, como un verdadero amigo, en mi luto. Yo recordaba que Leopoldo me había dicho en Lisboa que tenía intención de visitar las ruinas ese verano, pero quizás ésa era una buena oportunidad de adelantar su viaje y volver a reunirnos. La carta fue dirigida a su dirección en Roma y como no lo encontraron, el envío estuvo, deduzco, dando vueltas por otras direcciones, siguiendo sus pasos gracias a manos bondadosas, hasta que cayó en una no tan solidaria que la devolvió a la oficina de correos, y de ahí, sin compasión, al remitente. Habría llegado al hotel Normandía donde tenían mi dirección. Abrí el sobre ya casi olvidado y me recordé a mí mismo:

... cuando termina una relación, y mientras uno de ellos siga amando, andamos por la ciudad con un mapa lleno de agujeros y retazos. Nos conducimos por ese mundo evitando lugares, no porque nos hagan doler sino porque sencillamente ya no existen. La lástima que uno siente por sí mismo es una buena tijera que recorta, en nuestro mapa urbano, los lugares que podrían matarnos. Cuando era un adolescente en mi ciudad, iba con un mapa varias veces reconstruido (cada nuevo amor reconstruye sitios y devuelve lugares) y siempre herido de muerte. Recuerdo el Parque del Amor, una esquina derruida en un mirador frente al mar, el café Frente al Parque, la cruz frente al observatorio, un zoológico llamado Parque de las Leyendas por donde vivía mi familia y que visitaba todas las semanas cuando era niño. ¿Existen aún esos lugares? O simplemente sus fantasmas invaden ahora esta ciudad casi desconocida y ya dolorosa...

Una carta escrita hacía tantos años y aún podía reconocer mi máscara. Una carta rescatada del olvido por el azar inmóvil y aún podía encontrar en ella mi sombra bajo el rostro. ¿Cuánto tiempo, cuántas o qué cosas deben suceder para que una persona cambie de manera de pensar y se convierta en otra?

—Cuando uno es joven —dijo Dicent— cree que el amor es absoluto, inmaculado, ideal, y cuando falla una relación adolescente los muchachos se echan la culpa entre sí, se muerden como ratas, se re-

173

prochan el haber fallado, el haber sido tan pusilánimes que no pudieron sacar adelante el amor. No importa cuánto se destruyan unos a otros en ese acto, tienen que aplastar al enemigo pues ambos luchan por algo más importante: porque el amor se mantenga inalterable, sin heridas, sin errores pese al fracaso.

Estábamos cenando en su palacete. Acababa de comunicarle que no me mudaría con él y Dicent no evitó decirme que estaba decepcionado. Pero decidió dejar abierta la invitación. Me comentó que había estado dibujando todo el día. Su pintura, según él, estaba asumiendo un rostro distinto en los últimos años. Un rostro ajeno al habitual, me dijo, pero muy bello. Y eso tenía que ver, agregó, con el amor.

—Es natural que quieran darse otra oportunidad —le respondí a Dicent—. Como usted dice, se trata de no perder la posibilidad de volver a amar como al principio. Es necesario pensar que lo falible es el hombre y no el amor. Creer en ideales puede ser un instinto de supervivencia.

—Puede que tengas razón —aceptó, poco convencido por la última frase.

—Entiendo. Debo parecerle muy ingenuo. Me imagino que usted cree que el fin de una relación comprueba que el amor es corrupto y equívoco y que no hay ideales absolutos.

—Eso estaría muy de acuerdo con mi fama de cínico ¿no? Bueno —dijo Dicent—, puede pensar lo que quiera, pero para poder sobrevivir he tenido que aceptar muchas cosas, entre ellas que la mentira del amor no tiene por qué ser una mentira en todos los casos. Pero, volviendo al tema, jamás aceptaré el sofisma según el cual el amor no falla sino los hombres.

—Quiere decir…

—Quiero decir —me interrumpió Dicent— que si asumiéramos que el amor no es tan perfecto y que es más bien un sentimiento elástico, no podríamos aceptar el argumento de la fatalidad y nos dedicaríamos a poner más énfasis en nosotros mismos, en tratar de no equivocarnos. Eso quiero decir.

La conversación había agitado a Salvador Dicent. Se levantó sin despedirse, sin beber la copa que se había servido, sin comer la cena que yo terminé sin su compañía. Se puso los lentes y salió del comedor. Otras veces había visto ojos muertos, pero nunca lentes muertos. Terminé de comer y di un vistazo por la ventana. Dicent inspeccionaba una de las redes colgantes de un árbol y luego se dirigía, sin mucho ánimo y con aspecto cansado, hacia la jaula donde chillaban sus pájaros hambrientos. Luego, levantó la cara hacia mi rostro en la ventana.

—He estado pensando —me gritó desde abajo— que podríamos ir un día de éstos a beber un trago en el Zeta. He estado encerrado mucho tiempo y ya es hora de que me deje ver un poco. ¿Quieres acompañarme o tendré que enfrentarme solo a la amabilidad de los pueblerinos?

—Desde luego que iré. Hace tiempo que no veo a Zeta.

Me sentía un poco ridículo conversando a esa distancia. Dicent empezó a caminar hacia la puerta de su casa con paso lento, como si hubiese envejecido una docena de años desde la cena. Yo dejé la ventana y descendí por las escaleras hacia la sala. Nos cruzamos frente a la biblioteca.

—Entonces es una cita —dijo Dicent y subió, huraño, sin decir más, hacia sus torres.

—Por lo que he sabido se ha hecho usted muy amigo de nuestro cazador de pájaros.

Zeta señaló el minarete, cubierto por una neblina espesa, que asomaba entre la copa de los árboles. Parecía un nido vacío en la punta de un árbol altísimo.

—Son cosas del destino —reflexionó Zeta—. Y pensar que yo los presenté; un orgullo para mí. Lo único que lamento es que ya no nos acompañe como antes. No deben olvidarse los viejos amigos por los nuevos.

Estaba resentido y no podía culparlo. El siniestro Agustín, espiando, lanzó una gran carcajada desde la cocina. Ya antes me había advertido el muchacho ladino que desde que me fui, Zeta se comportaba como una novia abandonada en el altar.

—Debe ser la "menospausia" —dijo aquella vez Agustín mientras insistía en llevarme a jugar póquer.

Ahora servía un trago a unos turistas belgas e intentaba hablarles en francés. Como no podía entenderlos me pidió que lo ayudase. Anoté el pedido en un papel que me dio Zeta, parado, casi con orgullo, detrás de mí. Entregué el papel a Agustín, quien apenas si dio un vistazo a mi letra temblorosa y se fue a cumplir la orden. Luego, devolví el lapicero a Zeta y fui a sentarme frente a mi martini. Como cuando uno toca una tela áspera que lo repugna, y aún después de varios minutos permanece la sensación palpitando en la mano, así el lapicero había dejado una estela desagradable que me ardía en la palma. Agustín volvió con una fuente de ensalada y trozos de pescado que los belgas rechazaron sin probarla siquiera. Agustín volteó a mirarme desafiante, reprochándome por haber tomado mal la orden. Me levanté, vi mi anotación, consulté con los turistas, descubrí mi error y arreglé el problema. Agustín se fue refunfuñando a la cocina. Zeta me dio una palmada en la espalda, ya no tan orgulloso.

Como lo habíamos acordado, un día fui a buscar a Dicent para tomar una copa donde Zeta. Caminar con él por el bosque era toda una experiencia. No dejaba pasar sin comentario ningún árbol, ninguna flor, ninguna mariposa, ni una sola nube que hiciera una silueta que él pudiese reconocer como idéntica a alguna de un bestiario medieval de nefelibatas. De vez en cuando se detenía para oír el canto de un pájaro para identificarlo plenamente.

—Una vez pude charlar con el pintor Jean Fautrier en ese mismo lugar —dijo Dicent, señalando el minarete que abandonábamos—. Es un artista muy curioso y al único que respeto en la actualidad. ¿Lo conoces?

—Creo que alguna vez vi una exposición suya en París.

—¿París dices? Imposible. Bueno, no sé si sabes que el horror a las cosas naturales lo llevó del naturalismo a la abstracción más rabiosa. Pues me sucede lo mismo.

—Pero usted no pinta cuadros abstractos —repliqué.

—No es necesario. He aprendido a hundirme en el detalle para huir de lo natural y entregarme a "la realidad" —dijo Dicent, poniendo una de sus zarpas sobre mi mano—, ¿me entiendes? La realidad me apasiona, pero lo natural me aterra. No entiendo cómo estos pueblerinos pueden construir las ventanas de sus casas mirando al mar y no terminan dementes unos días después.

Llegamos al pueblo. Dicent caminaba con recelo. Siempre tenía pánico a que algún turista lo reconociera y lo detuviera para conversar con él un par de cosas y felicitarlo.

—Ese es un nuevo tipo de cazadores de autógrafos —me explicó—, los que no piden tu firma ni piden tu fotografía, sino que quieren apoderarse de un minuto que te pertenece, rapiñar alguna de tus ideas si es posible, respirar tu aliento. Prefiero los autógrafos, lo peor que puede pasar con ellos es que caiga en manos de un grafólogo con manías de terapeuta que diga algunas cuántas estupideces sobre tu letra.

El bar de Zeta estaba lleno de extranjeros que acababan de bajar de un bus. Salvador Dicent, cogiéndome para impedir que siguiese avanzando, estaba espantado.

—Vamos mejor a la playa —dijo, señalando la línea del horizonte—, hace muchos años que no piso la arena del Reposo.

Felizmente, Zeta no nos había visto. Dimos media vuelta, caminamos por unos minutos y llegamos a la orilla. Algunos turistas paseaban descalzos, con los pantalones remangados e introduciendo de vez en cuando sus pies en el mar. Ninguno de ellos reconoció a Dicent, o si lo hizo no pretendió hacérselo saber. Más allá, por el muelle, una pareja bajaba de un barco. Iban bien vestidos y cargados de maletas finas que uno de los taxistas del pueblo cogía con descuido. Entre el equipaje se veía lo que podían ser un caballete y varios lienzos cubiertos por papel. El rostro de Salvador Dicent se endureció.

—Cada cierto tiempo —dijo con desprecio— vienen aprendices de pintores que esperan encontrar la inspiración en Busardo como se supone que yo la encontré. Imitadores sin talento. Sin nada más que dinero y tiempo para perder. La ciudad los expulsa con maldad en menos de un mes. Apenas regresan a sus países, se vengan pintando unas marinas desastrosas o repugnantes escenas nativas con las muchachas púberes de Busardo. En realidad, amigo, somos unos privilegiados. Busardo nos ha adoptado.

Cruzamos por una breve explanada de madera que en verano sirve como pequeño puerto paralelo de donde salen los botes de paseo y las bicicletas de mar que se alquilan a los turistas. En invierno, la explanada solía estar vacía. Pero esta vez había un niño, no mayor de doce años, que sostenía la cuerda de una embarcación bastante maltratada.

—¿Sabes manejar uno de ésos? —preguntó Dicent, señalando el motor del bote.

—Puedo intentarlo —contesté.

Alquilamos el bote y nos introdujimos en el mar con cautela de aficionados. Estábamos tratando de pasar las olas cuando vimos que desde la orilla un grupo de muchachos agitaba sus manos como reconociéndonos. Ninguno de los dos devolvió el saludo. Estuvimos bordeando la playa, cruzándonos de vez en cuando con los botes de remos de los pescadores que regresaban a sus casas, o acercándonos a los hocicos de los barcos de paseo que rondaban Busardo siguiendo su ruta de crucero. A lo lejos, Dicent descubrió unos chorros de espuma como los que expele una ballena. No hallamos explicación para tal fenómeno. Como un niño, insistió en que deberíamos ir hasta allá. Dudé de mi destreza como conductor de un fuera de borda y me negué a ir tan lejos. Dicent, obviamente frustrado, estiró sus piernas. Al hacerlo golpeó una botella, abierta y medio bebida, de aguardiente. Recogió la botella e inspeccionó el líquido, primero con la vista y luego con el olfato. Curioso, buscó un nuevo botín. Encontró una revista pornográfica que lo hizo soltar una carcajada

—Estoy seguro —dijo sin dejar de reír— de que si advertimos al dueño del bote de este contrabando, el muchacho aquel tendrá algunos problemas. ¿Lo hacemos?

Me miró con picardía, juguetón.

En ese momento, el bote golpeó contra algo duro, dio un respingo y se apagó el motor. Mientras trataba de encenderlo vi que Dicent buscaba intrigado el objeto con el que pudimos habernos estrellado. Era una boya de límite. Pero a su lado flotaba otro objeto. No parecía ser una roca ni una tabla, sino algo alargado como un tronco, aunque verde fosforescente. Parecía de plástico. El bote demoraba en encender mientras la corriente nos acercaba al objeto. Dicent se levantó para observar mejor lo que flotaba ahora sólo a unos metros. De pronto, dio un paso hacia atrás, se llevó las manos a la boca y cayó de bruces. Volteé a ver qué lo había hecho caer. Una persona delgada y pálida, con la cara levantada hacia el cielo, yacía ahogada en medio del mar. Parecía un muchacho no mayor de veinte años. No podía descubrir dónde le había dado el golpe, pero era evidente que no en el rostro pues éste estaba intacto, aunque violáceo. El resto de su cuerpo ya tomaba esa apariencia lívida, esfumada, de fantasma. La muerte en el mar convertía el último gesto del muchacho en una sonrisa diabólica.

—Lleva muerto varias horas, quizá días —dije—, se está descomponiendo. Lo mejor es que avisemos al guardacostas.

—¿Cómo flota? —tartamudeó Dicent.

Escudriñé el cuerpo aguzando la vista y llevándome la mano como visera sobre los ojos.

—Al parecer lleva un salvavidas. Es como si se hubiese caído de un barco.

El bote, a merced del viento, fue acercándose al cadáver. Ya casi lo rozábamos cuando Dicent chilló.

—¡Vámonos de aquí! ¡No seas torpe! Enciende esa cosa y vámonos de aquí.

Impulsado por su grito trabajé el motor, que se encendió de inmediato después de una tos seca. El bote tomó velocidad y lo conduje a la orilla abriendo un profundo surco en el mar. Dicent estaba inmóvil y con el rostro y los labios sin color. Su aspecto, sin embargo, no era de pánico sino de quien se debatía entre la tensión y cierta mirada escurridiza, cobarde, de verdugo.

Le pedí a Dicent que me acompañara a la delegación para hacer la denuncia. Se negó de plano. Por más que insistí no quiso ir. Se excusaba de todas las formas posibles, mirándome con cólera por mi insistencia. De pronto, todo aquella sosegada lividez de su rostro en el bote se había quebrado como una máscara de yeso y dejaba ver un rostro lleno de espanto. Permití que Dicent se fuera a su palacete mientras yo iba a hacer la denuncia. La gestión no demoró más de una hora. La policía y los guardacostas se comportaron burocráticamente y sólo tuvieron un gesto de comprensión conmigo, apenándose por lo que yo había tenido que pasar. Pero el cadáver no los conmovió en ningún momento. Observé desde el muelle cómo un bote de la guardia costera extraía el cadáver con una grúa en forma de pinza. Lo mantuvieron unos segundos en suspenso, chorreando agua. Era un espectáculo obsceno, pero me sentía incapaz de no observarlo, como si mi presencia pudiera darle un poco de sentido y dignidad a esa muerte que, al parecer, a nadie le interesaba.

Mientras regresaba a mi albergue tuve la sospecha de que lo que había denunciado no resultaba nada fuera de lo común para la policía. Un hecho acostumbrado, a pesar de las pacíficas aguas de Busardo. ¿Tan común era que alguien cayese al mar? O, más bien, ¿podía finalmente alguien acostumbrarse a la muerte? Era la primera vez que veía un muerto, y la escena —el cuerpo hinchado escurriendo agua mientras era alzado sobre el mar, el contraste entre la palidez de los brazos y el fosforescente verde del chaleco salvavidas— no me dejaba en paz.

Y, como telón de fondo, el rostro acobardado de Dicent y su terca negativa de ir a la comisaría. Tenía que aferrarme a alguna tabla de salvación para no sucumbir, para no ceder, para no dejarme convencer de que hay cosas intolerables que pueden llegar a aceptarse sin escozor, sin rebelarse. Sólo cuando llegué a mi cuarto pude hallar esa salvación. Curiosamente, fue la imagen de Alberto Moravia seguido por fanáticos en Via Veneto la que me reconfortó un poco. Una revista comprada frente al Zeta unos días atrás, y que aún no había leído, anunciaba su muerte en primera plana. Recordé de inmediato mi curioso encuentro con él en Roma y se me vino a la memoria aquella frase de Marco Aurelio que estuvo dando vueltas en mi cabeza desde aquella vez: *Solicito un alma que sostenga un cadáver*. Eso me tranquilizó un poco. También yo solicitaba eso, aunque no iba a ser fácil encontrarla. Esa imagen, la radio que la dueña encendió en la cocina y una pastilla de Lexotán, me hicieron conciliar el sueño.

Días después me enteré por el diario de Busardo de que el joven muerto era un muchacho florentino, apellidado Stagnaro, hijo de una familia de mucho dinero, dueña de alguna peletería importante en Florencia. La versión oficial sobre la causa de su muerte fue suicidio.

El fin de mis sueños siempre está marcado por el comienzo de los sueños de otros. Después de mi discusión con Kaas, ella y Mario empezaron a verse más unidos cada minuto, lanzando a Estefanía y a mí hacia una periferia donde existían la añoranza, la nostalgia, los celos e incluso el cariño, pero no el amor, no aquello que hace hervir la sangre, que revienta el cráneo a fierrazos. Estefanía no se daba cuenta de nada. Era lastimoso verla levantarse de la mesa del restaurante del Normandía después del almuerzo y salir a la calle, a ver "pasar a la gente" como ella decía con su pausado castellano, sentada en una de las bancas del parque frente al hotel, bajo unos castaños exangües. Unos niños jugaban a su alrededor, descalzos a pesar del frío, y Estefanía suspiraba profundamente llena de sincera lástima por ellos. Mientras, Kaas y Mario conversaban, sin dejar de mirarse uno al otro, moviendo las manos por el aire como pájaros desatados. Mi único alivio era saber que para Kaas la hora de la siesta era sagrada y que, por ahora, eso era algo que sólo podía compartir conmigo. Todos los días dejábamos a Mario resignado a acompañar a Estefanía, sin terminar jamás de despedirse de Kaas, y subíamos a nuestra habitación. Invariablemente, Kaas cogía un libro y se dormía en seguida. El libro se resbalaba de la cama y yo lo recogía. Kaas dormía últimamente con una sonrisa en los labios que me enfadaba. De pronto, sentía celos no sólo de Mario sino de todas aquellas personas que podían aparecer en sus sueños. Personas que nada significan en sí mismas, salvo una combinación aleatoria de rescates del día; pero que en su conjunto podían sumar una verdad que la hacía sonreír.

Un día, Mario no pudo resistir más las tardes sin Kaas y decidió interrumpir su siesta. Llamó con un par de golpes prudentes de sus nudillos y yo le susurré que pasara, que la puerta estaba abierta. Lo que Mario vio lo sorprendió. Parecía el ritual de un velorio: Kaas durmiendo apenas cubierta por una sábana y yo tratando de leer, sentado bajo una lámpara de velador que he cubierto con papel cebolla gris para no relumbrar a Kaas. La habitación sumida bajo esa luz desmayada obligaba al silencio. Mario, un poco avergonzado, se excusa y me dice en voz baja que venía a preguntarnos si queríamos acompañarlo al bar, pues Estefanía tenía dolor de cabeza y había preferido echarse a descansar. Me levanto, apoyo mi mano sobre el hombro de Mario y lo saco del dormitorio sin decir una palabra. Una vez fuera, cierro la puerta y lo decepciono aceptando ir con él a tomar una copa.

—Nunca he entendido eso de la siesta en ustedes —dice irritado Mario, tomando asiento en el Zeta—, debe ser algo como el té para los ingleses.

—Más o menos.

—Estefanía y yo pensamos dejar en unos días Busardo. Vamos a la casa de campo de sus padres, en Barcelona. Pensé que querrían acompañarnos.

—No creo que partamos tan rápido de Busardo.

—¿Por qué? —casi gritó Mario, sin entender cómo podíamos exprimir más a las ruinas—. Ni siquiera parecen interesados en hacer la ruta de la batalla.

—Estamos esperando a un amigo.

La mención a Leopoldo, aunque falsa, me hizo extrañarlo. La voz llena de estridencias de Mario sólo ahondaba la añoranza de mi amigo.

—Oh, bien —dijo después de procesar en silencio la información— En ese caso creo que a partir de este momento empieza la despedida. Debemos divertirnos. La vez pasada —dijo en tono cómplice— fui a la discoteca del pueblo. La música es pésima, pero el ambiente tiene muchas posibilidades. Hay muchachas muy guapas, muy liberadas y eso.

—No entiendo —dije sinceramente—. ¿Es una invitación sólo para mí o debo decirle también a Kaas lo de las muchachas?

Mario se puso serio. Debí sentirme arrepentido por ser tan duro con él, que después de todo sólo trataba de ser amable o amistoso, pero no me sentía mal.

—La idea es ir con ellas también, por supuesto —se defendió.

Si hubiera habido alguna posibilidad de estrechar algún vínculo amistoso con él, yo acababa de romper toda esperanza. Mario, haciéndome a un lado, observaba con interés el desplazamiento de una mujer del pueblo, de nalgas prominentes y con una cesta bajo el brazo. Esta vez no parecía dispuesto a compartir su libido conmigo. Zeta trajo la fuente de pescado y mariscos que había pedido Mario haciendo tronar los dedos y dictando la orden de soslayo, sin mirarlo a la cara. El plato parecía delicioso. Destacaba el pulpo, que en Busardo podía considerarse casi un símbolo nacional. Nos llevamos unos trozos a la boca y comimos sin dirigirnos la palabra, cada cual encerrado en su coto privado, en su mudo desprecio por el otro.

—Es tarde —dijo Mario, dando por terminada la tortura—. Tengo que ir a buscar a Estefanía.

Pagamos sin terminar la fuente y nos fuimos al hotel. Para mí era evidente que Mario tenía una esquizofrenia tremenda según la cual el hombre que creía ser anulaba todas las acciones y decisiones que tomaba el hombre que en realidad era. Yo había descubierto su juego y puesto fin a la hipocresía. Todas las cartas estaban descubiertas sobre la mesa. Se había enfadado conmigo el muy zoquete. Caminaba con tanta rapidez que en cualquier momento, daba la impresión, empezaría a correr para dejarme atrás, para huir de mí. A lo lejos, el minarete de cemento y ladrillo de Salvador Dicent vigilaba con hostilidad nuestros pasos por la Vía Dolorosa, pero entonces ni Mario ni yo nos dimos por aludidos.

Mario y Estefanía dejaron Busardo sin grandes despedidas. Él no podía ocultar su frustración. Buscaba con cualquier pretexto hablar a solas con Kaas; confabulando en voz baja, hablándole al oído, cuando lograba capturar su atención. En el momento mismo de la partida, mientras la abrazaba para despedirse, Mario se veía inconsolable en tanto que Kaas estaba más bien sosegada, con ese sosiego suyo que tanto se parecía a la tristeza. Casi sentí compasión por el pobre diablo. Él me veía como un vencedor, sin saber que sólo se alargaba para mí lo inevitable. Al día siguiente de su partida, Kaas, como librada de pronto de un lastre, me propuso con una sonrisa dulce hacer un almuerzo en la playa. El verano ya se había declarado y Busardo adquiría poco a poco su altivez y su movimiento, sus calles se llenaban de paseantes, las puertas de las casas se abrían y las ruinas oscuras cedían su protagonismo en beneficio del balneario encendido con el color de las toallas y las trusas de baño. Hicimos los preparativos durante la mañana y luego bajamos al Reposo un poco más tarde de lo previsto pues Kaas tuvo un poco de fiebre temprano y no se sentía con fuerza para bajar a la playa. Cuando llegamos, aún había veraneantes, pero casi todos en las calles, en cafés y heladerías, y sólo unos pocos aún recostados en el Reposo. Nos tendimos en la arena para pasar la tarde. Ella leía la exitosa primera novela de una joven escritora francesa, y yo, sabiendo que sería imposible extraer mi *Balthazar* del bolso sin provocar una nueva discusión, pasaba por un momento de ósmosis con una gaviota sobrevolando el mar, sintiendo en mi cuerpo el paso de las olas, el borde con pliegues bañando la orilla y el retiro de la resaca hacia la línea del horizonte. Luego de un rato Kaas me propuso caminar hacia la punta del espigón. Dimos un paseo cogidos de la mano. Nos sentamos en la piedra negra del espigón, entre cuyos agujeros de roca podían verse restos de la pesca, pedazos de cordel, anzuelos quebrados y pocitos de agua sucia. Las olas se estrellaban contra la roca y caían sobre nuestros rostros como garúa. El viento crepuscular, caritativo, se negaba a correr con la fuerza de la semana anterior y su brisa era agradable. Estuvimos juntos ahí, inmóviles, hasta que decidimos volver a nuestras toallas extendidas y cambiar de lugar para almorzar, aunque por lo avanzado de la hora más preciso sería llamar a esa comida un aperitivo antes de la cena. Caminábamos con nuestras cosas bordeando la orilla del Reposo. Kaas tenía en la mano una cesta con salame y un *baguette*. Yo llevaba el vino y la manta, además del bolso con las toallas y el resto de cosas de playa, incluido el libro de Kaas y mi Durrell. Era la hora del crepúsculo y algunas parejas buscaban, tratando de pasar inadvertidas, un lugar para hacer el amor entre los botes de los pescadores o los matorrales. Mi presencia molesta, sumada a la lánguida y casi mágica de Kaas, con el cabello y el vestido agitado por el sofía, los obligaba a una pausa en sus impulsos y hacerse los distraídos. Por eso sentía que nos miraban con cierta hostilidad cuando les dábamos la espalda. Kaas, sin preocuparse por eso, se había detenido para conversar con uno de los últimos pescadores en arribar a la costa.

—Jamás olvidaré este lugar —le dije, abrazándola por la espalda—. No olvidaré este sonido ni esta comida ni esa gaviota. No cualquier gaviota sino "esa" gaviota.

—¿Sabes qué creo sinceramente? Que esa manera tuya de ver la vida tan poco práctica, tan llena de poesía arruinó todo lo que habíamos logrado.

Dijo la palabra poesía como si la escupiese. Dejé de abrazarla.

—Incluso —continuó Kaas— pienso que si no hubieses estado preparándote desde el primer día que nos besamos para soportar una hipotética despedida, quizá no habríamos tenido que pasar por todo lo que hemos pasado.

—No puedo ir contra mi carácter, ya te lo dije. Soy demasiado racional, siempre supe que separarnos era una probabilidad. ¿No tenía razón acaso? Quizá soy demasiado realista.

—Yo diría más bien nostálgico —me dijo—, prefiero perder las cosas antes de luchar por ellas.

—Lo lamento.

—¡Cómo es posible que no te des cuenta! Mira cómo nos han educado, llenos de encanto, unos señoritos bastante fuera de época, no sabemos cómo comportarnos, somos tan frágiles, tan inútiles. Después de todo, ni tú ni yo tenemos la culpa, pero ¿cómo es posible que no te rebeles?

—Lo siento, quizá tengas razón pero no es tan fácil para mí. De verdad lo siento.

Kaas, de pronto comprensiva, construyó una sonrisa para mí y me cogió una mano. En las personas trágicas por definición, como ella, esas sonrisas incondicionales son espléndidas, inolvidables.

—He estado pensando que tenemos que separarnos por un tiempo. Es imprescindible. No sé cuánto tiempo debemos dejar de vernos, pero sé que es necesaria la separación —me tomó la mano—. Tengo que poner mis cosas en orden, tú sabes cómo soy, me gusta pensar en todo, tener todo bajo control. Tengo que estar bien conmigo misma para poder estar bien con alguien. Y siento que también para ti será bueno ese tiempo, estoy casi segura. Tenemos que ser sensatos ¿no? Si, después de todo, volvemos a juntarnos, que sea para siempre, sin dudas. Antes de eso es mejor que ambos crezcamos un poquito por nuestro lado.

Hablaba como quien habla a un niño. Me había convertido en su pequeño. De pronto, como si lo que me había dicho sin énfasis no hubiera terminado de matarme, me dio el tiro de gracia: se desperezó juguetona y salió corriendo tras una bandada de gaviotas que descansaba sobre la arena. Las gaviotas levantaron vuelo y Kaas las persiguió un rato y luego se arrojó sobre la manta, a mi lado. La sombra que esas gaviotas proyectaban sobre nosotros era, como en un sueño, una luz que destacaba los elementos de la naturaleza: una porción de océano, la orilla, una roca, un monte, una sombrilla, una pareja de jóvenes, otra pareja más allá, nosotros. Una vez que la bandada abandonaba a los objetos, éstos volvían a la oscuridad de la realidad —tras bambalinas, como actores esperando su próximo momento de luz para existir— a vivir su vida obscena en el sentido literal de la palabra. Esa última imagen, ese regalo agónico, terminó por derrumbarme.

—Kaas —le dije sin dignidad, cogiéndole la mano antes de levantarnos para volver al hotel—, déjame alquilar un piso. Estemos aquí juntos por unas semanas, unos meses, mientras pasa el verano. No nos separemos aún, aún no por favor. Démonos esa última oportunidad.

Sin pensarlo, sin rechazarme, Kaas dijo incomprensiblemente "sí", me dio un suave beso en los labios y empezó a caminar hacia Vía Dolorosa. De pronto, se detuvo, bajó la cabeza y recogió en un moño los mechones de su pelo que el viento, ahora sí con su habitual violencia, insistía en agitar como látigos.

Volví a la casa de Dicent al día siguiente de nuestro desagradable paseo en el mar. Me recibió en le vestíbulo. Supuse que lo encontraría con los nervios alterados, pero parecía radiante.

— Hoy tengo un no sé qué espíritu a lo Jane Austin —dijo, afectado, tratando de bromear—. ¿No me acompañas a dar un paseo por el jardín?

Salimos del palacio rumbo al jardín. Pero a diferencia de los jardincitos primorosos de las novelas de Austin, el de Dicent era más bien barroco y exagerado y expulsaba a sus visitantes. Pero Dicent parecía fascinado con él y caminaba con auténtico deleite. Cruzamos la cancha de tenis hacia la jaula.

—Nunca he jugado bien este deporte —confesó cuando dejamos la cancha—, pero le tengo cierto cariño. Es el único deporte que he intentado dominar alguna vez.

Cogió una raqueta y buscó una pelota con la mirada. No pudo encontrarla y dejó caer la raqueta desanimado. Llegamos hasta la jaula de los pájaros. Estaba descubierta, con la lona en el suelo. Los colores abigarrados, de las diferentes especies de aves hacían ahora, como un giro desafortunado del calidoscopio, una figura compleja, difícil de tolerar por mucho tiempo.

—¿Fuiste ayer a la policía? —me preguntó al fin Dicent.

—Claro que fui. Es curioso, pero actuaron como si ya hubieran estado enterados del cadáver.

—No sé de qué te sorprendes. Lo más probable es que realmente lo supieran y sólo estaban esperando un papel para levantar el cadáver. Después de todo, no es una playa tan grande como para que algo así pase inadvertido. Debiste haber pensado en eso antes de ir a la delegación y meterte en problemas.

No repliqué. Su humor parecía haber cambiado un poco. Empezó a vaciar una caja de alpiste en una jaula pequeña de canarios australianos que tenía a un lado de la jaula mayor. Los pájaros se arrojaron excitados hacia la comida, pero cuando empezaron a picotear el alpiste sus ganas se extinguieron por completo. Dicent, al ver eso, levantó la caja y se puso a leer con el ceño fruncido los detalles del producto.

—El peor. Todos los días vienen a dejarme las provisiones y siempre me dejan lo peor de todo —dijo, soltando la caja en la jaula más grande.

El viento empezó a arreciar. Una rama cayó desprendida de lo alto de un árbol en una de las esquinas del jardín. Cuando tocó el suelo de hojarasca y semillas, como un colchón, se escuchó un golpe seco. Me pareció que Dicent no estaba prestando atención a la corriente de aire, pero me equivoqué. Apenas oyó el golpe de la rama me recomendó volver a la casa.

—Mal alpiste y viento peligroso. Se avecina uno de esos tornados pigmeos de Busardo. Suficiente para romper el encantamiento de Jane Austin. ¿No le parece?

Volvimos al palacete. Ahora sí Dicent había perdido todo el sentido del humor. Me condujo a otra biblioteca, ubicada en el primer piso, y se afanó en encender una chimenea. Los troncos verdosos empezaron a crepitar luego de un gran esfuerzo.

—Sobre el episodio de la playa —dijo Dicent mientras se sacudía las cenizas de su ropa y se arrellanaba en un sillón—, espero que no se haya enfadado conmigo porque me negué a acompañarlo a la comisaría. Creo que perdí un poco los papeles.

—No se preocupe —dije, sorprendido de que hubiéramos vuelto al usted—. Y si quiere saberlo, no mencioné su nombre, no creí que fuera necesario.

—Se lo agradezco en verdad, eso me alivia mucho. No me gustaría verme implicado en los líos domésticos de Busardo —Dicent no mentía, estaba realmente aliviado—. Quizá le sorprenda mi temor a la muerte, sobre todo si tiene en cuenta esa fama de escéptico que me han hecho los diarios. Y, es cierto, la muerte nunca me resultó difícil de aceptar intelectualmente. Pero ver ese cadáver de una manera tan abrupta, tan inesperada… en fin, como dice el refrán, "Nadie se acuerda de Santa Bárbara hasta que truena".

—Siempre pensé que la muerte era un tema muy importante en su pintura. Si no me equivoco, tiene una serie muy célebre de acrílicos sobre el ritual de los entierros que hizo cuando vivía en Europa.

Por primera vez desde que lo conocí, Dicent pareció encantado de hablar de su pintura, como si necesitaba con urgencia cambiar de tema. Se acomodó en el sillón y se pasó la mano por la barbilla, tomándose su tiempo antes de contestar.

—... Pero créame, amigo —dijo finalmente, después de hablar sin pausa, durante una hora, sobre su pintura—, esa etapa de muertos y rituales ya pasó. La realidad desconfía de los grandes temas y yo estoy plenamente de acuerdo con ella. Por eso prefiero ir paso a paso. Ésa es mi técnica para pintar *Algunos ángeles*, mi obra cumbre según los más notables perdonavidas de los periódicos. Me siento tan cómodo conversando contigo que me han dado ganas de beber. ¿No querrías prepararnos unos martinis? No acostumbro hacer cumplidos sobre tragos, pero debo reconocer que nadie los hace como tú.

Entonces, tal como acordamos esa tarde en la playa, Kaas y yo nos daríamos una segunda oportunidad. Para cumplir con aquella tregua alquilamos un pequeño departamento amoblado en un edificio en Azul. No fue tan difícil encontrarlo pues el verano estaba terminando y la gente daba por concluidas sus vacaciones en Busardo. Nosotros casi no habíamos disfrutado juntos el verano por culpa de mi intolerancia frente a la recua de veraneantes con bermudas y sandalias. Intenté vencer mi misantropía, pero me resultó imposible. Kaas tenía que bajar sola a la playa y volver a la ciudad para almorzar conmigo. Como una concesión a las dudas de Kaas, y para no precipitar las cosas, decidí alquilar el piso con dos dormitorios. Me acomodé en uno de ellos, que daba al pasillo, dejando el de la vista al mar para Kaas. Nos mudamos lo más pronto posible del hotel Normandía. Kaas había decidido darle al departamento un toque personal, un aspecto de hogar, muy distinto del de los fríos cuartos de hotel, y hasta del improvisado piso malagueño. Mientras Kaas se tendía a tomar sol en el Reposo, yo me iba aficionando al bar de Zetà y su conversación. Después del almuerzo ella volvía a la playa por una hora y yo al departamento. Kaas regresaba, se duchaba y tomaba una siesta. Luego, antes de que anocheciera, nos dirigíamos a alguna de las reuniones que solían llevarse a cabo en el hotel Normandía o en algunos bares aledaños, donde los turistas no tan jóvenes se divertían tratando de quemar las naves de los últimos días de verano en Busardo. Kaas parecía divertida y se notaba resplandeciente, brillaba en el contexto de esas fiestas galantes en las que todos terminaban ebrios y haciendo planes dementes que jamás cumplían, típicas ensoñaciones decadentes, como el ir a bailar una danza griega en las ruinas o ir a buscar a la medianoche a Dicent, de quien decían que era licántropo y tenía un castillo atiborrado de fantasmas. Como mi mutismo me hacía un ser invisible, Kaas estaba siempre rodeada de veraneantes risueños que parecían estrenar su bronceado con ella, la más guapa y sofisticada de las mujeres que aún permanecía en Busardo. Kaas, aunque dándoles esperanzas por coquetería, siempre terminaba rechazándolos para volver conmigo al departamento. Uno de los amigos más jóvenes, un muchacho bastante alto aunque lánguido y con fama de aristócrata sin oficio, había decidido largarse a veranear con una muchacha de Busardo a las islas Baleares y le dejó a Kaas en préstamo las llaves de un Jaguar blanco convertible. El Jaguar conducido por ella cruzaba Vía Dolorosa con un ruido destemplado tronando en cada rincón de la ciudad. Pronto ese ruido atropellado se volvió el fiel anuncio de su presencia. El auto era una joya y muchas veces aproveché que Kaas dormía para subirme en él y dar un par de vueltas. Siempre descubría en el auto el olor de Kaas mezclado con el de otros perfumes. Y siempre también, infaltable, una botella de champaña vacía que terminaba su vida entre los asientos forrados de la parte trasera o en la maletera del convertible.

El amor nos muestra cuál es el límite. Kaas me hacía daño, pero nunca el suficiente como para dejarla o, por lo menos, para abofetearla como un energúmeno porque su conducta contradecía la tregua que había imaginado para nosotros. Vivir en la misma casa pero sin mirarme siquiera no era el trato. Las noches terminaban mucho antes para mí, que solía esperar a que Kaas llegase a la casa —caminando ebria aunque sin perder los papeles— y se introdujese en su habitación sin haber asomado antes su cabeza por mi cuarto que, invariablemente, tenía la puerta abierta. Desde mi cama veía que Kaas cerraba su puerta. Y por la ranura podía darme cuenta en qué momento ella apagaba la luz. Recién entonces yo podía contemplar como algo real y no fantasía, como algo más que un anhelo de insomne, la posibilidad de dormir un poco.

Siempre, los chillidos de una gran población de pájaros acompañaban mis conversaciones con Dicent. Estábamos distrayéndonos con un juego de mesa que acababa de regalarle a Dicent un admirador de Nueva York. Un auto de plástico debía avanzar gracias a un dado por un camino que simulaba ser la vida y sus tribulaciones. Dicent, monotemático durante las últimas semanas, insistía en hablar del amor.

—Te atormentas por una relación que falló —dijo—. Ése es tu misterio, el misterio de por qué estás recluido en Busardo.

—Espero que no quiera burlarse de eso.

—Al contrario. Aunque no lo creas, las mayorías de mis obras están dedicadas a una mujer, y su retrato ha sido reproducido con frecuencia mediante algún misterioso color reflejado en los espejos interiores de mis cuadros.

No oculté mi sorpresa ante la confesión.

—Eso fue hace mucho tiempo —agregó—. Por cierto, escuché una vez a un científico decir que podía comprobar que el amor era una dimensión distinta, una cuarta dimensión.

—Y los hombres que aman son aquellos que saben vivir a caballo entre una y otra dimensión —ironicé—. El hombre era en realidad un poeta, no un científico.

—Tonterías, no has entendido, se trata de dimensiones y no de cuartuchos de hotel. Y no es poesía, es algo científico que debe poder comprobarse para ser tomado en serio. Algo así como una suma o una resta, vamos, una ecuación cualquiera.

Estábamos jugando en la cúspide del minarete, con la lluvia resbalando por los grandes ventanales, con los cristales constelados de lluvia y escarcha. Me imaginé que desde el pueblo podría parecer que nevaba dentro del minarete, como si éste fuera uno de esos pisapapeles con forma de campanas de cristal que los enamorados regalan a sus novias. Dentro hay una ciudad, o un palacio, y si la muchacha agita la campana empieza a caer la escarcha de colores o la lluvia transparente, y ella empieza a ejercitarse en la nostalgia. Estaba escarchando sobre la bola de cristal del palacete de Dicent, quien bebía un té oriental con sorbos temblorosos como si repitiese en cada uno de ellos la palabra *rosebud*. Dicent me ganó la partida pues consiguió llegar exitoso y con una buena renta al último escaño de su vida y, sin otorgarme la posibilidad de una revancha, dio por terminada la sesión, guardó el tablero y me dio la ficha de regalo, un carro de plástico con un solitario conductor dentro.

—A veces envidio tu juventud —me dijo de pronto— esa seriedad ante los desengaños.

—Desde hace años que no me considero joven —le contesté para callarlo, pero él no se detuvo.

—Quiero que me cuentes tu historia de amor en la biblioteca del primer piso. Tomaremos café, o un martini si prefieres.

—Mi historia no es tan complicada, no necesitamos movernos de aquí —le dije, mirando hacia los ventanales—. Simplemente intenté algo que no resultó, como no resulta nada en mi vida. Por cierto, me olvidaba decir que ella me acusaba de melodramático.

—¿Melodramático? ¿tú? —se burló Dicent con una sonrisa infantil, levantándose de su silla para encender el fuego en la biblioteca—. Pero si esa mujer no te conocía nada de nada.

Y, celebrando su broma, empezó a caminar hacia la biblioteca.

Durante aquellos días de tregua, casi me sentía con el deber de pedir disculpas por intentar preservar intacto, inamovible, el instante efímero en el que Kaas y yo, uno para el otro, fuimos irrepetibles, únicos; aquel en el que dijimos las mismas palabras que todos los que se aman dicen, e hicimos las mismas promesas de siempre, pero donde cada promesa y cada palabra fueran nuevas y distintas para este amor, nacidas por generación espontánea para ese momento y condenadas a oscurecerse luego hasta desaparecer. ¿Cuánto tiempo estuvimos juntos? Cinco años o quizá más. O quizá menos. Un año y meses, digamos, o dos semanas. Sólo trece, cinco o cuatro días. ¿Cuánto pudo ser? Horas, lo que dura una batalla, el par de minutos antes de la muerte, con nada en el pasado y nada después. Fuese como fuese, todo se resumía en un punto estrecho, un aleph que encerraba en un átomo el espacio y el tiempo, que yo construí y cuidaba como una joya para no perderlo jamás.

Durante esa temporada agónica en Busardo descubrí que Kaas era el sentido de mi vida, aquello que le daba un significado a cada acto que realizaba, incluso a aquellos que no se vinculaban directamente con ella. Estaba tan convencido de que su presencia en mi vida era un premio, que llegaba a considerar los defectos de Kaas como una concesión a mi torpeza, como una gentileza de su parte. Ella se había dado cuenta, antes que yo, de que Busardo nos desafiaba. Había decidido vencerlo, aunque el tiempo del verano ya se estaba agotando y empezaba el otoño. Kaas, como yo, era una criatura sin templo y sin hogar. La recua de veraneantes retornaba a sus casas en todas partes del mundo, aunque el círculo más íntimo de elegantes que había adoptado a Kaas aún persistía en Busardo. Pero la ausencia del "otro" para medir sus éxitos, para diferenciarse, para menospreciarlo, hacía que las bromas y fanfarronadas fueran menos divertidas. La crisis de esa aristocracia, inerme ante la falta de los demás para ofenderlos, la obligaba a ser más osada y a llevar a cabo lo que antes eran sólo bravatas, so pena de parecer mentirosa. Uno de esos días, Kaas volvió al departamento y se dirigió a su cuarto dejando tras de sí un rastro de arena roja. Después de eso no volvió a salir durante una semana, limitándose a estar a mi lado muy silenciosa y asustada como un animal intimidado a palos. Dos días más tarde me confesó que lo que tanto la había asustado era el haber ido, pasada la medianoche, con su grupo de amigos, a las ruinas, pero no recordar qué fue lo que hicieron. Así de ebria estaba. Tanto para Kaas como para mí el hecho de imaginarla haciendo y diciendo tonterías, ella que solía ser tan cauta, y emborrachándose en medio de las ruinas, nos resultaba insufrible. Por su parte, el Jaguar era testigo del hecho y también estaba lleno de la arena de las ruinas, por lo que deduje que había llevado en el convertible a todos sus amigos. Sin embargo, esa embarrada de arena no fue lo peor que le esperaba al auto. Una madrugada, cuando Kaas ya estaba recuperada de la mala experiencia y volvía a salir de noche, no fue ella quien entró sigilosa al departamento sino un policía que aprovechó que yo había dejado la puerta entreabierta. Parado en medio de la sala, me informó que esa noche Kaas había estrellado el Jaguar contra la casa de una familia de pescadores en la entrada de Azul. A la familia no le había pasado nada, pero el frontis de su casa tenía que ser reconstruido. Kaas estaba en la clínica, aunque la peor parte la llevó el hombre que la acompañaba en la parte delantera. El copiloto debió ser evacuado esa misma madrugada, en helicóptero hasta Inglaterra, su patria, para recibir tratamiento. El policía no había aún terminado de contarme el accidente cuando yo había ya bajado las escaleras y corría hacia la única clínica de Busardo.

—No te preocupes, estoy bien —se apresuró a decirme Kaas cuando me vio entrar con prisa y miedo a la clínica—. Pero será mejor que de todos modos me vayas haciendo la partida de defunción para cuando Sebastian vea cómo he dejado su convertible.

Me quedé mirándola. Había cerrado los ojos. Acababa de hacer una broma, pero se le había olvidado sonreír.

El traumatólogo exigió que Kaas llevara puesto un collarín por una semana. Obligada a tener el cuello erguido, su mirada se volvió distante, ensimismada. Decía aburrirse en el departamento, pero, a la vez, estaba muy asustada para salir a la calle. Del accidente sólo recordaba que tuvo miedo de morir. La sensación del miedo a la muerte había quedado atrapada en algún lugar intermitente de su memoria y volvía a repetirse cada minuto como una pesadilla. El temor la había convertido otra vez en esa mujer amable y frágil de cuando empezamos a salir después de nuestro reencuentro; en aquella de quien mi madre, después de una velada agradable que organizó para ver cómo había crecido mi noviecita del nido, sólo pudo decirme, lacónica, que ella me amaba en serio y que, por consiguiente, yo no debía hacerle perder el tiempo. Todo ese temor de Kaas significaba para mí una ilusión, la esperanza de que me eligiera de nuevo, aunque fuera sólo por ganas de algo estable y seguro donde no arriesgar su vida. Qué poco conocía a Kaas. Ella estaba atemorizada, pero había dejado de amarme. No pude más al verla tan dulce, pero tan distante, y le conté todas mis dudas, rompiendo aquella tregua silenciosa que estaba destrozando mis nervios.

—No digas que no te amo —me advirtió Kaas después de escucharme.

—Ya sé que me tienes cariño —le dije— Eso es evidente y te lo agradezco. Pero yo estoy hablando de amor.

—Nunca vamos a ponernos de acuerdo. Es inútil hablar contigo cuando te pones a jugar con las palabras.

Estaba recostado a su lado. Una orilla falsa pero hermosa, eso era su cuerpo. Recostado ahí me di cuenta de lo vano que había sido al pensar que Kaas y Mario habían tenido una aventura. Pero tampoco estaba totalmente equivocado. Me di cuenta de que Kaas, desde el principio, había puesto a Mario en el lugar de la biblioteca donde se guardan aquellos libros que, por el título o por lo llamativo de la edición, nos capturan cuando estamos buscando otro libro, y que dejamos pendientes para leerlos algún día, cuando terminemos el que estábamos buscando al principio. Eso era Mario. Pero, por lo pronto, Kaas debía terminar de leer, aunque sea por disciplina, el libro que había abierto conmigo.

El accidente de Kaas causó la ruptura definitiva del grupo y marcó en el calendario el fin de ese verano lamentable que ellos, pretendiendo poder actuar sobre la naturaleza, habían convertido en el feo y nada melancólico comienzo del otoño. Los amigos fueron dejando a Kaas en mis manos, incapaz ella de moverse por el momento para participar de la huida. Solucioné lo del frontis de la casa de los pescadores, pero, por más que hice, nunca pude encontrar la dirección del dueño del Jaguar, por lo que decidí por el momento dejar de pensar en esa deuda. La partida de los últimos de sus amigos (una pareja bastante snob que se sorprendió al saber que yo existía, aunque Kaas juró, entre risas, haber hablado de mí mil veces. Se pusieron a discutir mi existencia delante de mí, con una malcriadez que me pareció casi maligna) fue lo que terminó de sumirla en una tristeza ligera pero persistente, en esa tristeza escolar de cuando acaba una feria o un circo en cuya preparación uno ha participado con ilusión durante semanas. Miraba a Kaas desamparada en su cuarto y, sabiendo lo que se vendría cuando al fin pudiera moverse, trataba racionalmente de cerrar mi corazón y desenamorarme de ella. ¿Por qué no sólo como amigos?, me preguntaba con insistencia, ¿por qué tenía que ir siempre hasta el fondo?, ¿por qué ese deseo de probarlo todo, hasta el fin, hasta las migajas? Esa ansia de absoluto, como si sólo llegando hasta el final —cuando lo que tanto amé me abandonaba— pudiera aprender o entender alguna cosa.

—Tú no entiendes por qué me pongo así, por qué me deprimo —me decía Kaas cuando trataba de consolarla por la partida de sus amigos—. No tiene nada que ver contigo. Tú no tienes idea de lo que pasaba en esas fiestas. Éramos como hermanos, había una complicidad, algo difícil de explicar.

—No tienes que decirme nada —contestaba, asustado ante la posibilidad de saber de pronto lo que no quería saber jamás—. Si quieres abandonarme no tienes por qué corromper las cosas que están bien.

—¿Qué está bien?

—Los recuerdos —contesté.

—¡Bah!

—Sólo dime que no me amas y déjame.

—No sabes de lo que estás hablando. A veces eres tan torpe, tan pequeño.

—Kaas, yo entiendo que aún no hayas asumido la muerte de tu padre, que estés pasando por un periodo de duelo y que por eso actúes de esa forma. Pero no tienes que aplastar el recuerdo de tu padre para poder seguir viviendo, trata mejor de sobrellevarlo…

—Eres un necio —me interrumpió, tapándose los oídos—. ¡Deja de juzgar mi vida como si estuviera en un consultorio!

Esa frase fue suficiente. Me harté de pronto, la miré con cólera, irreconocible.

—¡Entonces deja de comportarte como un caso clínico! —le grité y di un golpe a la pared.

Estaba rendido, molesto con ella y deseando en serio, por primera vez en toda mi vida desde que tenía uso de razón, no haberla conocido jamás. Salí de su habitación dando un portazo y me senté en la sala. Tenía los ojos crispados de lágrimas, pero no quería llorar. De pronto, no soporté quedarme viendo la decoración hecha por Kaas, que tantos recuerdos y ganas de llorar me daba, y salí del departamento decidido a refugiarme en un lugar, en cualquiera. Dándole un empujón a mi destino, aquella vez opté por primera vez por el bar de Zeta como refugio o como un exilio. Acababa, sin saberlo, de zarpar hacia mi Santa Elena particular.

Después de unos días en que no visité el palacete, harto de escuchar al monotemático Dicent reflexionar con pedantería sobre el amor, retomé mis visitas al Zeta. El dueño del bar ya no me hacía tantos cumplidos como antes y me miraba con recelo. Una novia herida, como dijo Agustín. También empecé a reconciliarme con el mar de Busardo. A veces salía a navegar en un bote con motor fuera de borda y otras veces trepaba a una roca para pescar. Pero siempre terminaba el día apoyado a una de las barandas del muelle, mirando el espejo del mar reflejando al cielo oscurecido. Un día, sintiéndome menos intolerante con las chocheces de Dicent, decidí hacerle una nueva visita. Ni bien crucé la cerca de la casa, vi que del interior salía una pareja de japoneses vestidos con saco y corbata. Uno de ellos llevaba una cámara de video sobre su hombro con las iniciales de una cadena de televisión. Pasaron cerca de mí y los oí comentar en inglés sobre un árbol que se torcía de una forma poco común. Crucé al jardín de Dicent y lo vi arrastrando una bicicleta con faro y canastilla hacia la puerta. Estaba vestido con un pantalón de explorador ocre, zapatos de cordones rojos y una chompa oscura de color indefinido. Se le veía ridículo y envejecido. Atadas detrás de la bicicleta llevaba una gran red de aluminio para atrapar mariposas y unas pequeña y rectangular caja gris, también de aluminio.

—¡Cómo estás! —me saludó con entusiasmo apenas me vio— Tanto tiempo.

—No tan ocupado como usted. Acabo de cruzarme con unos periodistas.

—Ah, ellos —dijo con una sonrisa de satisfacción—. Una entrevista para la NHK. Nada del otro mundo. Oye, detrás del invernadero tengo otra bicicleta. Si quieres puedes acompañarme a la excursión. Es un bonito día para intentar atrapar algunos ejemplares —levantó la red— Quizá me traigas suerte y atrape algo valioso.

Fui hacia el invernadero y cogí la bicicleta, o más bien el cacharro que él llamaba bicicleta. Empecé a empujarla sin decidirme a trepar sobre su desgastado asiento. Le di el alcance, nos subimos en nuestros vehículos y bajamos por el bosque hacia Vía Dolorosa. Mi bicicleta chirriaba y me era difícil empujar los pedales pues tenía la cadena y los platos oxidados. Dicent, prácticamente, se deslizaba en la suya. Pensé que seguiríamos la ruta de Vía Dolorosa pero ni bien tocamos la avenida, Dicent empezó a trepar con destreza por unas colinas y a abrirse paso entre lo más intrincado de los árboles del bosque. Me había sacado bastante ventaja y aún así se apresuraba más. De pronto se detuvo, sacó su red y caminó a tientas. Preferí no alcanzarlo mientras duraba la operación. Al parecer se arrepintió, o juzgó imposible atrapar su presa, y volvió tras sus pasos. Entonces le di el alcance.

—Podría jurar —dijo Dicent subiendo a la bicicleta— que aquella mariposa azul celeste y gris era una *Plejebus (Lysandra) cormion*. Pero no estamos en los Alpes Maritimes, así que eso es imposible ¿no crees?

No consiguió respuesta, desde luego. Tampoco la esperó. Continuó internándose con rapidez en el Busardo, hacia zonas que yo no conocía y donde las copas de los árboles eran tan tupidas que oscurecían el cielo. La cadena de mi bicicleta zafó de su eje y demoré un rato en devolverla a su curso. Dicent se perdió de vista durante esos minutos. No sabía si llamarlo a gritos o no, quizá la caza de mariposas era igual de silenciosa a la de los patos o a la pesca. Estuve sin saber qué hacer por unos minutos, sentado sobre el pasto. De pronto, Dicent asomó su cabeza por detrás de un roble con expresión satisfecha. En su red había una mariposa que él se apresuraba a introducir en una de sus cajas.

—Ésta ya está clasificada pero aun así es un ejemplar interesante. No creo que encontremos nada mejor por hoy. Además está empezando el sofía. Lo mejor es que volvamos a casa, a no ser que quiera dar un paseo usted solo. De ser así mejor le cambio de bicicleta. La que lleva es insufrible.

Volví a mi cuarto de albergue. Como si lo estuviera leyendo en una mala novela, me veo a mí mismo como protagonista de un viaje interior interminable que me lleva de la casa de Dicent al bar de Zeta y de ahí a mi cuarto. Me veo, con distancia, convertido en caricatura de aristócrata abotagado de martini. Podría sugerir a Leslie Howard o James Stewart en el papel del historiador pusilánime. Quien quisiera representar la obra debería conseguir a uno de ellos a como diera lugar, pues cualquier otro actor haría de la película un desastre.

—Disculpa si te ofendo, pero simplemente no comparto la opinión que tienes de ti mismo —dijo Kaas, apurando su paso mientras dejábamos las llaves de nuestro departamento a la señora encargada de la limpieza.

—¿A qué te refieres?

La escena se había lentificado. El film se disolvía en un color muy tenue que iba transformándose en gris. Kaas conversaba conmigo mientras caminábamos por el mercado de Azul buscando una tela artesanal para regalar a su madre. Kaas retomaba el hilo de la discusión del almuerzo donde le dije que, sin necesidad de tener títulos nobiliarios, la vida y la historia habían convertido a los burgueses ilustrados como yo en unos aristócratas *fin de siècle*, en príncipes gatopardescos, ruinosos, melancólicos y sentimentales. Kaas escogió unos metros de tela de apariencia muy fina. Dudó entre una negra y otra turquesa. Al fin optó por la segunda dispuesta a romper el luto de su madre. Contra su costumbre, discutió el precio con la vendedora con tanta eficacia que logró una rebaja importante. Estábamos a punto de irnos, cuando en una tienda observó algo que le llamó mucho la atención. Era una blusa bordada, llena de diseños geométricos en hilo, pero aun así sobria, idéntica a una que le había visto llevar varias veces.

—Sabía que la había comprado aquí —dijo para sí misma.

—Tú tienes una como ésa ¿verdad?

—Sí —dijo, inspeccionando los detalles y preguntando el precio— Mario me regaló una idéntica, pero me dijo que la había comprado en Estambul. Es un estafador.

Kaas esbozó una sonrisa tenue, llena de insolentes recuerdos, según me pareció, cuando dijo "estafador".

—Debe conocerte mucho para regalarte ropa —dije.

—No estarás celoso de Mario, supongo.

—¿Por qué habría de estarlo? Es un zoquete imposible de tomar en serio.

Kaas se ofendió. Soltó la prenda y empezó a caminar sin esperarme. Le di el alcance y caminé a su lado como si no hubiera pasado nada. Sentí su mirada de soslayo. Apretaba los labios con rabia contenida.

—Siempre te empeñas en encontrar lo peor de cada persona —dijo al fin—. No tienes por qué insultar a alguien que no te ha hecho nada.

—Escucha —contesté sin disculparme—, por qué no olvidamos todo y vamos a tomar una copa al bar de Zeta.

Para mi sorpresa, aceptó. El velo dorado y transparente de la tarde viraba, se deslizaba más bien, hacia un bronce claroscuro. Una avenida de cipreses bordeaba el camino hacia el Zeta. El minarete de Dicent bañado por el rocío, las calles de Azul rociadas por la garúa persistente del otoño, todo resultaba un buen escenario para la película gris de mi último viaje sentimental. El rostro de Kaas que bebía una copa de whisky con agua, evitando mirarme de frente, como si intentara protegerse de una pesadilla convocada por sus sueños terroríficos y mi aspecto real. Kaas tenía la barbilla apoyada en las manos mientras Agustín le servía un whisky y a mí un martini. En silencio, como una delincuente, Kaas se alejaba de mí aprovechando la sombra que hacía sobre Busardo una inmensa ola levantada en medio del mar.

La garúa otoñal de Busardo se había convertido en lluvia. La lluvia, la lluvia, la insistente lluvia, la obstinada lluvia. La lluvia que nos ata con sus cuerdas y después suelta las amarras. Nos ha dejado, quiere que nos vayamos, y nos vamos. Pero no partimos juntos sino que nos separamos; nos partimos. Observamos el espectáculo del agua mojando calles y personas desde el bar de Zeta. Cuando se calma un poco decidimos regresar al departamento. Habíamos estado bebiendo en silencio. Kaas escuchaba distraída lo que yo conversaba con Zeta, sin poder ocultar su sorpresa por la confianza que le tengo al dueño del bar. "Ahora ya sé dónde te lo has pasado todo este tiempo", dijo cuando cruzábamos la puerta del Zeta. Luego, ya en la calle, cambió de acera sin esperarme, adelantándose adrede, y dobló la esquina. Yo la veo desaparecer sin entender qué pudo ofenderla, qué gesto, qué acto o qué pensamiento la había devuelto a su soledad.

—Inventa ternuras y afectos donde hay ternuras y afectos verdaderos —dijo Dicent— El Arte es macabro, créeme.

Salvador Dicent me había llevado al minarete. Yo observaba hacia la ciudad con el telescopio. Como un vigía, trataba de entrometerme en la oscuridad que ocultaba a Busardo. Podía escuchar fragmentos de mi diálogo con Dicent incluso cuando llegaba a mi albergue, muchas horas después de haberlo sostenido. La conversación con el pintor cumplía en mí el efecto de una música incontinente que borraba lo grabado antes: la música de carrillón de lata que había dejado mi largo diálogo con Kaas. Repetía en mi cabeza las palabras de Dicent mientras descendía la escalera caracol del minarete y me perdía por cualquiera de los veinte cuartos con la puerta abierta en el tercer, segundo o primer piso. Dicent jamás bajó del minarete para acompañarme al vestíbulo. Supongo que tampoco dejó de espiar mi salida con su telescopio. A veces, no bien terminaba una conversación con él, volvía hacia atrás cada frase en mi cerebro para oír otra vez el mismo diálogo.

Aquella vez Dicent me dejó mirar con su telescopio por la ventana de su minarete, mientras caminaba hacia sus cajas de mariposas. Levantaba una y la llevaba con cuidado hacia la luz.

—El arte es un registro de lo invisible —decía Dicent, observando los ocelos de la mariposa.

—Un registro inútil —replicaba yo.

Me miró como si quisiera descubrir algo de violencia en mi respuesta.

—Inútil —asintió al fin Dicent, dejando la mariposa en su lugar.

Como siempre estaba la puerta abierta, y Dicent me esperaba en cualquiera de las bibliotecas o en el minarete, yo penetraba sin permiso y sin advertírselo en la casa del pintor y me demoraba cruzando por los largos pasadizos llenos de puertas, aldabas y cerrojos. El palacete era un laberinto divertido y siempre original. Me introducía en los cuartos que podía, buscando hacer nuevos descubrimientos, en un juego solitario que a veces me parecía provocado por él mismo. De ese juego podía deducir que el palacio era inagotable. Pero un día pasó algo inusual, realmente inesperado. Antes de llegar al palacete me pareció ver que Agustín bajaba con su moto por Vía Dolorosa, como si acabara de abandonar la casa del pintor. Llevaba atrás a la muchacha sucia con la que lo había visto varias veces. Por primera vez se me ocurrió que ella podía ser la joven de las escenas en su cuarto, aunque era demasiado niña. Quizás era una hermana menor de la prostituta, o una hija.

—¿Conoce usted al joven libertino del pueblo? —pregunté a Dicent una vez sentado delante de él.

Recordé en ese momento que Zeta me había dicho hacía meses algo acerca de que Agustín le conseguía modelos al pintor. Mi pregunta, entonces, me pareció obvia y hasta impertinente.

—¿El joven libertino?

—Sí, el joven libertino. El empleado de Zeta, Agustín. Me pareció verlo salir de aquí en su moto —dije, evasivo para no tener que disculpar mi curiosidad.

—Muy interesante. No sabía que el libertinaje era algo joven —dijo Dicent, y dio por terminado el tema mostrándome una nueva mariposa—. ¿Ves ese color? Lo he estado buscando durante meses.

Y, después de decir eso, se lanzó sobre sus tubos de óleo para mezclarlos con frenesí, dándome la espalda y gruñendo, con muy poca educación, que ya era suficiente charla y que lo dejase solo por esa noche.

Me pareció entonces descubrir en Dicent la misma mirada huidiza de cuando encontramos el cadáver. Algo extraño había en ello. Si la muchacha era la modelo nativa que Agustín le conseguía, como me explicó Zeta, ¿por qué evadir el tema? Antes de irme hacia el albergue decidí inspeccionar una parte desconocida del jardín de Dicent, aprovechando que una puerta de la cocina que solía estar clausurada se veía abierta. Crucé la puerta y descubrí que la ordenada parte trasera del jardín tenía su babor, un lado oculto donde una larga cadena bajaba desde una de las torres y unía, de un extremo, un ancla mohosa, y del otro, una argolla cruzada, —como un anillo hundido en el dedo siniestro de un gigante— por lo que parecía ser una pértiga de madera roída que amenazaba con caerse en cualquier momento. Enormes y espinosos setos de rosas descuidadas se encaramaban por un muro lateral y cubrían casi enteramente una fragua inútil. Todo ello era una fortuita sucesión, por así decirlo, de aparatos inservibles que organizaban —en contraste con el lujo del jardín y los salones con piso de mármol, columnas de alabastro, cortinas de seda y cubiertos de platería— una peculiar historia del mundo. También había una bicicleta con el aro doblado, el destino inevitable de la que me prestó, y una pecera vacía con el fondo cubierto por un moho verde y gelatinoso. Incluso podía verse ahí desterrada la reproducción en mármol de una Anadyomena de labio leporino y con el rostro destrozado por una pedrada o un balazo que aplastó su nariz y borró el delineado de su ojo derecho. Entonces me percaté de que Dicent, pasando desapercibido detrás de una cariátide, me observaba desde una de las torres. Cuando me vio me hizo señas para que volviera a entrar en el palacio. Volví a entrar por la cocina y fui a una biblioteca en el tercer piso donde el pintor solía recibirme en los últimos días. Ya Dicent me esperaba ahí. Ese hombre volaba.

—Es una suerte que no te hayas ido aún. He estado pensando en tu historia de amor —dijo Dicent hundido en una poltrona—. Esa que me contaste una vez, recuerda. Pues no la he olvidado. Después de tanto pensar en eso al fin he llegado a una conclusión: creo que estás perdido. Ya la perdiste para siempre.

—Sé a qué se refiere, también yo sospecho que debe estar con un nuevo novio quizás en Marruecos.

—Torpe —se burló Dicent—. No me refiero a eso. No entiendes nada de nada. Por eso los hombres siempre serán más infieles que las mujeres.

—Todas las personas, siempre que algo falla, buscamos un sustituto. La ley del clavo que saca otro clavo no es una ley excluyente.

—¿Estás esperando que ella te sea infiel? Absurdo. Si ella está ahora con otro tiene que ver con amor, no con infidelidad.

De pronto, me descubrí envuelto en una conversación que no quería continuar. Decidí guardar silencio. Pero Dicent continuó.

—La fidelidad nada tiene que ver con el amor.

—¿Cómo? —pregunté, dolido al fin.

—Simplemente —dijo— las mujeres son muchísimo más pudorosas en ofrecer su intimidad que los hombres. Si se entregan es porque aman.

—Es decir, el hombre es un bruto salvaje que no teme hacer el ridículo al jadear frente a una desconocida, y la mujer es el paradigma de la dignidad y la fidelidad. No te sabía tan prejuicioso.

—No entiendes. Si sólo se tratara de gritos y jadeos, quizá —dice Dicent con expresión triste—. Pero no es eso. El hombre es abierto, la mujer es avara, todo se lo guarda para sí misma, tiene una sexualidad oscura, subterránea.

—Supongo que pensar así ha hecho que nunca te cases.

—No digas estupideces —concluyó, sin levantarse de su poltrona, cortando el aire con la mano—. Tú no sabes nada de mí.

—¿Y qué sabes tú de mí? ¿Quién te ha dado permiso para pensar en mi vida?

—No vamos a discutir. Sólo pretendía ayudarte.

—No necesito tu ayuda. Y no voy a permitir que vuelvas a tratar de teorizar sobre mis asuntos ¿Está claro?

Dicent no contestaba.

—¿Está claro? —insistí, acercándome con furia hacia él.

Dicent, en un gesto instintivo, se ovilló en su poltrona como tratando de defenderse de probables golpes. Aquel gesto tan cobarde hizo que realmente me dieran ganas de golpearlo. Pero, de pronto, me percaté de mi imagen en un espejo enorme colgado a sus espaldas. Me era difícil reconocerme a mí mismo. Tenía los puños cerrados, el rostro enardecido, y apretaba los dientes con rabia. Mis labios temblaban. Abrí las manos y retrocedí. Dicent me miró de reojo como sorprendido o desilusionado de que no lo hubiera golpeado. Cuando di unos pasos hacia atrás, sintiéndose seguro, corrigió su postura y dijo, con voz pausada, que era mejor que no volviese por un tiempo.

Salí del palacete con la sensación de haber matado a un hombre. Estaba muy nervioso y no podía dejar de temblar. Para calmarme un poco, y dado que quizá nunca volviese a la casa de Dicent, decidí ir a visitar por última vez las jaulas en el jardín. Dos jaulas inmensas se ocultaban tras los árboles. Una de ellas abierta de par en par y vacía. Restos de plumas y de comida anunciaban que alguien hacía un buen tiempo les había abierto la puerta a las aves para que migraran. O para ser asesinadas a tiros. La otra tenía una gran cantidad, indefinible bajo la oscuridad, de pájaros de distintas especies. El hedor de la jaula era el de un gran cagandurrial, el piso lleno de la cagarruta de una babélica conspiración de aves, desde pequeños estorninos y petirrojos hasta enormes rapiñas aferradas a sus palos horizontales y mirando desde ahí con ojos voraces a los pericotes que, seducidos por el olor a manzanas podridas, entraban en las jaulas. En lo más alto de la jaula se ocultaba el cóndor de mediana estatura que había mencionado Dicent cuando lo conocí. Una linterna colgaba al lado de la jaula. La encendí para observar al cóndor. La tenue luz bastaba para espantar al resto de aves, pero el cóndor permanecía imperturbable. El viejo pájaro me observaba con la tristeza de un animal de pacotilla, un ser de peluche remendado que se gasta miserablemente en la pobre exhibición de sus alas y su cuello rapado. Todo su abolengo había cedido ante cierta estupidez imperial, su mirada elefantiásica era la misma, supongo, que la de esos emperadores cuya degradación moral había convertido en calvos y obesos. El batir de alas que me ofreció de despedida lo hizo tropezar y caer, imbécilmente, ebrio de mediocridad.

Acordamos que Kaas dejaría Busardo apenas se recuperase del accidente. Después de tomada la decisión, durante un par de días las cosas empezaron a funcionar de una manera natural, casi mágica. Hacíamos el amor con una ternura inagotable, un pozo en cuyo fondo siempre había más. Luego, llegó el momento en que Kaas me dijo que había decidido volver a Málaga en un par de días. Ella insistía en que no era una separación definitiva, sólo un tiempo para pensar en lo nuestro. Traté de no ver cómo hacía, por enésima vez, su maleta. Pero cuando pasé por su habitación no pude evitar enfrentarme a ella, enceguecido.

—Hiciste promesas —le dije, descontrolado, entrando a su habitación y cerrando la puerta tras de mí.

Kaas al principio se sorprendió del exabrupto. Pero luego retomó su calma y silabeó su respuesta tratando de parecer dura o sensata, sin dejar de echar ropa a la maleta.

—Todos hacen promesas —dijo—. Es natural en los enamorados.

—Creíste que las promesas eran pompas de jabón, que bastaba soplarlas para que desapareciesen, que bastaba con no verlas para pensar que no existían. Pues te equivocaste, Kaas, las promesas son de piedra.

—¡Por qué! —había logrado desesperarla—. ¡Por qué! Yo no firmé cheques en blanco. Dije lo que sentía en su momento, nunca te mentí, dije lo que necesitaba decir para que esto funcionase.

—Pues esto no funcionó a pesar de eso, y no puedes echar ahora un ácido sobre todo para que desaparezca.

—¡Basta ya! ¡Por amor de Dios, ya es suficiente! No es posible que no hayamos tenido ni un día de paz desde la muerte de…

Se detuvo de pronto, incapaz de decir la frase que se había estado negando pensar durante tanto tiempo. Trató de sobreponerse, aunque rechazó el abrazo que traté de darle.

—Yo quise tanto como tú que esto funcionara. De repente no fuimos tan inteligentes o fuertes como debimos ser para que algo funcione. No basta el amor, en serio, no pongas esa cara, no estoy tratando de ofenderte, vamos…

Salí de la habitación sin oír una palabra más. Ella misma no se oía ya. Y eso que sus palabras llenaban el cuarto, la ciudad, el mundo entero.

Ese día, por la tarde, encontré a Kaas paseando por una calle cerca al Normandía, con la actitud de quien necesita distraerse comprando tonterías, *souvenirs* y cosas así. Yo me dirigía donde Zeta cuando la vi y decidí darle el alcance. La llamé gritando su nombre al ver que no podía alcanzarla. Kaas volteó. En su mirada se veía que estaba cansada de tanto pensar.

—Lamento que nuestra despedida no haya podido ser menos ruidosa. —me dijo.

—A qué despedida te refieres, Kaas, por favor. Es sólo un tiempo que vamos a tomarnos porque tú lo quieres. No hables de despedidas aún.

—Ahora sé que la nuestra es una despedida. No va más. Esto no va más.

Empezó a caminar más rápido, con los brazos cruzados sobre su pecho. Se separó de mí. Se había adelantado casi una cuadra y yo la seguía aún, viéndola y pensando ¿cuánto tiempo deberé seguirla?… déjala irse, déjala que se vaya. Pero no pude evitar correr tras ella. La abracé con fuerza y ella se aferró a mí. Por última vez en la vida éramos parcialmente dueños uno del otro. Fuimos a nuestro piso, nos desnudamos sin dejar de besarnos e hicimos el amor. Después, echado uno junto al otro, escuchando la respiración agitada que lentamente se va sosegando, sentí pánico. Estaba aterrado. No quería que Kaas se fuera. No quería estar sin Kaas. Me levanté de la cama de un golpe, con la cabeza hirviendo, incapaz de ser sensato, y la desperté sacudiéndola.

—¿Qué pasa? —dijo sin salir por completo del sueño—. Me das miedo, qué te sucede.

—Lo he adivinado todo —dije sin dignidad, llorando, arrebatado—. Has estado con otros hombres, con alguno de los tipos con los que salías antes del accidente. Te has enamorado de alguno de ellos. Vas a encontrarte con ellos, o con Mario quizá ¿no es cierto? Contesta, por favor.

—Oh, maldita sea, cállate, qué estúpido eres. ¿Por qué mierda tienes que malograr todo siempre, siempre, siempre?

Kaas se levantó y sintió una súbita vergüenza de su desnudez. O acaso pensó que yo no la merecía. Se cubrió con la sábana y fue al cuarto de baño para ponerse una bata. Luego entró en mi cuarto y me encontró desarmado, sobre la cama, dándole la espalda.

—No hagas eso, por favor, levántate —me pidió con suavidad cogiéndome de un hombro.

—¿Hacer qué?

—Levántate de ahí, vamos —insistió Kaas, tendiéndome la mano—. Tú siempre dices que llorar en la cama trae mala suerte.

Al salir de la casa de Dicent supe que no iba a poder estar tranquilo en mi cuarto de albergue y decidí ir donde Zeta. Él estaba hablando de Marcela con unos clientes. Me vio y me atendió poco amigable, casi con desprecio, que le costaba mucho representar. No me perdonaba mi preferencia por Dicent. Me senté adrede en una mesa cercana a la de sus nuevos amigos, pero no me dirigió la palabra y mandó a Agustín para que tomara mi orden. Zeta estaba dedicado por completo a los extranjeros, le gustaba dárselas de excelente anfitrión. Los clientes, una pareja de turistas ingleses y otra de franceses, bebían el trago casero que les ofrecía Zeta y alababan cada sorbo con frases exageradas. Esa algarabía se repetía en los hijos pequeños de los pescadores, que jugaban frente al bar sin excluir de sus juegos a los turistas en miniatura, hijos de los que bebían con Zeta, que sacaban de sus bolsillos sofisticadas pistolas de agua y perseguían a los nativos. Sólo un caballo y su sombra se negaban a participar de la bulla. El caballo bajó la cabeza como si esperase que de súbito la acera se convirtiese en agua para beber. La levantó defraudado o escéptico. Zeta estaba diciendo que lo peor para una relación era que ambos se parecieran mucho entre sí. Hablaba en un inglés salpicado de su dialecto. Se burlaba sin sarcasmo de la opinión del esposo británico, quien decía que lo que más le atraía de una mujer era que compartiera sus gustos y tener con quien hablar.

—Grave error —sentenciaba Zeta—, los polos opuestos son los únicos que pueden estar unidos para siempre.

—¿Qué opina usted? —me preguntó de pronto la mujer francesa que no había dejado de mirarme desde mi llegada.

Zeta, como un niño, refunfuñó porque me habían metido en la conversación. El muy rencoroso estaba peor de lo que pensaba. Pero su bar era un sitio tan agradable, y él un buen amigo a pesar de sus engreimientos, que decidí arreglar las cosas.

—Siempre estoy de acuerdo con Zeta —respondí, tratando de halagarlo.

Sin embargo, no estaba de acuerdo con él. O no del todo. ¿Por qué puede resultar equívoca una relación donde ambos comparten los mismos gustos y los mismos rechazos?

—¿Tiene usted esposa? —me preguntó la francesa, invitándome a acoplarme a la conversación.

Zeta, quien después del halago me había perdonado, al juzgar por su sonrisa, se arrepintió de haberme hecho sentar tan cerca y temía estar haciéndome pasar un mal rato. Como el resto de los que conocieron a Kaas, no sabe pero intuye que en la separación yo fui el que perdió más.

—Tenía una esposa —dije en voz alta—. Una esposa que vivió conmigo en esta ciudad ¿la recuerdas, verdad Zeta? Es una buena historia, escuchen...

Empecé a contarles sin prisa, enfatizando, la versión fría y antiséptica de mi relación con Kaas, tratando de hacerles creer que era un escéptico, que creía sólo en lo relativo y jamás en lo absoluto. Hablé por mucho tiempo, demasiado diría yo, sólo haciendo pausas para tomar un sorbo de martini, y mi discurso se alargaba, se volvía un monólogo cuyas frases eran cada vez más duras. El amor quedaba, al fin de mi historia, como un gran fraude, un engaño barato para poetas románticos, una buena mierda. Yo, carpe diem, hedonista, donjuanesco, aseguraba vivir el momento con placer.

—Dios mío —dijo la francesa aferrándose a la mano de su esposo—, usted debió amar tanto a esa mujer...

Los demás hicieron un silencio entre respetuoso y dramático.

—¿Cómo? —pregunté.

—Que debió amarla tanto, tanto —contestó—. Jamás he visto a alguien tan enamorado.

Ese día volví tarde a mi albergue. Estaba totalmente ebrio pues me quedé bebiendo con Zeta, celebrando el reencuentro, mucho después de que se marcharon los turistas. La dueña del albergue me recibió con la misma amabilidad de siempre. Me hizo recordar a la mujer de aquel comentario de Cioran que solía recordar Kaas. La anciana me invitó a cenar. Cenar en el albergue era uno de los derechos que me daba el pago de pensión, pero nunca lo hacía pues prefería ir a comer donde Zeta o donde Dicent. Pero como no tenía ánimos para salir pues hacía frío, aunque necesitaba llevarme algo al estómago para sobreponerme a la borrachera, acepté quedarme en el albergue. El comedor estaba repleto de turistas con poca plata que hacían una bulla infernal. El perro de la dueña jugaba conmigo desde la cocina. Lo llamaba con mimos y parecía que se animaba a ir hasta mi sitio, pero a mitad de camino se distraía con algo que inspeccionaba en el suelo y que pare-

212

cía ser comestible. La dueña se apresuró en servirme antes que al resto; no se preocupaba en ocultar su preferencia. Lo que puso frente a mí era inadmisible: un plato de sopa con grumos de grasa cuya simple visión, sin contar con el olor, me predispusieron al vómito. Probé algunas cucharadas evitando rozar los grumos misteriosos que flotaban a la deriva como islotes insanos. Me trajo el segundo plato cuando aún estaba peleando con la sopa. Éste era un pedazo de carne que escondía un puñado de arroz blanco mal cocido, una concesión que le había pedido —pues en Busardo no se acostumbraba— y que no demoró en complacer. La carne era tan delgada como una suela de zapato y estaba coronada por una pegajosa mancha de sangre. La visión de esa cena esperpéntica me devolvió, de una patada rotunda, a mi soledad. Me limité a fumar un cigarrillo tras otro, intentando no mirar los platos. Pronto entré en una serie de recuerdos que me sacaron de la realidad por varios minutos. Las cenizas caían sobre la sopa ante la estupefacción de la dueña, quien retiró el plato ofendida y me trajo un cenicero. Terminé de fumar y salí del comedor sin darle las gracias. Subí a mi habitación y escudriñé mi rostro en el espejo del baño, con el caño del lavabo abierto, dejando correr el agua, y la boca llena del sabor a tabaco que me obliga a escupir constantemente. Como en el palacete de Dicent, el espejo tampoco era amable conmigo esta vez. Mi rostro se veía demacrado, con unos pelos gruesos asomándose en mi barbilla lampiña y sobre mi labio superior, y con el cabello algo crecido y rebelde, una guedeja de león que resbalaba por mi frente y cubría mis ojos. Llevé hacia atrás mi pelo. La violencia turbia de mis ojos no era suficiente para darle vida a esa cara de condenado. Debajo de ellos se formaban unas bolsas. Mis labios estaban pálidos a pesar de que los mordía intentando provocar algún color. Mis mejillas apenas eran una membrana transparente que cubría mis mandíbulas y casi traslucían mis muelas. Apagué la luz del baño y huí de mi rostro en el espejo refugiándome en la oscuridad de la ventana que mostraba la noche cerrada. Esa oscuridad se extendía ante mis ojos como velada por una pátina de baba. Sabía que no iba a poder soportar el encierro, que tarde o temprano saldría para perderme en esa noche sin remedio.

Salí cortando la oscuridad nocturna con dirección a la casa de Agustín. El cielo me cubría. El mismo cielo que cobijaba como una inmensa crisálida a los adolescentes que se dicen las primeras palabras y a los amantes que se dicen las últimas; a la madre y su niño; al esposo y la esposa; al solitario que bebe para atraer a su soledad, tenderle una trampa y molerla a palos; al niño de las pesadillas y a sus pesadillas; al asesino que escribe un anónimo; a la bala que se enfría en la recámara de su pistola; al santo de los milagros y al de las buenas acciones; al mendigo que recibe las buenas acciones y no los milagros; a los hombres felices que reciben los milagros y creen no necesitar cumplir las buenas acciones prometidas; al enfermo que tose y la enfermera que recibe el salivazo en una batea de latón y mueve la cabeza negando como un pájaro de malagüero al descubrir el rastro de sangre; al héroe que alimenta en ese momento a los gusanos, antes sus enemigos y ahora los custodios amables e higiénicos que le limpian los huesos.

—Piénsalo de este modo, Kaas, hicimos tantos viajes que era natural que nos despidiésemos en un viaje —le dije, sacando sus maletas del taxi.

—¿Puedes dejar de ser tan melodramático?

—¿No me permites ser melodramático ni en nuestra despedida? —repliqué, tratando de tener sentido del humor—. Eso sí que es injusto. De algo tiene que servirme haber visto *Casablanca* veintiún veces, diez de esas veces contigo, no lo olvides.

—¡Uff! No tienes remedio. Usa por favor tu aprendizaje cinemaniático con otra persona —dijo Kaas riendo, conciliadora—. Esto no es una despedida, es sólo una separación temporal. Necesito pensar, necesito estar sola.

—Yo sé eso. Pero pensé que habías dicho que era una separación para siempre. No seas tan contradictoria. ¿O tu memoria está cada vez peor?

—Basta. No me hagas hablar, por favor, no insistas. Estoy confundida, tú tienes la particularidad de confundirme siempre. No me vuelvas loca.

Estábamos sobre el muelle esperando a que partiese una lancha para llevarla al barco. Kaas había cumplido tres meses conmigo en Busardo, tres meses en que nos devoramos el corazón en cada diálogo insomne en nuestro departamento. Mario y Estefanía hacía mucho que habían partido, sus amigos elegantes habían partido también, y Kaas puso fin a la tregua que me concedió de unos meses más de inútil sacrificio a mi lado. Ambos estábamos agotados. Mientras esperábamos en el muelle que al fin se separase de mí, trataba de hacerla sonreír. Sabía que no podía echarme para atrás, que no debía mostrar mi temor a quedarme sin ella. Si quería tener alguna oportunidad de que ella volviese a mí, debía demostrarle que mi corazón era resistente, algo que no se desmorona fácilmente. Ser heroico en silencio cuando se está interiormente destruido es demasiado doloroso, es injusto. Pero no podía echarme a llorar en ese momento. No delante de ella. Kaas no necesitaba, no hubiera podido amar, a un pusilánime.

—Espero que si alguna vez escribes sobre… —me dijo al fin.

—Tú sabes que yo no escribo. Sabes que odio escribir.

—Sí, sí, ya sé —dijo, aunque me pareció incrédula—; sólo que si alguna vez te da la locura de escribir algo sobre nosotros, espero que te cuides de no ponerme a mí como la mala de la historia.

—Te lo prometo —dije sinceramente.

—Bueno —dijo al ver que se acercaba la lancha— ¿qué piensas hacer? ¿Te quedarás acá recordando no sé qué y haciéndote daño no sé por qué? No tiene sentido.

—También yo quiero estar solo por un tiempo y éste es un buen lugar para perderse del mundo ¿no te parece?

—¿Perderse? —dijo irónica—. Tú sabes que lo único que vas a hacer es ir a ese bar, tomar martinis, recordar las cosas bonitas y las feas y sentirte miserable. Ya te imagino dándote de cabezazos contra las paredes y llorando en los rincones de esta ciudad que ni siquiera es la tuya ni la mía, que no nos pertenece, que casi ni conocemos, preguntándote qué falló, qué maldita cosa fue la que falló.

La última frase la había ruborizado. Trepó a la embarcación dándome la espalda, con poca destreza, ayudada por un compañero de viaje. Desde ese momento, viéndola subir a la lancha, unos minutos antes de que ella se escabullese de mí para siempre, empecé a vivir el vacío. Desde aquel momento, incluso cuando aún podía verla acomodar sus maletas, empecé a hablar con Kaas, o más bien con una interlocutora imaginaria que la reemplazaba y a quien empecé a contarle mis cosas, mis opiniones más triviales, cuestiones del clima, dudas, réplicas. Hablaba como si ella estuviera conmigo. ¿Acaso estaba loco? A partir de entonces supe lo que sería el resto de mi vida: dar vueltas por mi cuarto de albergue, morbosamente triste, incapaz de aprender algo de esa tristeza o de la desesperación; esperaba en mi habitación tratando de convencerme de que ella está en una habitación contigua, leyendo o escribiendo, cuando sé que todo el mobiliario que capta mi vista es lo único que tengo, que no hay un cuarto al lado

¿Acaso estaba demente?

—Tu problema —dijo Kaas desde la lancha— es que piensas siempre lo peor.

—No puedo evitar ser realista.

—Es posible, pero lo que no entiendes es que ser realista no significa ser pesimista. Esto no tiene por qué ser el final, pero si lo es, ya habrán otros comienzos y otros finales. Así es la vida. No hay por qué morirse. No seas duro conmigo —añadió bajando la cabeza.

El sofía, despidiéndose de ella, dio un soplo que la hizo temblar. Su traje tenía los hombros descubiertos. Me quité el saco gris de lino que llevaba y se lo puse sobre los hombros. Kaas hizo un vano intento por rechazarlo, pero con un beso en la frente sellé el regalo y la despedida. El conductor de la lancha empezó a desatarla. Ella lo vio, le pidió unos segundos bajó y me abrazó con fuerza.

—No te quedes en esta ciudad —me dijo al oído—. Esta ciudad no es lo que tú piensas, no sabes nada de lo que pasa aquí y eres demasiado frágil. Vete a Europa, eso es lo que siempre has querido, no cometas la locura de quedarte en este lugar sólo para recordarme. Tienes que ser sensato.

No dije ni una palabra. El sofía soplaba con tanta fuerza que parecía querer arrebatármela. Al fin, Kaas se levantó en la lancha que la conduciría hasta el barco. Una joven, la última en abordar, llegó corriendo retrasada, cogió sus maletas con mucho cuidado y las acomodó. Al intentar sentarse tropezó y los pasajeros, incluida Kaas, hicieron un gran esfuerzo por no reír. La lancha empezó a alejarse del muelle. Una ola, alentada por la violencia del viento, se alzó hasta casi cubrir todo el cielo. Como si estuviésemos viviendo dentro del mar. Miré el cielo lleno de nubes. Pronto empezaría a llover. Acabaría el otoño y empezaría el invierno. En eso, al menos, no habrían misterios y uno sabría a qué atenerse. Kaas hacía equilibrio en la lancha cruzando el mar hacia su barco. Se despedía de mí moviendo la mano. Yo también agitaba mi mano. Se había colocado en el cuello una solitaria perla que cogía con sus dedos y hacía correr de un lado a otro de la cadena, llevándosela de cuando en cuando a los labios para darle un mordisco. Siempre hacía ese gesto cuando quería evitar llorar. Un dije de oro terminaba de darle la silueta de una lágrima a esa perla. Yo se la había regalado cuando empezamos a ser novios. No se la había puesto en años y ahora lo hacía. ¿Significaría algo? Kaas no podía ser tan distraída ni podía ser tan perversa. ¿Significaba algo entonces? La lancha casi había desaparecido de mi vista. No me preocupé entonces y no me preocupo ahora pues ¿alguien sería capaz de dejar para siempre un amor y viajar hacia lo desconocido? No había duda: Kaas volvería. Aunque habría sido un gesto muy gentil de su parte que durante su ausencia, junto con sus maletas, se hubiera llevado también su persistente fantasma.

VISITA A LAS RUINAS

Cada civilización siente necesidad de alimentar, en su interior, su Oriente. Cuando sonaron las primeras notas del piano romántico, Europa recuperó en aquel sonido penetrante su Oriente, que durante tanto tiempo había intentado perder.

ROBERTO CALASSO

Ha pasado ya el invierno en Busardo. Un sol muy pálido asoma entre las nubes y los árboles de primavera. Tímido aún, su tibieza, sin embargo, bastaría para derretir la nieve de las aceras, si acaso hubiera nevado. Pero en Busardo jamás nieva y el invierno no deja de ser un frío de diez grados y una humedad desagradable como una lápida o un cuchillo bajo el forro de los abrigos. Nunca me gustó la primavera. Siempre me ha parecido un intervalo engañoso al detestable verano, a ese sol de infierno que, más que broncear, ensucia la piel. El invierno en esta ciudad ha cedido ante una primavera de aliento irrespirable. Durante varios meses viví en el refugio, en medio de un invierno nuclear. Ante mis ojos se alzaban columnas de ceniza y humo que ocultaban al sol y la luna; era el fin de la historia y yo seguía sin entender nada, encerrado en mí mismo, en mis problemas incomprensibles. Pero había resistido al invierno y ahora asomaban como un toro saliendo de una nube, las astas de la primavera.

—Los catalanes dicen que Europa termina en el río Algâs, al sur de Barcelona. De ahí en adelante: África.

Dicent hablaba con tono didáctico, pero sin énfasis, tratando de distraerse de la labor en la que estaba realmente concentrado. Tenía un alcaudón, un pequeño pájaro dentirrostro, atrapado en una jaula. Dibujaba al ave dedicándose a precisar los detalles. Ésta daba unos saltos breves, se golpeaba contra los barrotes y luego se quedaba estática, como consciente de que estaba modelando. En contraste con la pasividad del pájaro, el rostro de Dicent parecía tenso, con el ceño fruncido. Ese día yo reaparecía en el palacete después de una larga temporada. Fue un tiempo de soledad, pero no de esa soledad sabia que te hace comprender cosas, sino de una inútil, lastimosa, injusta. Había pensado varias veces en dejar Busardo, pero, por algún motivo, no pude hacerlo. Me sentía como si estuviera anclado en esta ciudad, a su mar, a mi cuarto de albergue. A Zeta, improvisado testigo de mi lucha contra los últimos días del invierno aferrado al martini o al pastís. Anclado también a Salvador Dicent. Sus discusiones socarronas eran, de una forma siniestra, lo único que me enfrentaba conmigo mismo, con algo diferente de esa persona en la que me había convertido recordando a Kaas sin remedio, sin capacidad para salir tras ella y recuperarla. Necesitaba hablar con él. Tuve que aceptar, luego de dudar mucho, la posible humillación de buscarlo y que él no me recibiera por culpa de mi última visita, meses atrás, que tuvo un final tan violento. Pero Dicent me recibió con entusiasmo y parecía encantado de verme, casi como si me hubiera estado extrañando.

—Pero creo que eso no ofende a los andaluces —repliqué—. Al menos no a los que conocí. A muchos de ellos les gusta decir que son africanos.

Dicent dio los últimos toques a su dibujo. Levantó la cartulina a la altura de sus ojos y sonrió satisfecho.

—Bueno, no conozco muchos andaluces —concluyó—. ¿Qué opina?

Me enseñó el dibujo. El alcaudón había sido copiado con perfección fotográfica.

—El dibujo de aves —explicó—, un arte y una ciencia a la vez, muy venido a menos en este época de furiosa originalidad. Muchos de mis

220

dibujos, sin firma claro está, andan regados en manuales de ornitología.

Dicent había vuelto a tomarme confianza. Incluso se diría que más que antes. Por primera vez me dejaba verlo tensar sus lienzos y hacer las mezclas de óleo y acrílico, aunque aún me estaba prohibido verlo pintar. También oficiaba de secretario algunas veces, recibiendo a los visitantes y haciéndolos pasar a alguna de las bibliotecas. Los turistas llegaban en mayor cantidad conforme se acercaba el verano. Todos se identificaban como periodistas o pintores en ciernes. Me sorprendió que Dicent se diera un tiempo para recibirlos, según un horario riguroso que se había impuesto por las tardes. Mientras Dicent trabajaba, yo me distraía dando vueltas por el palacio, escuchando música o viendo libros de pintura con un martini en mis manos. También pasaba largas jornadas leyendo en su biblioteca y hasta redacté un pequeño trabajo sobre Venecia, apoyándome en unos textos del siglo XIX que encontré entre sus libros. Dicent me exigió que le diese ese trabajo, prometiendo comentarios. "Al fin algo tuyo", dijo sonriendo, "lo esperaba con ansias". Cuando Dicent no tenía ganas de pintar, o no estaba en el laboratorio del minarete trabajando con sus aves, sus mariposas o la astrología, me dedicaba su tiempo y conversábamos sobre mis intereses. El cazador de pájaros solía burlarse de mi fascinación por Occidente y del trabajo sobre el Mediterráneo que escribí en su biblioteca. Le parecía increíble y hasta cómica la tortura a la que sometí a Kaas llevándola por Europa, visitando museos y casas de protagonistas de la historia, ejerciendo un fetichismo que él calificaba, y Kaas hubiera estado de acuerdo, como "malsano". Era inútil tratar de explicarle mi necesidad de recuperar los vestigios, mi obsesión toxicomaniaca de visitar, y adorar, los restos del naufragio. Su risa impedía cualquier credibilidad.

—Déjame decirte que esa fascinación tuya por las ruinas es algo más que enfermizo —opinaba Dicent—. Es un acto de soberbia. Te comportas como si hubieses llegado a la cima de la historia, vives en el Absoluto, eres como un dictadorzuelo del pasado que pretende impedir que la vida continúe.

A veces intentaba reclamar y explicar mi postura, pero por lo general lo dejaba hablar. Era como si una Kaas que no pudiera hacerme daño, un personaje virtual e indoloro, tratara de explicarme por qué ya no me amaba.

Casi todos los días subía al palacete y pasaba con él la tarde completa, sin extrañar los martinis de Zeta, emborrachándome con paciencia, despreocupado, con los martinis de medidas alteradas que me preparaba en el bar de Dicent. Volvía caminando a mi albergue, me arrojaba sobre la cama y trataba de dormirme para que se me pasara la borrachera, sin ningún motivo más que el de estar bien al día siguiente, casi por un instinto de conservación, pero sin expectativas de algo distinto y sin necesidad de estar sobrio para cumplir alguna diligencia. Era el ocio total pagado por una tarjeta de crédito interminable. En cuanto a Kaas, su rostro desaparecía con la noche, pero no sus ojos. Aun así, le había ganado a su fantasma a fuerza de recordarla tanto. Todos los sentimientos que tenía por ella se habían agotado, absolutamente nostálgico, y sólo su rostro —venido desde la oscuridad de un fondo interminable, la cueva del recuerdo— aún de vez en cuando me sobresaltaba.

Una mañana especialmente difícil, en la que me pasé toda la madrugada pensando y bebiendo, Dicent me llamó al albergue diciéndome que tenía algo urgente para darme. Fui hasta el palacete. Me entregó el trabajo sobre el Mediterráneo con una anotación en la última página: "el sol y el mar; los olores y los colores; los vientos y las olas; las playas arenosas y las islas afortunadas; los muchachos que maduran precozmente; las viudas enlutadas; los puertos, los barcos y las invitaciones al viaje; las navegaciones, los naufragios y los relatos sobre ellos; el naranjo, el mirto y el olivo; las palmeras, los pinos y los cipreses; el lujo y la miseria; la pasión y la venganza; la realidad y el ensueño; la vida y el sueño; renacía… ya es suficiente con que la literatura haya abusado de eso, no necesitamos que los historiadores lo hagan. Aquel que no haya olido la bodega de un barco, llena de toneles sin lavar, el aceite de oliva rancio; el alquitrán en un astillero o el pescado podrido no merece hablar del Mediterráneo".

Terminé de leer, avergonzado, la crítica de Dicent. Guardé el trabajo dispuesto a quemarlo apenas llegase al albergue. Dicent, mirándome de reojo aunque pendiente, se hacía el distraído moviendo objetos sobre una mesa.

Estábamos en el minarete. Mientras Dicent clasificaba unas mariposas, yo observaba la ciudad a través del telescopio. Me senté frente a él para verlo trabajar.

—Pareces preocupado por algún motivo —me dijo—. De un tiempo a esta parte te veo cada vez más fantasmal. Espero que no te haya molestado la nota.

—Sólo estoy un poco cansado, últimamente no me es tan fácil coger el sueño.

—Deberías intentarlo con pastillas. El sueño es lo único que limpia nuestro cerebro de tanta realidad. Inténtalo con pastillas o te volverás loco.

Me levanté para seguir mirando por el telescopio. En los últimos días la observación de Busardo desde el minarete se me había convertido en un vicio irreprimible. Abajo se respiraba una calma ciega. Una estela polvosa iluminaba las ruinas. Dirigí el lente del instrumento hacia allá. Dicent se colocó detrás de mí, muy cerca, tanto que empezó a incomodarme sentir su aliento en mi oído.

—Nunca hemos hablado de nuestro anfitrión —dijo Dicent, desviando suavemente el curso del telescopio y llevándolo hacia la tumba del héroe—. Toda una hazaña la suya ¿verdad?

—Una gran hazaña —dije moviéndome a un lado, dejándole el telescopio—. No sé si la gente de Busardo entiende en toda su magnitud la importancia de su héroe y lo increíble de su hazaña.

—¿Y por qué tendrían que hacerlo? Ese hombre es sólo un tipo que hizo lo que creyó correcto y tuvo suerte de que la historia lo recogiera en sus páginas. Pero es suficiente, no pretendo sostener una discusión sobre historia contigo. Sé que no estás de acuerdo conmigo. A propósito, una vez conocí a un historiador nativo. Por entonces yo acababa de llegar a Busardo. Fue algo así como mi primer amigo. Me contó que nuestro anfitrión tuvo un precursor.

—No me parece extraño. Supongo que la situación de Busardo durante la ocupación era insufrible, muchos debieron levantarse contra el Emperador. Pero no deja de ser interesante. ¿Le dijo su amigo el nombre de ese precursor?

—Le interesa, ¿verdad? Lo lamento pero no, desde luego que no lo recuerdo y mi amigo murió hace varios años —dijo Dicent—. En todo caso, es un héroe que perdió, y a los perdedores la historia no les debe ni la tumba en la que se pudren sin gloria. Son unos vulgares fracasados a los que nadie debe, ni quiere, recordar.

Casi siempre Dicent se despedía de mí de un momento a otro, cuando lo cogía un rapto de inspiración. El hombre metódico para la ciencia era, en su arte, un romántico que necesitaba de la inspiración. Además, era supersticioso y había marcado en un mapa estelar los días —y hasta las horas— propicios para la pintura. Afirmaba que eso sólo empezó a ocurrirle trabajando su último cuadro, el cuadro final de su tríptico. Antes era más bien un pintor riguroso, de horario estricto y comportamiento franciscano. Cuando Dicent me pedía que me retirase, yo solía bajar las escaleras hacia la biblioteca y beber martinis y luego dedicarme a pasear por la casa o el jardín y observar los tesoros que guardaba en cualquiera de los innumerables cuartos. Uno en particular, llamado "museo" por Dicent, me llamaba mucho la atención. En él, sobre una mesa, se veía extendido un tapiz entretejido, hecho por un preso en Afganistán según me contó una vez el pintor, que mostraba una niña ninfulesca. Al lado del tapiz, una cantidad indeterminable de apuntes en carboncillo que anunciaban lo que podría llamarse un trabajo de disección, el esfuerzo de Dicent por imitar los rasgos de esa niña. Desde que el pintor se estableció en Busardo, su pintura había adquirido no un nativismo, ni un aire *naïf*, como querían ver sus críticos, sino una obsesión por las púberes. No era extraño, ni una sofisticación o una moda veleidosa, pues en Busardo, como en muchos lugares de la periferia, la edad sexual comenzaba mucho antes que en Europa. Pero en los cuadros de Dicent había cierto hálito triste, cierto recelo, como si Dicent guardase alguna clase de resentimiento hacia las niñas y, a través de ellas, creo yo, hacia Busardo. Al lado de los cuadros, las ediciones originales de Nabokov, que hojeé la primera vez que estuve aquí, se veían tentadoras. Esa mañana cogí una de las novelas y empecé a observarla. En la primera página había una dedicatoria del autor. Quise leerla, pero era imposible, la letra era pésima. Además, había bebido en mi albergue, no sólo martinis sino whisky, y empezaba a tambalearme pese a ser tan temprano. En los últimos días, incluso el olor del alcohol me emborrachaba. Estaba impresentable. Entonces, Dicent me sorprendió poniéndome una mano sobre el hombro.

—Conocí a Nabokov en París, antes de viajar a Cornell —dijo—. Sufría de lo que luego, por influencia suya, se bautizó como lolitismo; me causa risa que esa enfermedad oscura en Europa haya sido tan bien pagada en América. A decir verdad, sus novelas siempre me parecieron socarronas y su *Lolita*, me parece recordar, es una obra bastante sucia ¿no es cierto?

Le di la razón para no discutir. Cerré el libro y lo devolví a su lugar. Le pedí disculpas a Dicent por haberme introducido sin permiso en aquel pequeño museo.

—No te preocupes. Yo sé que tienes la costumbre de quedarte dando vueltas en mi casa mientras yo pinto, y no sólo tomando martinis.

No había reproche en su voz.

—Es una caja llena de sorpresas —confesé—. No puedo evitar dar unas vueltas por ahí.

—Está bien, está bien, no pienso recriminarte nada. Eres un espíritu curioso, no tienes por qué pedirme nada. La casa es tuya.

Dicent abrió una olorosa alacena de pino que yo no había visto y sacó un habano. Lo desnudó del capuchón con bastante cuidado y luego se lo llevó a la nariz. Olfateó con los ojos cerrados. Luego, estiró su brazo y me lo obsequió.

—Creí que quería pintar —le dije.

—Luego. Estoy celebrando algo —me contestó—. Es un secreto. Un pequeño aniversario, una tontería.

Buscó entre unas botellas que guardaba en un barcito de madera de su museo, una especial para esa celebración secreta. No la encontró, se aburrió de buscarla o se arrepintió, pues no sacó ninguna. Dejó caer con pereza sus brazos y me echó una larga mirada.

—Nunca me ha contado sobre su país —me dijo—. No comprendo qué hace un historiador en un pueblucho como éste cuando tiene por detrás, según tengo entendido, un espléndido pasado.

—Ni pasado ni nada —dije—. Sólo un montón de salvajes impresentables con mucho folclor alrededor y casas de adobe llenas de pulgas.

—Bueno —dijo, tratando de ser conciliador—, hay personas que escogen su patria y están en todo su derecho. Aunque no entiendo qué ve de digno o sensato en la historia de Roma. La prepotencia como forma de gobierno y esas orgías sucias y sin sentido mientras hablaban de la dignidad y los triunfos. Casi podría decirse que los bárbaros que la asolaban eran más civilizados que ellos.

—No sabe lo que dice. El verdadero espíritu de Roma está en sus héroes, no en su fragilidad de estado burocrático. ¿Le he hablado de Germánico?

—Los héroes. Vaya frase. La historia a la manera romántica de Michelet. Sí, me ha hablado de Germánico, varias veces —dijo, tratando de ofrecer una sonrisa—. Mi querido amigo, es usted un auténtico soñador. Pensaba invitarte algo de beber pero creo que ya has bebido bastante por hoy, y aún no es medio día.

Le pedí disculpas por saquear su bar de una manera tan abusiva.

—Estos últimos días has estado bebiendo demasiado. No soy un tonto, me doy cuenta de que las medidas de tus martinis han variado considerablemente. No has perdido esa mirada flemática, tan aristocrática, tan crepuscular, pero ahora está cubierta por un no sé qué de condenado.

—No sé qué le sorprende. La vida es una ruina —dije sintiéndome aún más borracho que hacía unos minutos—. También los recuerdos están arruinados. Es natural que busque un refugio.

—Se equivoca, siempre ha estado equivocado. Sólo las cosas que se quedan estáticas, detenidas en el tiempo, pueden convertirse en ruinas. Lo que cambia, lo que está en movimiento, nunca se arruina y perdura aunque deba cambiar de piel constantemente. Tú quieres dejar estáticas todas las cosas que tocas, vives dentro de un museo. No sé nada de historia pero sí de la vida. Y sé que creer en esas purezas inmaculadas o esas cumbres de la razón es un absurdo.

—Tú y yo pensamos distinto —dije—, eso es todo. Tú piensa como quieras y déjame a mí con mi idea.

—Algún día entenderás que no hay dos modos de pensar, que el mundo no está dividido en dos mitades como tú piensas, y que toda civilización amamanta sus propios monstruos.

De pronto entendí todo en un destello de lucidez. Era una cuestión de óptica. Para mí Venecia no era un museo sino una obra de arte en sí misma. Algunas cosas no se quedan detenidas en el tiempo porque uno busca detenerlas, como una fotografía, sino porque han llegado a la perfección. Si algún mérito le reconocía al siglo XX no era el haber desembarcado en la luna, sino el haber sabido convivir con Venecia, el haberla dejado existir y haberla protegido, en algún sentido, de los vándalos. Eso me remitía a Kaas de una manera aún no tan clara. Tenía que pensarlo más. Intenté explicarle mi hallazgo a Dicent. Lo único que pude decirle fue una sarta inconexa y salvaje de frases sin sentido que pretendían ser reflexivas.

—Oh, Dios, filosofía… entonces estás más claro que nunca. Bueno, lo único que puedo decirte sobre la vida es que es un camino difícil cualquiera que sea la dirección que tomes. Y ahora…

—Ya sé, ya sé… va a pintar.

Empecé a bajar las escaleras hacia el primer piso. Dicent me seguía sin dejar de apoyar una mano fraternal en mi espalda. Cuando estaba a punto de salir, me detuvo ejerciendo una ligera presión.

—Tengo que darte un consejo —dijo—. Nadie se acomoda a sus sueños, los sueños vienen y listo, ya están allí. ¿Por qué quieres rebelárteles? Deberías ser más inteligente y aceptarlos.

¿Sueños? ¿me pareció o había hablado de sueños? Mientras caminaba hacia mi albergue pensé que yo sí sabía de sueños, pero qué sabía Dicent, qué demonios sabía nadie sobre eso. Los que sueñan cosas absurdas como Dicent jamás entenderán que el sueño nos repite, nos reconoce, que es un juego de espejos que construye una ciudad para nosotros, que reproduce nuestros actos del día corrigiéndolos, que ilumina los puntos oscuros de nuestra conciencia y nuestro entendimiento. Nunca había pretendido rebelarme contra mis sueños. No sabría cómo hacerlo, los sueños con Kaas eran lo único de ella que nadie podía arrebatarme. ¿De qué estaba hablando ese imbécil? Decidí cambiar la ruta y en vez de encerrarme en el albergue ir donde Zeta para almorzar. Estaba caminando por la Vía Dolorosa cuando tropecé con una rama rastrera. Una combinación de alcohol y fatiga, nada más, me dije mirando mi ropa llena de tierra. Me levanté con esfuerzo y seguí caminando. Un automóvil azul metálico trepaba la Vía Dolorosa hacia el palacete de Dicent. Casi consigue arrollarme pero, a pesar de eso, no se detuvo. Intenté ver al conductor, o a alguno de los pasajeros, pero fue imposible porque el auto tenía los cristales empañados. Era demasiado tarde para una visita. Intrigado, observé si entraba a la casa del pintor. El auto, sin bajar la velocidad, iluminó con sus faros delanteros la puerta, pero se siguió de largo.

—Es un milagro verlo por aquí —dijo Zeta—. Un auténtico milagro.

Agustín limpiaba una mesa al fondo de la terraza, mirando cada cierto tiempo hacia el lugar donde había tomado asiento con Zeta. Zeta no ocultaba su alegría de verme, me hacía sentir realmente como el *enfant gâté* que, según Dicent, no podía superar. Zeta me había servido un martini y se sirvió también un trago, uno de los tragos típicos de Busardo, verde y medio dulzón, que tanto gustaba a los turistas, pero que Zeta no solía tomar pues prefería el pastís. Bebió mirando hacia abajo, como catando. "Debería probarlo alguna vez", dijo mientras dejaba con un golpe seco su vaso vacío en medio de la mesa. El vaso estaba sucio y también sus bigotes, que repasaba con la punta de la lengua.

—¿Qué tal me quedan? —preguntó Zeta.

Con sus dedos estiró cuidadosamente la punta de sus mostachos. Por más que me esforcé no pude recordar si Zeta llevaba o no bigotes antes de ese día.

—Bien. Muy bien —le respondo—. Maravillosamente bien.

—Están ahí sólo de prueba —dijo—. Preparo mi imagen para el verano. Creo que estos bigotes pueden darme cierto aire mediterráneo y eso puede atraer a los clientes. Este año voy a tener mucha competencia.

Zeta se echó para atrás y sonrió. Agustín dejó el trapo sobre la mesa que estaba limpiando y fue al encuentro de unas turistas de cuarenta años o más que lo llamaban con picardía desde un auto, tratando de pasar desapercibidas para nosotros, pero no para el muchacho. Al parecer buscaban una dirección. Agustín les señaló la calle hacia el lado izquierdo de la Vía Dolorosa estirando el brazo, dejando que las mujeres se sonrojasen con sus músculos de adolescente y los vellos brillantes de sus axilas. Una de las mujeres le acarició el brazo y el auto se llenó de risas. Agustín dio un salto hacia atrás y luego, juguetón, se puso a acusar a alguien, metiendo su brazo por la ventanilla abierta. Desde mi silla, viendo la escena, empecé a aplaudir.

—Bravo —grité—, bravo, muchacho.

Me puse de pie y caminé hacia Agustín sin dejar de aplaudir. Pude darme cuenta de que hacía el ridículo, de que Zeta y Agustín estaban sorprendidos, de que las turistas huían de mí atemorizadas por mi borrachera. Sin embargo, pese a todo, llegué hasta Agustín y le di un abrazo y una sacudida.

—Así se hace, muchacho, todo un donjuán. Te envidio. Quizá debas darme algunas clases, eh, qué tal. Unas clasecitas en tu cubículo repugnante...

Agustín, nervioso, intentó zafarse de mi abrazo. Zeta se había levantado y me cogió por la espalda sin violencia.

—No debí darle de beber más —dijo—. Es mi culpa. La sorpresa de verlo me volvió loco, perdone. Perdona. Estás muy ebrio, será mejor que te acompañe a tu casa.

—No —lo detuve—. *Stop*. Yo vine solo y me voy solo.

Salí del bar y empecé a caminar hacia mi albergue. Me percaté de que Agustín me seguía de cerca pues Zeta, preocupado, se lo había pedido. Me detuve y volteé hacia el muchacho.

—¡Fuera! —le grité con fuerza—. No necesito compañía y mucho menos la tuya. ¡Que no se te ocurra seguirme!

Di unos pasos sin voltear, señalando acusadoramente a Agustín. Después de un rato logré mi objetivo y volvió tras sus pasos; yo continué mi camino por la Vía Dolorosa. Con vergüenza, tuve que agarrarme de las paredes cada cierto trecho para no caer. Me senté en el cordón de una vereda para descansar un rato y miré el cielo, buscando distraerme con las nubes como cuando era un niño. Observé con detenimiento el cielo oscurecido de pronto. No había nubes. Ni siquiera una nube miserable. El cielo solía ser hermoso en esta ciudad, pero había tardes en que sólo era un charco hediondo. Intenté levantarme de la vereda, sentí vértigo y caí de bruces sobre la pista.

Desperté y mi primera visión fue un móvil de pájaros de madera colgado del techo. Las maquetas de Dicent daban vueltas sobre mi cabeza, agitando acompasadamente sus alas. Reconocí el minarete. Intenté levantarme pero aún me sentía mareado. Tuve que quedarme tendido en el suelo, rodeado de diagramas de pájaros, de cartas astrales, de urnas de mariposas y papeles. Nunca había visto el minarete tan desordenado. La puerta estaba cerrada. Llevaba una bata de felpa que me quedaba muy ancha. No tenía la menor idea de lo que había pasado con mi ropa. Al fin me puse de pie y empecé a dar vueltas pero, de pronto, sintiéndome preso, me arrojé contra la puerta. Estaba cerrada con llave desde fuera y empecé a aporrearla. Nadie contestaba. Tratando de despejar la claustrofobia que sentía me puse a revisar las cosas de Dicent. Cogí una serie de dibujos en bistro. Eran muchachas desnudas, de aspecto harapiento y nada sensuales. No estaban hechas tampoco con esos trazos graves de los pintores expresionistas. Parecían más bien estudios del cuerpo humano, al igual que los dibujos de sus aves, que pretendían alcanzar la perfección al copiar el detalle de un músculo o un gesto. La modelo más dibujada era, evidentemente, la amiga de Agustín. Pero también había otras modelos. Dejé los dibujos y seguí rebuscando, ahora en los cajones. Entonces, Dicent abrió la puerta y se introdujo en el minarete con mi ropa lavada y planchada en sus brazos.

—¿Qué demonios hago aquí? —le pregunté con violencia—. ¿Por qué me encerró?

—Nada, hombre. Te caíste en la calle y un muchacho te recogió y tuvo la buena idea de traerte aquí.

—¿Agustín me trajo aquí?

—Sí, creo que ese es el nombre del muchacho que trabaja con Zeta —mintió Dicent como si no lo conociera—. Por cierto, aquí tienes tu ropa.

—¿Por qué la tienes tú? ¡Qué demonios ha pasado! ¿Por qué me trajo aquí?

—No tienes por qué ponerte así. Sólo te he dado un baño. Estabas asqueroso. También te lavé la ropa. Si quieres puedes quedarte a dormir aquí esta noche. Me parece que sería lo mejor. No creo que estés en condiciones de volver caminando a tu albergue.

Dicent se agachó y recogió los dibujos que yo había dejado caer al suelo. "Qué desorden", dijo para sí mismo. Una vez reunidos los dibujos los llevó hacia una caja al lado del telescopio.

—Has estado viendo mis apuntes. En fin, no suelo enseñarlos, para un pintor es como enseñar la saliva o el bolo alimenticio, pero, ya que los viste ¿qué te parecen?

—Son despreciables —dije.

Dicent se sobresaltó por lo tajante de mi frase.

—Crees que todas las personas son tus insectos —agregué—. Estás enfermo. Ahora ábreme la puerta.

Dicent levantó sus cejas. No estaba acostumbrado a una actitud tan violenta de mi parte. Pero yo me sentía acorralado y no tenía ganas de dar concesiones.

—Me imagino que debes de pensar que soy un pervertido por lo de las chiquillas. Pero no debes juzgar con tus prejuicios occidentales las costumbres de Busardo. Aquí, la vida sexual empieza antes. Incluso las mujeres de la edad de esa muchacha suelen estar ya casadas.

—No juzgo nada, no me interesan tus cosas.

Dicent estiró su brazo y me ofreció unos nuevos dibujos en bistro que sacó de la caja. Los retiré de mi vista con un gesto agotado, harto, y me senté en una silla frente a su computadora. Crucé los brazos y miré fijamente a Dicent. Una pequeña pluma flotaba alrededor de la pantalla.

—Creo que aún estás mal —me dijo—. Será mejor que me vaya y te deje descansar.

Dicent abrió un sofá cama que tenía dentro del minarete y acomodó unas sábanas. Dio un par de golpecitos sobre la cama tendida invitándome a dormir. Luego, se dio la vuelta y empezó a caminar hacia la puerta del minarete. Me tendí pero no podía cerrar los ojos. Volví a levantarme. "¿No estás cómodo?", preguntó Dicent con voz sinceramente preocupada. No le contesté y me puse a dar vueltas. A un lado de la habitación, fuera de la caja, casi escondido, descubrí un apunte donde pude reconocerme. El muy cretino había estado dibujándome borracho y desnudo. Cogí la hoja y debajo de ellas me descubrí en decenas, si no cientos, de dibujos con distinta ropa y en diferentes poses. ¿Cuándo los había hecho? Era la labor de meses de observación. Revisé uno por uno, indignado, mis retratos. Dicent me miraba con temor, sin saber qué decir, ensayando una explicación. Dio unos pasos inseguros hacia mí. En ese momento descubrí un par de dibujos en donde aparecía con el saco gris que le regalé a Kaas en nuestra despedida y que tantas veces usé estando con ella en Busardo. Levanté el rostro furioso. Ahora se hacía evidente que Dicent me había estado espiando desde siempre, antes de conocerme, quizá desde mi llegada al balneario. La revelación fue un fuego que subió hacia mi cabeza y golpeó mis sienes. Dicent puso su mano sobre mi hombro. Me levanté de la silla y de un salto me arrojé sobre él y lo tumbé al suelo. Dicent intentó defenderse, pero su obesidad le impedía cualquier movimiento. Rendido en el suelo empezó a sollozar, cubriéndose la cara, como un niño rogando que no lo golpee.

—¡Vas a tener que explicarme todo! ¡Ahora mismo!

—Suéltame por favor, suéltame —gimió—. No sé de qué estás hablando. Qué quieres que te explique.

Lo tenía cogido del cuello y empezaba a apretar. Pero me detuve cuando noté que se asfixiaba. Pude haberlo matado. Por primera vez sentí que la vida de un hombre estaba en mis manos. Era una sensación extraña, no necesariamente desagradable. Pero también estaba asustado. Me levanté, cogí mi ropa y bajé corriendo hasta el primer piso. Entré en la biblioteca, arrojé la bata al suelo y empecé a vestirme. Luego, cogí una botella de whisky, llené un vaso y me senté a beberlo tratando de calmarme y sin decidirme a salir pues estaba demasiado nervioso. Dicent había bajado detrás de mí. Entró a la habitación y se me acercó por detrás, con cautela. Se quedó mirándome, calibrando mi ira. Parece que creyó que ya estaba más controlado, pues se animó a sentarse en un sillón dándome la cara.

—No sabía que eras tan violento. Pero me gusta. Por fin vamos conociéndonos. Ya no eres sólo ese cándido historiador de hace unos meses, haciendo un duelo por el fin de una relación en este balneario sin personalidad, sin historia, sin nada. La ruina del amor sobre las ruinas de la historia. Una bonita metáfora, por cierto, pero debes aceptar que llevada a la realidad es de un patetismo torpe y hasta aburrido.

Tomé un trago de whisky. Dicent esperó a que levantara los ojos y volviera a ponerlos sobre los suyos.

—No digo que no seas encantador, lo eres. Y muy bien educado, y hasta tímido. Pero ese "encanto" mata el arte; mata el amor; me temo muchísimo que te ha matado a ti.

Miró, calibrando el daño que me había hecho. Se encontró con mi rostro oscilando entre la indignación y la indiferencia.

—Pero ahora parece que eres más divertido —agregó—. Incluso creo que puedes sorprenderme. Estoy seguro de que vamos a entendernos mejor.

Vio que mi whisky se había terminado y se puso de pie, con la botella en la mano, para llenar mi vaso de nuevo. Me lo sirvió observándome fijamente. Antes de sentarse recogió su bata del suelo. Se puso a limpiarla pasando su mano sobre ella lentamente y sin quitar los ojos de mí. Dejé el whisky, me levanté del sofá, le arrebaté la bata con fuerza y di un nuevo golpe. Esta vez fue en el rostro. Lo hizo resbalarse dramáticamente hasta el suelo. Dicent no sollozó como antes, aunque sangraba de la nariz y daba un feo espectáculo. Respiraba como un animal herido, agitado y a la expectativa de mis reacciones, lo que me puso de peor humor. Aproveché que estaba en el suelo y le di una patada en la entrepierna que lo hizo encogerse y aullar. Lo dejé cogiéndose los testículos, sin poder levantarse por el dolor y con el rostro de no entender qué había salido mal cuando parecía tener todo bajo control. Abandoné el palacete y fui hacia el jardín. Cogí la bicicleta en buen estado de Dicent y empecé a pedalear con furia a lo largo de la Vía Dolorosa tratando de llegar a mi albergue lo más pronto posible.

Caía la noche afuera, pero amanecía en cada rincón de mi cuarto. Intentaba dormir sin éxito. Por la única ventana de la habitación se vertía una luz agonizante. El lagunar cruzado de vigas se combaba. Parecía querer agacharse hasta alcanzar mi cabeza y, recién entonces, caer con todo su peso sobre mí. Había perdido el hilo que unía mis sentimientos a la realidad y el que unía mi espíritu a mis sentimientos. No me consideraba capaz de juzgar nada de mi vida en Busardo; sabía que, fuera lo que fuera, sería demasiado severo en mi juicio y no quería ser injusto. Había cosas ahí, recuerdos y personas, frases, que no merecían tanta severidad, que más bien esperaban de mí una calidez humana que en esos momentos no estaba en capacidad de ofrecer. Es decir, esperaban la caridad. Por ejemplo, la dueña del albergue que subía hasta mi cuarto seguida por los pasos cortos, como saltos de un pájaro, de su perro de aguas. Tocó mi puerta, pero no contesté. Insistió, pero me fui al baño, sin interesarme por ella. Los pasos derrotados de la dueña y su mascota bajaban por la escalera hacia el mundo monótono y gris de su cocina. Me vestí con rapidez, regando la ropa sucia por el cuarto, y antes de salir puse mi cabeza debajo del caño del lavabo. Dejé que el agua cayera sobre mi cara durante unos minutos. Después, cerré el caño y salí del baño cuidándome de no mirar mi cara en el espejo. Abandoné el cuarto dando un portazo, aunque, a decir verdad, pretendí ser sigiloso.

—Hace tan sólo unos minutos que fui a buscarlo —me dijo la dueña desde la cocina—. Tengo algo para usted.

Se me acercó y, con una sonrisa pícara, puso un sobre en el bolsillo

235

de mi saco. Después se retiró, desconcertada porque no cogí ni leí la carta de inmediato; es más, ni siquiera la recibí con entusiasmo.

—Llegó esta mañana, pero no pude encontrarlo hasta ahora para dársela. En el sobre dice que es urgente.

—Muy agradecido —contesté, apretando el sobre en el bolsillo del saco pero sin la menor intención de abrirlo.

Abrí la puerta del albergue. Las odiosas campanillas sonaron como desperezándose. Me disponía a salir, cuando la dueña volvió a llamarme, tocando mi brazo con su mano delgada.

—Quería pedirle permiso —dijo— para entrar a su cuarto y limpiarlo. Parece que en las últimas semanas ha estado usted muy ocupado y no ha tenido tiempo siquiera de tender su cama.

—Haga lo que quiera, es su albergue.

La anciana no se dejó arredrar por mi mal humor.

—Entonces, si no le importa —acotó— también voy a permitirme llevar al patio de fuera esa maceta que trajo usted, con esa flor tan bonita que se está muriendo. Puedo asegurarle que soy una especialista en salvar plantas ahogadas. Sólo necesita un poco de luz, agua y…

Recién entonces recordé el geranio. Pero tuve que evadir esa nostalgia. Moví la cabeza para indicarle que hiciera lo que le viniese en gana y esperé con la mirada en el suelo, como un chiquillo, por si tenía algo más que decirme. No dijo nada más y volvió a su cocina. Sólo entonces pude salir. Antes de cerrar la puerta del albergue descubrí que la bicicleta de Dicent seguía arrojada sobre la vereda. Nadie la había cogido. Al parecer era un barrio honesto. Di un paso tranco por encima de la bicicleta y, dejándola tirada, empecé a caminar rumbo al centro de la ciudad.

Caminaba por la Vía Dolorosa mal acompañado por las luces apagadas de las casas que iba dejando atrás. No me había percatado de que era tan tarde, quizá la una de la madrugada. Por la hora resultaba imposible ir de nuevo al bar de Zeta. Me di una vuelta por el bar para los pueblerinos, pero también estaba cerrado. Un hombre con aspecto de pescador, quien también parecía estar buscando un lugar donde beber, me reconoció y al preguntarle por el local me contó que desde que aparecieron los tres muchachos muertos, la policía estaba muy alterada y había cerrado la cervecería. "¿Tres?", pregunté confundido y corregí de inmediato, "fue sólo uno". "Tres", porfió el hombre. Le dije que yo mismo había visto cómo sacaban del agua al muchacho.

—Está hablando del italianito. Yo hablo de los muchachos que encontraron en las ruinas.

El hombre me contó que el día anterior habían encontrado a un par de muchachos italianos y una chica francesa muertos cerca de las ruinas. Se decía que estaban drogados. Cada uno de ellos con un par de balazos en la cabeza. Como se les encontró una buena cantidad de cocaína en los bolsillos, se habló de una venganza entre narcotraficantes. No podía ser que yo no lo supiera, me dijo, ¿en dónde había estado metido? Todo Busardo hablaba de eso. Era una buena pregunta: ¿dónde me había metido? ¿en qué había estado pensando los últimos días? Me despedí del hombre, quien sonrió con esa sonrisa bonachona de quien ha estado conversando, desde la lucidez, con un borracho. Me aconsejó que me cuidara; Busardo se estaba volviendo peligroso. Al fin había dejado de sentirme ebrio y ya tenía urgencia de encontrar un lugar para beber. El problema es que no se me ocurría dónde, salvo en la discoteca. Vi unos jóvenes que salían de ahí y descendían por la calle estrecha, haciendo carrera, hacia la playa. Uno de ellos cayó aparatosamente y rodó unos metros, pero nadie se detuvo a auxiliarlo. El muchacho, sin poder levantarse de tan borracho que estaba, se echó a reír a carcajadas. Un nuevo grupo de jóvenes bajaba detrás de ellos por uno de los callejones. Iban abrazados en parejas. Todos los hombres con camisas blancas, bronceados, pelo revuelto, la locuaz pinta mediterránea. Un desfile de fotografías para turistas. Las muchachas del grupo, en cambio, tenían rasgos extranjeros, eslavos para ser precisos. Era fácil darse cuenta de que ellas ya estaban muy alborotadas. Los pueblerinos, de vez en cuando, se lanzaban miradas cómplices.

Entré por el callejón por donde ellos descendían y descubrí, al fondo, la entrada de donde salían todos. La puerta de acceso estaba repleta de adolescentes al igual que la acera donde, en círculos cerrados, se iban pasando unas botellas de un licor imposible de identificar bajo la escasa iluminación. Entré en la discoteca, que no era sino una casa vieja cuyos ambientes habían sido remodelados para hacer un local de baile y un bar, y en cuyos techos habían improvisado luces de colores. Crucé la pista de baile, abriéndome paso entre muchachos sudorosos que saltaban impulsados por una música sin ritmo, y me dirigí a la barra del bar. La barra estaba asediada por los que no bailaban, pero había pocos tragos sobre la mesa y el barman se veía aburrido. Pedí un whisky y el encargado, resucitando de inmediato, me sirvió uno en un vaso sucio que en cualquier discoteca del mundo hubiera sido inaceptable. Bebí en silencio, franqueado por dos muchachas de aspecto pueblerino, rollizas y pintadas con exageración. Las chicas, de vez en cuando, me lanzaban miradas provocadoras buscando que les invitase algo de tomar, pero al ver mi desinterés volvían a centrar su atención en los bailarines. También yo dirigí mi mirada a la pista de baile. No sólo había adolescentes, también había muchos hombres y mujeres de mi edad e incluso mayores, turistas que venían a visitar las ruinas y que iban a divertirse, algunos de ellos incluso sin quitarse su ropa de campamento. Todos daban la impresión de estar muy ebrios, sus pasos de baile carecían de coordinación. Pero aquello, sumado a las luces cortantes que caían desde el techo, aumentaba la apariencia de vivir la euforia. Como cada uno bailaba la música según su edad, sus costumbres, sus posibilidades físicas y su borrachera, tuve la sensación de estar frente al ensayo de una coreografía esperpéntica destinada al fracaso. A diferencia de los extranjeros, los jóvenes nativos que estaban en esa discoteca eran adolescentes en su mayoría. Los varones con el pelo muy corto, los ojos grandes, la piel bronceada y el tablero del pecho lampiño descubierto por las camisas desabotonadas. Todos los muchachos de Busardo, incluyendo Agustín, seguían ese patrón de moda. Bailaban bien, aunque con un movimiento ensayado con pretensiones de ser seductor que, repetido con exactitud en cada uno de ellos, se vulgarizaba. La muchachas nativas, en cambio, casi no podían diferenciarse de las extranjeras en la oscuridad pues vestían con ropa de moda en Europa y llevaban la cara pintada con un arte desagradable donde predominaba el negro. Ninguna de ellas parecía superar los quince años. Se dividían entre las que parecían agrandadas de aspecto abotagado y las que tenían una cara infantil que bordeaba la necedad.

—Siempre supe que iba a encontrarte un día acá, profesor. Te resististe mucho tiempo pero, ya ves, al fin estás con nosotros.

La áspera voz de Agustín arañó mi oído. Volteé y me lo encontré frente a mí. Estaba acompañado de la modelo de Dicent. Su amiga observaba a su alrededor con aquella indiferencia que tan de moda estaba entre las muchachas. Llevaba una camiseta estrecha, blanca, de algodón, que se le pegaba a la piel, permitiendo ver el empinado crecimiento de sus teticas y dibujando sobre la tela el círculo de sus pezones.

—Durba va a estar muy contento de verte —me gritó Agustín, tratando de superar la bulla—. Está bailando en la pista.

Le contesté con un movimiento de cabeza indescifrable. Pero Agustín pareció estar satisfecho de que le prestara atención.

—Yo sé que puedes invitarme uno igual —dijo señalando, mi whisky.

Con un gesto pedí al barman que le sirviera un whisky a Agustín. La muchacha pareció despertar de su letargo y empezó a mirarme. No había necesidad de obligarla a mendigar así que pedí uno también para ella.

—Ah, ya veo —dijo Agustín dándoselas de suspicaz—. Ya entiendo mejor a qué ha venido.

No miré a Agustín esta vez, ni le hice ningún gesto. Agustín bebió un sorbo de su trago y se acercó a mi oído para seguir hablándome.

—Todos le decíamos a tu novia que pronto vendrías aquí. Ella se divertía mucho con nosotros, sabes, se reía bastante, creo que le parecíamos simpáticos. ¿Tú qué crees?

No dije nada.

—Siempre les parecemos simpáticos a los extranjeros —reflexionó antes de beber otro trago.

Escuché lo que decía tratando de no prestarle atención ni preocuparme por sus intrigas. Desde luego, no era imposible que Kaas visitara la discoteca con sus amigos en alguna más de las supuestas osadías de su grupo de aburridos. Una manera de pasar el rato y divertirse a costa de los nativos. Pero era evidente que el ladino de Agustín usaba eso para provocarme.

—Escucha, quiero que me expliques por qué me llevaste a casa de Dicent —le dije tratando de parecer tranquilo—. ¿Te lo pidió él?

Agustín se hizo el desentendido. Miró a su amiga y se guiñaron el ojo. El rostro de la muchacha me recordó a las puterías en la casa de Agustín. A partir de ese momento ya no me cabían dudas sobre quién fue la protagonista de ese espectáculo. Me parecía increíble no haberme dado cuenta antes.

—Por si acaso —le dije a Agustín—, si estás pensando que he venido de putas estás equivocado.

Agustín me oyó y miró a su amiga de nuevo. Volvieron a guiñarse el ojo y sonreír sin hacerme caso. Me estaban empezando a exasperar esos dos.

—Si piensas que sólo porque no me voy de Busardo tengo los gustos de Dicent estás equivocado —le dije.

Agustín dio un respingo y bebió un sorbo el resto de su trago antes de contestar.

—Como Dicent estoy seguro de que no eres. Ese tipo es un cerdo, un explotador. Lo odio más que a nadie en el mundo —dijo con resentimiento—. Pero está bien, lo de las putas puede esperar. Por ahora diviértete como quieras. Ya sabes de qué hablo. Puedo presentarte ahora mismo a Golle.

—¿Y qué podría interesarme del tal Golle? —le seguí el juego.

Agustín pidió otro whisky. El barman me miró y le hice un gesto afirmativo. Agustín sonrió quebrando una de sus comisuras.

—Si no confías en la calidad de lo que tiene Golle puedo darte de la mía para que pruebes.

Palpó uno de los bolsillos de su saco, extrajo un papel blanco donde presumiblemente tenía envuelto algunos gramos de coca y lo paseó delante de mis ojos un segundo antes de volver a guardarlo con prisa. La escena era de una monotonía repugnante. Me parecía haber visto aquello un millón de veces en un millón de películas baratas distintas. Agustín, de pronto, dejó de hablarme y entabló una conversación con unas extranjeras que se le acercaron. Había cogido a una por la cintura mientras la otra bailoteaba a su alrededor con un vaso en la mano. Respiré aliviado de que me hubiera olvidado al fin y volví a concentrarme en la pista de baile tomando mi trago. Entonces, la amiga de Agustín me pellizcó un brazo.

—Mira —me dijo—, Durba otra vez se ha metido en problemas.

El gigantón estaba cogiendo del cuello a un muchacho. Lo empujaba hacia afuera de la discoteca. Observé la pelea por unos minutos y luego volteé a mirar a la muchacha. Quise decirle algo pero no se me ocurrió nada.

—Págame otro trago —dijo—, vamos, hombre, vamos, invítame otro.

—Pide lo que quieras —le contesté.

La muchacha llamó al barman y pidió un trago de nombre extraño en dialecto. También le pidió un cigarrillo. El barman le dio uno y sacó su encendedor. La breve llama mostró el rostro de la chica por unos segundos. Se había pintado la cara como un mapache. Tomó los primeros sorbos de su trago con un gesto de asco, como si le pareciera amargo. Agustín me cogió del hombro. Las extranjeras se despedían de él con un beso y se alejaban moviendo exageradamente el culo.

—Listo —dijo Agustín—. Esta noche va a ser muy buena para mí.

Grandes negocios; va a ser una noche excelente. Pero no me he olvidado de ti. ¿En qué estábamos?

Me levanté del taburete del bar y dejé a Agustín hablando solo. Me introduje en la pista de baile confundiéndome con el resto. En mi mano tenía mi vaso casi lleno y mojaba a los que chocaban conmigo. Nadie se quejaba. Trataba de moverme pero no podía seguir el ritmo. Me detuve en medio de la pista y di un sorbo de mi trago. Agustín, seguido de la muchacha, me dio el alcance.

—Ya está bien de charla —dijo él—. Hagamos de una vez el trato. ¿Vas a quedarte en la discoteca un rato más? Porque nosotros ya nos vamos, pero, si quieres, ella se puede quedar contigo y después te lleva a la casa.

—Yo no quiero irme todavía —se quejó la muchacha.

—Tú cállate, tonta.

La muchacha hizo un mohín engreído y se hundió en su trago.

—¿Por qué no vamos a buscar de una vez a Golle? —dijo Agustín—. Te noto un poco tenso, como indeciso. Vamos al baño por Golle y salimos un rato fuera. Lo necesitas.

Pasé mi brazo alrededor del cuello de Agustín y atraje su cabeza a la mía. Nuestras frentes estaban juntas y Agustín parecía incómodo. Era más bajo de lo que parecía. Casi podía sentir su aliento mezclado con el mío. Decidí hablarle en su lenguaje. "Vamos a ver a ese tal Golle, pero con calma", le dije. "Primero voy a bailar un rato. ¿Está bien?"

Durba se acercó a ver qué sucedía con su amigo. Quizá para defenderlo. Pero cuando me reconoció decidió no intervenir. Aún así, era un peligro su mirada díscola y su boca fruncida. Solté a Agustín, le di una palmada en la espalda a Durba y me abandoné la pista de baile. Fui hasta la barra a cancelar mi deuda. Cogí un posavasos húmedo abandonado sobre la barra. El dibujo coloreado de una ruina en miniatura flotaba en el centro del cartón. Metí el *souvenir* dentro del bolsillo interior de mi saco y salí de la discoteca tratando de evitar que los bailarines de la pista me golpeasen demasiado.

Caminaba sin rumbo fijo por las callejuelas que se internaban en Azul. La bulla y el sopor del encierro de la discoteca habían logrado darme un tremendo dolor la cabeza. Además, la brisa que venía del mar me había emborrachado de nuevo. No tenía prisa, no pensaba en nada, no recordaba. Entonces escuché a Agustín dándome el alcance en su moto. La colocó delante de mí obligándome a detenerme. Atrás llevaba a su amiga. Trató de convencerme de volver a la discoteca. Me negué. Entonces Durba, evidentemente al acecho, me cogió del cogote. Durba alternaba el amistoso "amigo" o "profesor" tratando de convencerme, pero por su tono y la zarpa en el cuello entendí que era mejor no contradecirlo. Obligado por él empecé a caminar en sentido opuesto a mi albergue, hacia la casa de Agustín. La moto iba en procesión detrás de nosotros, silenciosa, lenta, llevando a la muchacha que se quejaba, sin éxito, por haber abandonado tan rápido la discoteca.

Durba y Agustín me obligaron a jugar póquer durante varias horas. Una bizantina forma de robarme, pensé, menos complicado era abrirme la cartera y llevarse el dinero. Estaba tan borracho que apenas si podía distinguir los dibujos de las cartas que tenía en mi mano. Pero seguía bebiendo. Por increíble que parezca, ésa era mi noche afortunada y no perdía tanto como pretendían mis contrarios. La muchacha, aburrida de nosotros, trataba de dormir en el sillón de la sala. Sus piernas delgadas, auspiciadas por no sé qué suerte de luz tenue, venida desde sabe Dios dónde, se veían deliciosas. Agustín estaba intranquilo y miraba la hora constantemente. Por su parte, Durba estaba consternado por no haber podido ganar tanto dinero. Me miraba con rencor, mascullando su odio, sospechando una trampa. Miraba sus cartas como si fuera él quien, de pronto, no lograra entender los signos de trébol, corazón, espada y rombo.

—Es suficiente por hoy —anunció Agustín, tirando las cartas al centro de la mesa—. Durba no tiene suerte y no queremos que se enfade ¿verdad profesor?

—Necesito ir al baño —dije.

—También yo —gritó la muchacha, poniéndose de pie de un salto.

—Quédate tranquila tú, primero va el profesor.

—No —dije concesivo—. Que vaya ella primero.

—Ve tú, profesor, yo sé lo que te digo —dijo Agustín—. Si no después no podrás utilizarlo. No tienes idea de lo apestosas que son las mujeres.

Durba lanzó una carcajada, o más bien un chillido, tirándose hacia atrás para celebrar la broma y haciendo tronar su silla. La muchacha, sin sentirse aludida y menos aún humillada, fue al baño. Yo me lancé sobre el sofá que ella había estado ocupando. Desde ahí podía ver a Agustín entrar y salir de su dormitorio y a Durba mirar muy concentrado sus manos inmensas. Instintivamente llevé mi mano al bolsillo del saco. Ahí estaba el sobre arrugado que me dio la dueña del albergue. Lo saqué y pude leer el remitente. Era una carta de Leopoldo. Al fin había podido establecer contacto conmigo. El azar inmóvil, pensé enternecido, pero como la muchacha salía del baño guardé la carta para leerla después y entré. Me eché agua a la cara y observé mi rostro en el espejo. Aún estaba en carne viva el recuerdo de la última vez que había observado así, al detalle, mi cara en un espejo. Lo que me devolvía ahora el reflejo era aún más decepcionante que en aquella ocasión. Había envejecido. Por mi pelo parecía correr electricidad y mi rostro estaba hinchado por el alcohol. Pero esta vez preferí no darle demasiadas vueltas a eso. Me eché agua a la cara y salí del baño.

Durba me esperaba en la puerta. Con su habitual diplomacia de bestia me llevó al dormitorio. Ahí estaban Agustín y la muchacha, desnuda, sin su camiseta, recostada sobre una mesa. Su cabello caía en cascada sobre una clavícula, o resbalaba por uno de sus senos, o bañaba sus rodillas mientras ella estaba acuclillada recogiendo del suelo, por ejemplo, un pañuelo. No me había percatado de lo largo que tenía el pelo. La muchacha estaba de espaldas. Mientras me introducían a la fuerza a la habitación no pude dejar de alabar en mi pensamiento aquella espalda de niña. Las costillas se le dibujaban bajo la piel casi transparente. Volteó hacia mí con un gesto infantil. Le pregunté a Agustín por la edad de la muchacha. Me dijo que tenía doce años. Pensé que estaba tratando de asustarme, otra bravuconada de las suyas. Pero apenas me acerqué a su cuerpo no tuve dudas: ella tenía doce años, Agustín no mentía. Mientras me repetía su edad para mí mismo, balbuceando sin abrir los labios hasta grabármela o creérmela, ella se burlaba de algo. Aquella dulce risa de colegiala se volvió cruel. En ese momento su edad dejó de importarme. Era una niña, eso era evidente, pero no una muchachita ni una nínfula, y menos aún una inefable lolita. Ni siquiera encajaría en las categorías de chiquilla sabihonda o gatita coqueta. Era sólo alguien, un cuerpo, que podía ofrecerse. Su aspecto desnudo tenía, visto con objetividad, algo de insecto. Habían arrasado su cuerpo, pero no había duda de que los despojos sabrían sobrevivir en medio de cualquier albañal, incluso obligada a vivir con la cabeza hundida en la ciénaga.

—Ponte esto —dijo Agustín, alcanzándole un traje color rojo que no pude identificar.

—Nada de juegos —exigí, arrebatando el disfraz de las manos de la muchacha—. Vuelve a ponerte la camiseta.

Agustín se desconcertó, pero hizo una señal afirmativa, indicando a la chiquilla que me hiciera caso. La muchacha obedeció la orden. La camiseta cubría su pequeña caja torácica y aprisionaba sus minúsculos, oscuros y duros pezones. Los brazos estaban al descubierto y también las piernas y el provocativo culo respingón. Tampoco cubría la camiseta los lacios vellos de su sexo que se erizaron apenas me desnudé. Sus vellos brillaron un instante bajo la pobre luz de un poste afuera de la casa.

—Quiero que me dejen con ella —le dije a Agustín y a Durba, sin

245

percatarme de que estaba en la ridícula posición de un hombre dando órdenes con el pantalón y el calzoncillo en el suelo.

Logré que salieran de la habitación a pesar de las quejas de Durba. Miré a la muchacha. No sentía deseos de ella; sin embargo, entendí que si separaba las rodillas la penetraría. No era una degradación ni una abdicación moral, aunque mi espíritu se deslizaba por mis piernas y reptaba. Por su parte, mi cuerpo no tardó en hacerse cómplice de mi excitación. Suspendí el juicio y penetré aquella vulva de labios delgados y receptivos que recibieron el capullo como un niño recibe un caramelo y lo oculta, avaro, con los puños cerrados. Me atenazaba con sus muslos, su vientre se agitaba como un juguete con un mecanismo sencillo en su interior. Caímos de rodillas, y la muchacha, con destreza, supo seguir ensartada. Era un prodigio, parecía que se corría una y otra vez, resollando sin dejar de pedirme siempre más. Mordí su boca, su nariz, sus ojos. Mordí su cuello y fingió tener un desvanecimiento, pero era só-lo parte del juego. Celebró su actuación con una risa sostenida. Quizá para una niña de doce años el sexo sin juego era impensable. Liberé sus senos de la celda, la camiseta, que yo mismo les impuse para exci-tarme. Empecé a dar mordiscos a sus breves pezones morados o, más bien, de un violeta rabiosamente melancólico. Era una niña, cierto, pero nada había de virginal en ella, no tenía que ir a ella con cautela, avanzando a tientas, limando asperezas y acariciando blanduras. Es-tuvo a horcajadas sobre mí por un buen rato y luego me encaramé a su culo. Ella me esperaba en cuatro y entré primero por su vagina y lue-go por el ojo del culo, después de dilatarlo con un dedo ensalivado. Me permitió hacer lo que quería sin problemas ni quejas. Estaba des-coyuntado. Mis caderas se agitaban siguiendo la música estridente y horrible de un disco que había puesto Agustín o Durba en la sala. Ja-más había participado de tal euforia, de tal suspensión de los sentidos. Más que entregarme al placer me entregaba al instante, como cual-quier bravucón graduándose de hedonista. Alcancé el orgasmo en ple-na vibración espinal, epidérmica… Rendido de cansancio me arrojé a su lado. Estaba vacío. Nada tenía que agregar, ni decir, ni sentir frente a aquella capitulación. Nada salvo un escozor en el escroto, nada salvo una pequeña irritación en el epitelio producto de un mal beso.

—No sabía que el profesor era tan bestia —dijo Agustín, entrando en la habitación e inspeccionando la escena.

—No jodas.

Eso no pareció hacerle mucha gracia. Me miró turbiamente. Saqué unos billetes de mi cartera y los puse sobre la cómoda. Entonces cambió su carácter y sonrió. Me levanté y me quedé parado frente a la muchacha y de espaldas a Agustín. Ella, como si despertara de pronto, cogió mis testículos de un zarpazo, sin cordialidad, y lanzó una risilla histérica. Les dio un beso rápido y los soltó.

—Perdón que no se la chupe, profesor —dijo la muchacha—, pero se me picarían los dientes.

Soltó la carcajada y yo, sin meditarlo, le di una bofetada en la mandíbula que la hizo chillar como cerdo y caer al suelo. Desde ahí su chillido se convirtió en una risa desbocada de hiena. Agustín también reía diciéndole a la muchacha que se lo tenía bien merecido. Salí del cuarto, entré a la sala y volví a tenderme en el sofá. En el único estante arrimado a la pared me pareció curioso distinguir, entre una serie de revistas viejas, la reconocible forma rectangular de un libro. Me levanté y lo cogí. Lo que descubrí me produjo escalofríos. No sólo era *Clea* sino que era *mi Clea*. Podía reconocerla por mis anotaciones en los márgenes. Faltaban hojas, y no tenía cubierta, pero era mi libro, el libro que enterraron en la arena aquel tipo extraño y sus hijas. Agustín me vio con el libro y me lo quitó de las manos para levantarlo como un trofeo.

—Es el recuerdo de una muchacha fogosa —me explicó—. Una extranjera. Riquísima. Una niña mimada y más flaca que mi amiga, pero como quien dice, una auténtica mujer para caballo. Después de lo visto ahora no me cabe duda de que ella te hubiese encantado.

—Mientes —dije fuera de mí mismo—. Mientes, miserable.

Me arrojé hacia él, pero sin éxito. Caí de bruces sobre el piso de la sala. Me levanté, sacudí mi ropa y vi que Agustín trataba de protejerse de una nueva arremetida. Traté de olvidar lo que había pasado. Después de todo, tenía la certeza de que Agustín mentía. Seguro había desenterrado el libro el muy bribón. Quizá había visto todo lo de la playa aquella vez y guardó el libro con algún fin siniestro, para sacarme dinero, por ejemplo, o sólo aprovechando la ocasión para molestarme pues era evidente que me detestaba. Aunque eso era demasiado pensar, suponía un odio hacia mí muy anterior que no creía posible en Agustín. Incapaz de resolver el misterio, traté de olvidar el asunto aunque me golpeaba las sienes. ¿Y si era cierto y esa niña...? Salí de la casa y apoyé la espalda en el frontis. Cerré mis ojos y volví a abrirlos temiendo quedarme dormido. Desde la casa podía verse el blanco encaje de espuma de las olas, un mar de esperma vestido con miriñaques, perifollos y ringorrangos para ocultar su verdadero y sucio origen. La brisa marina fue una bofetada amable que me invitó inmediatamente al sueño.

Me despertó el ruido de la motocicleta. Por la ventana se veía que Durba tenía diablos azules y arremetía contra Agustín por no sé qué deudas, aferrado a la moto y amenazando con llevársela. Yo estaba echado en la cama del cuarto de Agustín sin saber cómo había llegado hasta ahí. Junto a mí sentía la desagradable sensación de las nalgas frías de la muchacha, su sudor de niña que necesita un baño después del atletismo y, superpuesto a éste, su repugnante olor a perfume barato. La aparté empujándola con un pie, sin ternura. Ella, aún dormida, insistió en pegarse a mí y me obligó a levantarme de la cama encolerizado y salir del cuarto y de la casa. Me crucé con Agustín y Durba que continuaban discutiendo afuera. La muchacha se revolvió en la cama y me siguió con la mirada a través de la ventana. En medio del cielo se dibujaba la luna menguante, desgarradora e iluminada, similar a una cicatriz blanca cortando el espacio. Hacia el fondo, y bajo ella, la arena que bordeaba el océano, aquella orilla dura, era otra cicatriz. Agustín entró en la casa apenas pudo hacer bajar a Durba de la moto. Salió luego con la cara lavada y el pelo húmedo.

—La única solución es que vayamos a verlo para arreglar cuentas —le dijo a Durba; y luego, dirigiéndose a la muchacha que salía detrás de él—. Tú te quedas aquí.

La muchacha volvió a tener su edad. Dijo que ella también quería ir. Hizo un puchero que nadie tuvo en cuenta. Entré a la sala y cogí una botella de pastís que estaba sobre la mesa al lado de las cartas. Agustín alcanzó a manotear la botella que estaba a punto de llevarme a la boca. Me la quitó. No le recriminé la malacrianza pero era evidente que las barreras entre él y yo se habían roto y por un acto de magia, por un sortilegio, me había vuelto su similar o aún peor, al igual que Durba o la muchacha, su vasallo.

—No beberás más —me dijo, devolviendo la botella a su lugar—. Te necesito y no voy permitirte que esté cayéndote de borracho.

—¿Vamos a ir a algún lado? —pregunté.

—Si vamos hasta allá, yo voy en la moto —dijo Durba.

—No hay moto hoy día —gritó.

Empezamos a caminar dejando atrás la casa. Volteé un segundo antes de perderla de vista. Al interior de ésta la escena era desoladora: una muchacha desnuda rascándose la pierna flaca, botellas en el suelo, manchas de licor en los sofás, sangre y sillas rotas (¿quién las rompió?, ¿quién sangró?) naipes arrugados y, sobre todo, ese olor nauseabundo y constante a perro mojado.

—¿Dónde estamos yendo? —pregunté después de caminar un largo trecho, sintiéndome cansado.

—Tú caminas y yo camino —ordenó Agustín—. Y cuando quieras recordarlo mañana por la mañana no lo recordarás. ¿Alguna otra pregunta?

Seguimos caminando sin decir más. A esa hora noctámbula Busardo parecía de arena. Agustín daba zancadas y yo lo seguía eructando, eseando, retrocediendo. Durba iba detrás de mí, silencioso.

—No te retrases —me gritaba Agustín, pero era un gruñido de Durba quien le respondía—. A ti no te digo nada, torpe, no te quejes.

—Necesito descansar —dije de pronto.

—Ya descansaste toda la noche.

Eché un vistazo al cárdigan que llevaba puesto. En algún lugar había perdido mi saco. Y con él, la carta de Leopoldo.

—¿Esto es algo así como un secuestro? —pregunté.

—Sólo trato de cumplir la última voluntad de un amigo —dijo Agustín—. ¿Te gusta hacer favores a tus amigos o no?

—Por lo general —contesté—, pero no especialmente los días en que estoy tan cansado.

—No me decepcione, profesor —dijo socarronamente—. Ya falta poco.

Dimos una vuelta y entramos a un tramo de la Vía Dolorosa que yo no conocía bien. Pero, aún así, se me hizo evidente hacia dónde nos dirigíamos.

Llegamos al palacete de Dicent. Agustín y yo cruzamos la reja. Durba se negaba a entrar después de habernos seguido en silencio durante todo el camino. Agustín lo acusó de algo que no pude entender y Durba devolvió la acusación empujándolo para hacerlo trastabillar, saliendo disparado contra un árbol y cogiendo una rama caída a sus pies y blandiéndola como una espada. Volvió a gritar sobre deudas impagas y, para no ir contra Agustín, arremetió contra los árboles y las plantas como un jabalí.

—Es el fin de Durba —dijo Agustín sin evitar una mirada irónica—. Debe mucho dinero y pensaba recuperarse jugando unas partidas contigo. Tú eras algo así como dinero en el banco para Durba. Ya no se puede confiar en nadie ¿verdad?

Durba había dejado de flagelar a los árboles de la entrada y dirigía su ira contra la casa. Pero en mitad del camino pareció arrepentirse. Arrojó su sable a un lado y caminó con tranquilidad, con lo brazos caídos, hasta la puerta de Dicent. Como de costumbre, la puerta estaba abierta. Entramos a la sala los tres al mismo tiempo. Estuvimos un rato de pie en medio del vestíbulo sin ánimo de movernos, convertidos en piedra, derritiéndonos en el linóleo, hasta que me decidí y empecé a subir las escaleras contando las gradas. Agustín y Durba parecían contar mis pasos desde el rellano y luego de que di diez o doce se decidieron y empezaron también el ascenso hacia el minarete.

—Veo que no has tardado esta vez —dijo Dicent, dirigiéndose a Agustín, dándonos la espalda.

Agustín se adelantó y entró al minarete.

—No me gusta lo que está pasando —dijo Dicent violento—. Lo del muchacho italiano fue indispensable, pero creo que las cosas se te han salido de control, tienes que arreglarlo.

Parecía estar agotado. Su voz había perdido brillo, era opaca. En el reflejo apenas perceptible de la ventana se notaba que traía el ceño fruncido y sin sonrisas, sin capacidad de asombro. Un pequeño dios que luchaba contra su solipsismo; que deseaba fervientemente haberse equivocado y ser otro.

—Te he traído un regalo —dijo Agustín—. Una sorpresa.

—¿Es que no escuchas lo que te digo? Por Dios…

Dicent volteó hacia el grupo furibundo. No pareció reconocerme al lado de Durba pero dejó de hablar. Cuando al fin se dio cuenta de que se trataba de mí, se mostró muy sorprendido.

—Es cierto que es una visita inesperada —dijo Dicent.

—Quizá pueda ayudarnos —dijo Agustín—. Depende de usted.

—¿Puedes ayudarnos? —me preguntó amablemente Dicent.

—Lo dudo —contesté—. No tengo la menor idea de lo que están hablando.

—No creo que traerlo haya sido una buena idea —le dijo Dicent a Agustín—. Sé muy bien lo que pretendes pero creo que ahora no es conveniente forzar la situación.

—Quién puede entenderlo —contestó Agustín.

—No mezclemos las cosas, este es otro asunto.

Dicent parecía enfadado. Me miró, luego miró Agustín y después otra vez a mí.

—Es mejor que te vayas —me dijo.

—Si hubiera visto la demostración que hizo hoy con nuestra amiga no le pediría que se fuera ¿o no, Durba?

Agustín le dio un codazo cómplice a su amigo. Durba pareció toser. La risa, más bien gruñido, le salió del estómago y en seguida éste bajó la cabeza como si quisiera interrogarlo. Dicent no movió ni un solo músculo. Tampoco yo participé del entusiasmo. Estaba apoyado en la pared y me resbalé hacia el suelo, cayendo al lado de Dicent. Hundí mi cabeza entre las piernas y quise desaparecer.

—¿Qué piensan hacer?, ¿qué demonios hago aquí? —pregunté al borde de la desesperación.

—Levántese, profesor —dijo Agustín—, tenemos cosas importantes de qué hablar.

—Agustín, ya te dije que no mezcles las cosas. No quieras pasarte de listo conmigo.

Dicent dijo eso con una voz rotunda y amenazante que tronó en la habitación. Luego, volteó hacia mí y me dirigió una mirada casi lánguida, de expresión interrogante y hasta triste. Estuvo mirándome así por un largo rato. Mientras Agustín estaba distraído tratando de contener a Durba, que ya se estaba hartando de la situación y la charla y quería irse contra Dicent.

—Mi pobre amigo —dijo de pronto Dicent, dándome una palmada en la espalda—. Llegó hecho una flor y terminó con el polen todo regado y el pistilo hecho **mierda**.

Entonces la carcajada fue general. Agustín intentó palmotearme también la espalda. No pude evitar un rapto: me levanté y le di un golpe en la boca del estómago, sin lograr derrumbarlo, pero doblándolo. Durba saltó a defender a su amigo. Con una llave al cuello me inutilizó por completo. Tenía su cara pegada a la mía y podía sentir su aliento de sastre. Bufó no sé qué insultos ensalivados contra mi oreja. Pensé que me golpearía. La verdad, ya ni eso me importaba con tal de que acabase esa escena de pesadilla. Agustín se levantó del suelo aún adolorido y Dicent se puso de pie y se acercó hacia mí, me cogió de una mano y me libró con suavidad de Durba.

—Sólo fue un buen golpe —dijo Dicent—. Por favor, Durba, no hagamos un lío de esto.

Dicent, mirándome fijamente, me aconsejó con un tono paternal.

—Estás demasiado violento. Estoy seguro de que hoy día has dado más golpes que en toda tu vida. Vamos, hombre, tienes que aprender a soportar las bromas con mejor humor.

Dio unos pasos hacia su telescopio. Parecía que pensaba mirar por ahí, pero sólo se apoyó en él.

—¿Has visto ya mi *Algunos ángeles*? —preguntó—. El corazón de mi pintura. Lo he terminado hoy. Está en la torre de la izquierda. Te invito a que lo veas en calidad de primicia. Me encantaría acompañarte pero no puedo, tengo que arreglar algunas cosas con éste.

—¿Y qué te hace pensar que quiero ver esa cosa? —repliqué.

Intentaba ofenderlo, pero él no pareció darse por enterado.

—El que tú seas como yo —respondió sin prisa, sin molestarse en ser enfático, hablándome casi con cariño—. Yo también conocí un par de ojos que supieron decir tanto pero tan sólo un segundo, un mísero segundo, todo el tiempo que me regalaron antes de callarse para siempre. Desde entonces el arte es todo lo que tengo; es mi aliento. Las obras que has escrito, las que estás escribiendo, en fin, las que escribirás, todas tus cosas deben tener el mismo aliento que mis pinturas, puedo percibirlo, lo veo en tu mirada. Casi puedo leer tus párrafos largos, tus líricos adjetivos, tu torpeza gramatical. Confío en ti, amigo, tú eres como era yo hace unos años.

Dicent se quedó un segundo en silencio. Agustín quiso decir algo pero el pintor lo interrumpió levantando la mano con un gesto cansado.

—Por favor —me dijo—, anda a ver esa pintura y déjame solo con este muchacho.

—Está bien, pero ya le he dicho que yo no soy escritor...

Dicent agitó la mano, que aún mantenía en alto, rechazando lo que le estaba diciendo.

—Debes eliminar de una vez esa falsa modestia y esa fatalidad tan afectada —dijo—. Cualquiera diría que disfrutas presentándote ante todo el mundo como una modistilla. Eres un buen observador. Y un observador como tú no puede ser un escritor fallido. Deja de decir que no escribes...

—¡No escribo! —insistí con rabia—, ¡nunca he escrito!

—Bueno, qué se le va a hacer —contestó Dicent decepcionado— No voy a discutir eso ahora que estoy tan ocupado. Si quieres echar por la borda todo ese talento en el que tu muchacha y todos los que te queremos confiábamos tanto, qué se puede hacer.

Dicent le pidió a Durba que bajara conmigo y lo deje con Agustín. Durba empezó a gritar. "Cumplimos el trato", repetía, "lo hemos traído, cumplimos el trato, tienes que pagarnos". Dicent no se inmutó por los gritos desaforados de Durba, pero volteó a verme con una mirada penetrante en cuyo fondo podía advertirse cierto temor. Yo estaba demasiado confundido, molesto, borracho, y no le devolví la mirada. Dicent respiró aliviado y miró socarronamente a Durba. Éste parecía inofensivo, sólo gritaba y cerraba los puños, amenazante, pero a todas luces sin agallas suficientes como para lanzarse encima del pintor. Dicent dejó que Agustín calmara a Durba diciéndole al oído que él arreglaría todo. Durba al fin cedió y salió del cuarto. Esperé que saliera para seguir tras él. Mientras me alejaba pude ver a Dicent mover la cabeza hacia Agustín y decirle, susurrante: "¿Empezamos?"

Salí de la habitación con dos ideas siniestras dando vueltas en la cabeza: en primer lugar, destruir aquel cuadro del que se vanagloriaba tanto. Y en segundo lugar, incendiar el palacete y dejar quemándose en ese infierno a Agustín, Dicent y Durba y todo Busardo si es necesario. Había descubierto que aborrecía demasiado a Dicent, que en él se resumía todo lo que odiaba, mi peor parte. Sentía que él y su corte de tontos útiles me habían aniquilado; pero mi cuerpo aún resistía. Qué extraño, pensé, mi cuerpo tan frágil resultó mucho más fuerte e inmune que mi espíritu, que·creía tan vigoroso. Entré en la torre y vi el cuadro que me recomendó Dicent, rodeado de lienzos sin terminar, retratos vagos de niñas con trajes de terciopelo. *Algunos ángeles* era tan abigarrado que me recordó a *La batalla de San Romano*, la célebre pintura de Paolo Ucello. En el de Dicent, decenas de ángeles descendían sobre una carretera donde pude reconocer el bosque Busardo y la tierra asfaltada de la Vía Dolorosa. Pero llamar "ángeles" a aquellos personajes alados era, por cierto, un error al que nos conducía el título. En realidad, mirándolas de cerca, aquellas criaturas eran pájaros humanizados. Cualquier buen observador podía descubrir en ellos, desde sus gestos hasta la disposición de los músculos, el resultado exitoso del estudio tan detallado de los pájaros que hacía Dicent. Otro detalle curioso era que aquellas aves humanas repetían sus rostros, como si todos fuesen uno mismo, el patrón geométrico de un ave repetido en distintos movimientos. Se diferenciaban unos de otros apenas por un músculo en distinta posición, algunas plumas más oscuras en sus alas. Esos pájaros parecían estar llenos de vida, pero eran mensajeros de la muerte para una persona, un hombre caído en medio de la Vía Dolorosa, casi un punto en la línea de la carretera, diríase un ángel caído aunque su rostro humano era más bien desangelado. Los pájaros no parecían ensañarse con el agonizante, pero un torbellino de plumas caía sobre él, que levantaba la cabeza y reía en un árbol aledaño: un posible refugio aunque, como anunciaba su gesto, ni siquiera estaba en capacidad de arrastrarse hasta él. El cielo gris que se extendía en la parte superior de la pintura permitía descubrir lo que podía ser el minarete entre las brumas. Me entretuve un rato contando el número de pájaros dibujados, pero no era imposible llevar bien la cuenta. Luego, descubrí una inscripción al borde del lienzo. Estuve leyendo y releyendo esa frase, hasta memorizarla. Era una pregunta tremenda, una bofetada: *¿Qué espíritu común impulsa a los unidos a mantenerse unidos?*

No creí necesario copiar la frase pues supe que jamás la olvidaría. Parecía escrita por mí, o para mí, lo que finalmente era lo mismo. No sólo hablaba de mi relación con mi patria sino también de mi vida con Kaas. Era el resumen de mi vida, el epitafio perfecto para cerrar todos esos meses enterrado en vida en Busardo. Era demasiado. Di unos pasos hacia atrás y observé el cuadro en toda su extensión. Visto desde esa distancia, todo lo que era caos y abigarramiento se volvía orden. Y la frase resaltaba como un látigo. Dicent tenía razón: era una obra maestra. Mi impulso destructivo se había disuelto y empecé a sentirme cansado. Antes de salir di una nueva mirada al cuadro y pude descubrir nuevos detalles importantísimos: los pájaros estaban ciegos y el humano, según me pareció, pese a la poca luz, era idéntico a mí. Parecía el retrato de aquella primera vez que intenté llegar hasta el palacete y fui testigo del holocausto de pájaros. Sí, era yo el personaje, no tenía dudas. Pero, más allá de eso, también descubrí que el protagonista del cuadro no se parecía en nada al tipo que se vio en el espejo la tarde anterior, ni a mí en ese momento reconociéndome en la pintura de Dicent. Era yo, pero antes de todo lo sucedido, antes de Dicent, de Agustín, de la niña. Antes de aquella curiosa o sofisticada forma de muerte que la vida en Busardo me tenía deparada.

Siempre la muerte, toda muerte, cualquier muerte, es secreta. Cuando es de día, el sol que la desnuda es perverso. Cuando es de noche, la luna que suele acompañarla es monstruosa. Cuando sucede a alguien cercano no podemos reconocernos ya en los mismos que antes nos vimos en el espejo o en los que nos repetimos en las fotografías. Pensaba en eso, en la muerte, mientras descendía hacia el jardín que Dicent

256

le había robado al bosque Busardo. Entre los entretenimientos de Dicent, cazador de pájaros, se incluía el de la inspección nocturna de sus cautivos. Una pequeña linterna, colgada de un clavo externo de la jaula, era el instrumento que utilizaba en la inspección. Cogí la linterna y la encendí para observar el sueño de las aves. Dirigí el haz de luz hacia la jaula. Los pájaros reaccionaron primero con un bostezo, luego recelosas y, finalmente, empezaron a chillar y batir sus alas. Pero no se acostumbraban a la luz y, buscando la oscuridad, se acurrucaban en esquinas y agujeros. La rama de una higuera había cedido su peso ante los higos maduros y se había introducido entre las rejas. Las aves habían picoteado los higos que mostraban sus heridas abiertas y coloradas, de color encendido y sangre como una vulva abierta: el sexo desflorado de una virgen. Un pájaro de pico alargado sobrevoló la jaula y dio un picotazo a uno de los higos maduros. Zip. Desvié la luz, devolviéndoles sus penumbras a los pájaros, y recorrí el jardín. Por primera vez se veía descuidado. La maraña de plantas a mis pies que necesitaban una poda con urgencia. Caminé en dirección a la cancha de tenis. La arcilla roja estaba humedecida por los primeros chapuzones de primavera y una hojarasca sepia ensuciaba toda la cancha, sobre todo alrededor de la net. Un par de raquetas, enterradas en sus fundas de plástico, yacían sobre una banca de madera. Alrededor de las raquetas, y por toda la extensión de la cancha, se veían pelotas mojadas. La mayoría estaban rotas, pero algunas aún podían servir. Me entretuve recogiendo algunas de esas pelotas; era difícil hallarlas bajo la oscuridad y la débil luz de la linterna que oscilaba. Encontré tres de ellas en buen estado y casi una docena inservibles. Fui con mi botín hasta la borrosa línea de saque y desenfundé una de las raquetas. Pesaba mucho más de lo que había previsto; había olvidado el peso y el tamaño de las raquetas pues no jugaba tenis desde que estudiaba en Londres. Coloqué la linterna en el piso y, sopesando una de las pelotas en buen estado como si fuese un experto, le di un gran golpe con la raqueta. La pelota abandonó la luz con un silbido y se internó en-

257

tre los árboles. A ella fue a sumársele una nueva pelota y luego la última en buen estado. No fui buscarlas de nuevo pues supe que sería una labor imposible. Cogí una de las rotas y le di un golpe muy fuerte, que sonó a hueco; pero ésta no pasó de la net. Luego hice lo mismo con otra. Esta vez lanzándola al cielo como si fuese una piedra arrojada por una honda. La pelota quedó atascada en una nube, o se introdujo entre los árboles, pues no supe más de ella. Estuve durante varios minutos dándoles golpes a las pelotas, tratando de perderlas de vista, probando mi puntería contra las estatuas más cercanas o el acanto de yeso de la fachada. Fui hasta la red para darle a un par que no la habían superado y entonces sentí un zumbido en mi oreja, como el vuelo rasante de un pájaro. Busqué el ave en la oscuridad y sólo pude percibir un ligero movimiento alrededor de las copas de algunos árboles. La cancha estaba cercada de árboles inmensos que formaban un domo sobre ella, como si estuviera encerrada dentro una pecera boca abajo. Hurgué con la linterna las copas y descubrí el movimiento ágil de unas aves, el abanico de unas palomas oscuras que se desprendían del cielo y se lanzaban en caída libre contra la tierra y sobre mi cabeza. Pensé en un bosque encantado por hadas y silfos, un bosque de ángeles caídos como en el cuadro de Dicent. Pero no tardé mucho en descubrir que aquellas fantasías de jardín no eran silfos ni ángeles ni palomas, sino murciélagos. Aparecían uno a uno, aquí y allá, una multitud sin ritmo aparente ni orden, volando en línea recta, cruzando y volviendo a cruzar la oscuridad. Armado de la raqueta lancé un golpe ciego contra la sombra de uno de ellos. Luego contra la de otro. Se perdieron durante unos minutos. Parecía que los murciélagos hubieran estado esos minutos en una junta de guerra donde se había decidido una declaratoria, después de lo cual volvieron a aparecer, pero esta vez al ataque. Sobrevolaban mi cabeza, cruzaban detrás de mi espalda, parecían querer estrellarse contra mis ojos. Yo daba raquetazos violentos que cortaban el aire y a veces tenía la impresión de haber acertado en las alas de alguno o en sus cuerpos peludos de rata, pero no veía caer a ninguno a mis pies, sino que, al contrario, mis inútiles golpes los hacían más osados. Caí de bruces en medio de esa batalla de pesadilla, cercado de regimientos de murciélagos chillones, de sus alas filosas cortando el aire, imaginando que sus garras buscaban mis ojos; pero aún no me habían vencido. No mientras pudiese batirme contra ellos aferrado a la raqueta y lleno de rabia. Me levanté dispuesto a una nueva carga. Entonces sentí el sonido atronador de un disparo. Aquel disparo desintegró la pesadilla: los murciélagos desaparecieron en el cielo. Era un disparo de fusil, el mismo sonido hueco que escuché en mi primera visita a Dicent.

Pero este tiro no fue contra los árboles, sino que había tronado en el interior de la casa. Caminé, sin soltar la raqueta, hasta la puerta del palacete que se había quedado abierta. Antes de entrar a la estancia oí un nuevo disparo. Lo que había estado pensado, toda esa noche extravagante, desapareció de un golpe ante la presencia escandalosa de la muerte.

Durba dormía en un sofá de la sala. Entré corriendo. Por las escaleras bajaba un Agustín nervioso y lívido.

—Parece que has estado revolcándote por ahí —me dijo.

Miré mi ropa sucia, llena de polvo. Mi cara también estaba sucia.

—Oí un par de disparos —dije.

—¿Disparos?

Agustín esgrimió una sonrisa tensa. Pensé que iba a negar el disparo, pero me equivoqué.

—Excelente oído, profesor —dijo con cinismo—. Un disparo. Yo mismo no hubiese podido ser más preciso.

—¿Fueron o no disparos? —pregunté acercándome a la escalera— ¡Responde!

Agustín, antes de contestar, dio una mirada a mi mano. Pude sentir, casi oler, el temor en esa mirada. Aún tenía la raqueta. Quizá pensó que era un arma o que pretendía golpearlo con ella. Cuando vio que era una raqueta inofensiva soltó una risita nerviosa.

—¿Fue un disparo o qué? —pregunté de nuevo.

—Yo diría que fue más bien una despedida —dijo, bajando hacia el primer piso y pateando el sofá donde dormía Durba—. Oye, tú, vámonos ya.

—Lo mataste.

—No exactamente.

—Sí, lo mataste, hijo de puta —di un par de pasos y alcé, instintivamente, el brazo que sostenía la raqueta—. Y yo sé muy bien por qué, he descubierto todo…

—No más golpes, profesor —se defendió Agustín, quitándome la raqueta con tranquilidad y dejándola caer al suelo. No opuse resistencia—. Ya es suficiente por hoy.

Durba se levantó y empezó a caminar hacia la puerta de salida, ajeno a la escena que se representaba ante sus narices. Agustín salió detrás de él. Yo los seguí. Curiosamente, me sentía liviano por primera vez en mucho tiempo. Me sentía bien. Como si todo, de una manera insospechada, hubiera terminado al fin, y yo, feliz por el final, con ganas de disfrutarlo un rato, no tuviera ánimos ni fuerza para sentarme a sacar cuentas y saldar deudas. Sólo quería cerrar la puerta abierta de los últimos meses y abandonar rápido la casa en llamas. Salimos en fila de la casa, arrastrando los pies. Me imagino que observados desde el minarete debió de vérsenos ridículos. Pero ya nadie observaba ni observaría desde ahí jamás. Y eso, sinceramente, me puso de mejor humor. Avanzamos un trecho en silencio, manteniendo la alineación. De pronto, Agustín volteó hacia mí con una expresión confundida y me dijo:

—Me pregunto si tú entendías las cosas que decía Dicent, las cosas raras de las que hablaba.

Su voz parecía reflexiva antes que atemorizada. La muerte de Dicent no lo había afectado. Al notar que nadie le contestaba siguió hablando sin voltear, como para nadie, aunque era evidente que se dirigía a mí.

—Durba y yo nunca tuvimos la menor idea de lo que decía ¿o no amigo?

Durba asintió con la cabeza.

—Y, ahora esto… eso de matarse frente a todos es cosa de locos —agregó Agustín—. No pensó que podía meternos en un lío. Sobre todo a Durba y a mí, que no tenemos dinero y no hay quien nos defienda aquí donde tenemos tantos enemigos. La gente nos odia sólo porque somos jóvenes y no unos viejos decrépitos como ellos. Felizmente estamos entre amigos. Y usted oyó todo, puede hablar a favor de nosotros si nos acusan, sabe que ese loco se mató, que no le hicimos nada. Quizá hasta sabe por qué se mató el viejo.

Noté que, de repente, Agustín había vuelto a dirigirse a mí con distancia. Empezaba a aclararse el cielo, pronto amanecería y quizá todo no había sido sino una pesadilla. Dicent estaba muerto, asesinado o suicida, en una noche terrible, terrible, absolutamente terrible. Pero quizá no fuese todo sino un mal sueño, pensé con los ojos cerrados, cogiéndome las sienes para soportar un agudo dolor de cabeza. El hecho de que Agustín volviera a tratarme de "usted" no sólo era agradable porque era el anuncio efectivo de que todo había terminado; también porque, de alguna forma, me devolvía a mí mismo.

—Díganos, profesor, ¿puede entenderlo? —insistió Agustín—. Matarse… ¡mierda!… hay que tener valor… Quizás usted nos lo pueda explicar, después de todo era su amigo. Aunque… ¿realmente alguien puede entender a alguien que se ha matado?

El tiempo empezaba a sucederse con prisa, como si se dirigiera hacia algún lugar, como si tuviera algún sentido. Cada vez era más difícil quedarse detenido en un punto. Intentarlo es una resistencia heroica. La primavera se terminaba en Busardo. Era, según la mayoría de verancantes que ya empezaban a llegar para ganarle unos días al verano, la estación del año más bonita del Busardo, mejor incluso que el estío. Aquel día de fines de primavera se celebraba la fiesta central de Busardo. Se organizaban desfiles, actuaciones, una feria. La Vía Dolorosa estaba intransitable. En doble fila, los turistas se agolpaban en sus orillas para tratar de comprar algún *souvenir*. Caminé por la angosta brecha que me dejaban los compradores y llegué hasta el bar. Zeta se las ingeniaba para sacar algunas mesas de la terraza a la acera del frente. No parecía que le fuera tan fácil hacerlo. Pretendía que los comensales tuvieran más comodidad para observar el desfile de los actores y la procesión. Al igual que yo, Zeta llevaba un pañuelo morado atado al cuello por la feria. Todo Busardo llevaba un pañuelo.

—¡Cómo está usted, ciudadano! —gritó al verme.

Zeta me recibió con los brazos abiertos. Yo dejé que me abrazara y me diera un apretón de oso. Tomé asiento en una de las mesas que había acomodado en la acera.

—Vas a tener que esperar un poco por tu martini. No tengo la menor idea de dónde se puede haber metido Agustín.

—¿Estás seguro de que éste es un buen lugar para observar la procesión? A mí me parece un poco incómodo.

—No hay otro mejor a lo largo de toda la Vía Dolorosa —aclara Zeta, enfático—. Tú debes recordarlo. Hace un año exactamente que llegaste aquí con aquella muchacha tan bella, ¿no? Te recuerdo sentado aquí —señaló una mesa en una esquina—, aquí mismo, observando el desfile.

Zeta arrastró una silla hacia una mesa en la esquina del bar. La colocó, siguió con la cabeza en alto la línea de visión desde ese ángulo y corrigió en unos centímetros la ubicación. Mientras tanto yo me entretenía observando el espectáculo casi circense de unos muchachos con aspecto de pescadores que trataban de ensartar unos aros en los faroles. La escalera, mal construida, hecha casi de astillas, temblaba amenazando caer a pesar de que uno de los muchachos la cogía con esfuerzo desde abajo. Pronto, los aros de todos los faroles frente al Zeta estuvieron colocados y los muchachos se trasladaron hacia la próxima cuadra.

—Y pensar que llegaste justo hace un año —repitió Zeta—. Increíble cómo pasa el tiempo.

Descubrí que Zeta había estado contándome algo, siguiendo una conversación que yo pensé terminada, y por distraerme con los faroleros no había prestado atención.

—Debes recordarlo —insistió Zeta.

—Te equivocas, Zeta, yo no estuve aquí el año pasado. Hace un frío de los mil demonios…

—Y Agustín que no llega —dijo Zeta mirando preocupado hacia la Vía Dolorosa. No entendí qué podía hacer Agustín por el frío, pero no dije nada al respecto para no incomodar mas a mi amigo.

—Deja, ya llegará —proseguí—. Bueno, como te dije, yo llegué a Busardo unos meses después de la feria. Al parecer estás perdiendo tu buena memoria. ¿La vejez quizá?

—¿En serio? —pareció sorprendido—. Entonces hace menos de un año que estás aquí. ¡Quién lo diría! Menos de un año…

Me levanté y le dije a Zeta que me reservara la mesa en la que estaba sentado. Zeta se sintió mal por no haber podido atenderme y me aseguró que Agustín no demoraría en llegar para servirme el martini, insistiendo en que me quedase un rato más en el bar mientras él se encargaba de hacer algunos últimos arreglos para el desfile. Le dije que no se preocupara, que en realidad no podía quedarme mucho tiempo y sólo había pasado para separar una mesa antes de ir al puerto a recoger a un amigo que llegaba ese día. Zeta hizo un último intento por retenerme, pero al fin me dejó salir. Aún era algo temprano para ir al puerto a recibir a Leopoldo, así que decidí dar una vuelta. Mientras caminaba por la avenida descubrí la finalidad de aquellos aros sobre los faroles. Otros muchachos iban pasando por ellos una soga morada entrecruzada con una verde olivo. De las sogas colgaban la bandera de

263

Busardo o alargadas banderolas con frases. La mayoría de ellas hacía alusión al héroe y a Busardo. Otras festejaban una nueva celebración de la feria, del recuerdo del desembarco del héroe que empezaba con un desfile, continuaba con una representación de la hazaña, seguía con la procesión de la patrona del pueblo —una virgen blanca vestida de púrpura, de pelo rubio y ondulante como una venus— y terminaba con la fiesta de fogatas que los de Busardo llamaban *La noche de madera*. Paralelamente, se llevaba a cabo una feria muy frecuentada durante tres días. La fiesta de Busardo era el punto culminante de la primavera, su apogeo y su crepúsculo, y la preparación para el verano prodigioso.

Intenté caminar entre el gentío imposible de la Vía Dolorosa. Los vendedores de *souvenirs*, que solían reconocerme y saludarme todas las mañanas en que me dirigía a desayunar al Zeta, empezaban a olvidarse de mí o me había mimetizado con el resto de turistas, pues levantaban a la altura de mi rostro sus chucherías para ofrecérmelas como si fuera un extraño. Un niño ofreció alquilarme un caballo astroso para subir a las ruinas. No pude evitar reírme del ofrecimiento pues, por la breve distancia, el caballo era más que innecesario. Habían adornado al animal con cintas moradas y cascabeles en las orejas, y el niño pretendía hacerme creer que llegar en él a las ruinas era una costumbre de la fiesta. Era tan tenaz aquel enano de medio metro que decidí pagarle su entusiasmo. Subí al caballo con esfuerzo. El animal empezó a caminar desidioso, negándose a participar del ridículo al que había sido expuesto. El niño jalaba la soga para apresurar el paso, pero el caballo sólo dejaba caer una baba espesa por su quijada y seguía contando sus pasos o se detenía para mirar alguna nube o el suelo. Por nuestro costado pasó una pareja de muchachas sentadas a horcajadas en una Vespa. Las dos llevaban botines y medias gruesas a la altura del tobillo y pantalones cortos de exploradoras. Una de ellas tenía unas piernas hermosas, bronceadas, con los muslos y las pantorrillas esculpidas. Mi guía, siguiendo mi mirada, intentó arrear al caballo para que se apresurara y alcanzara a la Vespa, pero el caballo sólo lanzó lo que podría ser un estornudo.

—No las alcanzaremos —me dijo el muchacho, disculpándose— Quizás arriba, en las ruinas.

Pero era imposible llegar hasta el centro de las ruinas en medio de tantos turistas y menos con ese caballo perezoso. Faltando aún unos metros para llegar, el niño ató su animal a un árbol y dio por concluido el paseo. Me señaló el sitio donde estaría esperándome, junto a otros caballos disfrazados, para regresar al pueblo. Lo miré, con cariño, dirigirse hacia sus amigos. Di media vuelta y empecé caminar hacia la tumba del héroe. Todo parecía teñido de morado. Los turistas tomaban fotografías, leían las inscripciones que contaban la historia o se agachaban para recoger y palpar supuestas piedras históricas que luego dejaban en cualquier sitio. Alguno de ellos se habían colocado pañuelos. Un par de potentes reflectores iluminaban la tumba mientras un guía trataba de explicar a un grupo las hazañas del héroe. Los turistas sacudían la cabeza aceptando sin cuestionar, admirativos, cada detalle que les contaba el guía. Un poco alejadas de las ruinas y la muchedumbre, las muchachas de la Vespa conversaban con unos muchachos altos, vestidos con polos de Notre Dame University y con físico de mariscales de campo. Una de ellas, la de bonitas piernas, jugaba disforzada con su pañuelo en el cuello que ambos muchachos querían quitarle. La otra no parecía divertirse tanto. Decidí dirigirme, bordeando la pequeña colina de hojas secas, hacia el corazón de las ruinas. Una vez ahí di un rápido vistazo a mi alrededor. Sobre los vestigios caía una luz demasiado brillante que endurecía sus ángulos y los afeaba. Retrocedí hacia la Vía Dolorosa. El niño se me acercó y me preguntó si necesitaba de un guía que me explicara la historia de la batalla de Busardo. Señaló a un hombre con apariencia ratonil que aguardaba junto a seis o siete tipos de aspecto nórdico a que se completara el grupo. Rechacé su ofrecimiento, le di una propina y empecé a descender sin el caballo —que me echó una mirada de soslayo y pareció sonreír— hacia la ciudad, o más bien hacia el puerto, pues ahora sí se hacía tarde. De pronto pude observar, levitando sobre los árboles, lo que fue el bunker amurallado e impenetrable de Salvador Dicent y su minarete vigía. Permanecí observando aquel palacete clausurado sin recordar nada preciso sino muchas cosas a la vez, o una tras otra pero en desorden, sin ganas de detenerme en ninguna en particular. Una sonrisa ligera, aunque inexplicable, se alargaba en mis labios. Las muchachas de la Vespa bajaron a toda velocidad por la Vía Dolorosa y me cruzaron llenándome de polvo. La de bonitas piernas confundió la sonrisa de mis recuerdos con un saludo y me lo devolvió, sonriéndome a su vez con una inesperada simpatía. Le dijo algo al oído a su amiga y ella lanzó una risita y tuvo que bajar la velocidad pues la Vía estaba atestada de gente. Entonces, sin pensarlo, sorprendiéndome a mí mismo, me eché a correr detrás de la moto y le di alcance.

—¿Pueden llevar a uno más?

—¿Cómo? —preguntó en inglés la que conducía.

Repetí la pregunta sin esperar la respuesta. Me trepé detrás de la muchacha bonita y le cogí la cintura con ambas manos. Era una cintura delgada, compacta, muy agradable. Ella dio un pequeño salto pero más por coquetería que por temor. Luego, intercambió una mirada con su amiga y sonrieron. También yo sonreí. Me preguntaron a dónde quería ir y les dije que donde fuera, pero que fuera muy lejos porque ahí atrás se estaba muy cómodo y la vista era perfecta. Una nueva risa celebró mi piropo. Me dijeron que no podían ir tan lejos pues la Vespa no era de ellas. Les dije entonces que, ya que querían deshacerse de mí tan rápido, me llevaran al puerto y quedábamos en paz. La que conducía obedeció como si acatara una orden: aceleró sin decir nada más, mientras su amiga seguía sonriendo, preguntaba mi nombre y me daba el suyo. Tuve que repetir varias veces el mío, que no escuchaba o le parecía extraño. Durante el trayecto su pelo largo y lacio golpeaba mi rostro y no me dejaba hablar. Le dije que le haría una cola y se la hice sin esperar su aceptación, no sin ciertos malabarismos a los que me obligó la velocidad de la moto. Cuando terminé volví a aferrarme a su cintura, que ahora estaba más sometida, y recién entonces pude oler el inolvidable aroma a limpio, a internado y quince años, de su cuello.

El barco se había detenido en medio del océano y de su vientre salían largas y blancas lanchas de motor. Parecía un animal gigantesco pariendo. Una escena monstruosa. Los turistas llegaban en masa a Busardo. Las lanchas se bamboleaban inseguras en el océano, cortando velozmente el agua, pero ellos estaban felices y no parecían percibir el peligro. Desde mi ubicación no podía divisar aún a Leopoldo. Ya había atracado la primera de las lanchas y una segunda estaba por llegar, seguida por un bote que llevaba el cerro de maletas. Parado en medio del espigón de piedra, observaba el trajín de los viajeros, sintiéndome ajeno y a salvo. Preferí no esperar a Leopoldo en el muelle pues había mucha gente, y los vendedores de *souvenirs*, para ofrecer sus cosas, no dudaban en empujar y aplastar a todo el que se cruzaba con ellos. La última lancha había partido hacia el muelle y deduje que en esa debía de estar Leopoldo. Bajé del espigón y bordeé la orilla del Reposo cruzándome con un par de pescadores que trabajaban una red y trataban de subirla a su bote de remos. A lo largo de toda la playa se habían dispuesto piquetes con antorchas moradas de papel crepé para la noche. En la arena se trazaron círculos que serían el hogar de las fogatas. Entré a la recepción del puerto. La sala estaba atestada de gente pero había una pequeña plataforma de madera, alejada del resto del edificio, que permanecía vacía. Fui a esperar ahí. Era parte de la antigua sala de recepción. Aún podían verse algunos viejos cubículos de teléfono. La madera de los asientos y las paredes olían a humedad y estaban carcomidas por pequeños mordiscos. El polvo giraba en un rayo de sol inclinado que se filtraba por un ojo de la madera. Desde donde estaba sentado, podía ver bien la nueva sala de recepción y ubicar a Leopoldo cuando llegara. Crucé las piernas, saqué una pequeña libreta del bolsillo de mi camisa y escribí una frase. Luego levanté mi rostro y divisé a Leopoldo discutiendo con alguien en la mesa de reparto de equipajes. Estaba vestido con un terno de lino color marfil idéntico al mío. Vanidosamente, me preocupó la coincidencia. Pero su camisa era azul cobalto y la mía blanca. Además, él llevaba un panamá. Aún así, pensé que tenía que hacerme un tiempo para cambiarme de ropa en el albergue. Pero antes tenía que librar a mi amigo del problema que parecía tener con la aduana. Me quité el saco para no hacer tan obvia la similitud y fui hacia la recepción. El hombre de los equipajes le estaba diciendo "no, no piense mal, no se equivoque", pero Leopoldo estaba muy irritado y lo amenazaba sin escuchar razones. Lo saludé poniéndole una mano sobre el hombro. Leopoldo me volteó y me dio un gran abrazo que desconcertó a su contendor. Luego, me explicó el problema. Era sólo una confusión de maletas y direcciones. Le di una buena propina al hombre, pero aún así insistía en que él debía tener la dirección de un hotel para poder entrar a Busardo. Imposible explicar que viviría conmigo, en mi albergue, en mi dirección. Eso implicaba que yo vivía en Busardo desde hacía meses pero, ¿qué clase de loco que no fuese de Busardo viviría en la ciudad desde antes del verano? Aún los veraneantes más fieles llegaban recién ese día. Harto de explicarle la situación, que le resultaba del todo un engaño flagrante, tachamos mi dirección y pusimos la del hotel Normandía en la tarjeta debajo del nombre. El tipo recién entonces esbozó una sonrisa plácida, como si hubiese ocurrido un milagro, y nos dejó pasar.

—Como decía mi madre: *se non é vero é bene trovato* —dijo Leopoldo.

Estábamos en la mesa del bar de Zeta. Le había hecho un apretado resumen de la historia de mi vida en Busardo: la despedida de Kaas, mi amistad con Salvador Dicent, el bar y el albergue. La muerte de Dicent había sido una gran noticia en Roma hacía un mes, comentó Leopoldo, pero luego fue suplantada por la noticia de un problema judicial en el que estaban implicados un grupo de científicos y hasta un ex ministro de Estado. Leopoldo puso un cigarrillo en sus labios, se rebuscó los bolsillos sin éxito, me miró y le dije que no fumaba desde hacia unas semanas, se levantó y fue a buscar alguien que pudiera darle fuego. Un mexicano le ofreció su encendedor y entablaron una breve conversación en español. Yo aproveché para sacar mi libreta y corregir la frase que había escrito en el muelle. Decía: *No temor o la muerte: melancolía de la nada, del ya no ser más, como no se fue antes.* Pensé en cambiar "antes" por "nunca". Pero ni bien acerqué mi pluma a la libreta, tuve un ligero prurito y me arrepentí. La frase, como todas las que había escrito en los últimos meses, me recordaba demasiado a Lawrence Durrell. Si quería ser escritor debía sacudirme de esa influencia. No hubo tiempo para más porque Leopoldo volvía a mi lado.

—Lamento lo de Kaas —dijo—. ¿Sabes que casi la conozco en Florencia? Su nombre fue mencionado con el de los invitados que asistirían a una fiesta de latinoamericanos y pensé, desde luego, que también estarías tú. Pero no pude ir pues tenía que partir a Roma esa misma noche. Hasta hoy pensé que había faltado a una cita.

Dio una pitada a su cigarrillo. Lanzó el humo discretamente, con dirección al piso. Aún así, una voluta intentó trepar hasta más arriba de su cabeza.

—Pensé que haría más calor —dijo.

—Ha sido un invierno muy complicado y largo. El calor va a demorar.

—Supongo que sí. Oye, el martini aquí es excepcional. Y el americano me ha recomendado que pruebe el pastís. ¿Lo has probado?

—Si quieres puedo llamar a Zeta y pedirte uno.

Hice un gesto con la mano que Zeta contestó desde la otra mesa, indicándome que aguardase unos segundos.

—Estás hecho un pueblerino con ese pañuelo —sonrió Leopoldo—. Te has adaptado bien a este sitio, incluso tu rostro ha cogido un color especial, casi podría decirse que mediterráneo. Busardo parece ser un bonito lugar, en verdad, pero te confieso que yo no podría estar aquí más de una semana.

Dijo eso y se quedó en repentino silencio, casi apenado, como temiendo haber cometido un error. Desde que le conté mi final con Kaas, mientras dejábamos sus maletas en mi cuarto en el albergue y la dueña le ofrecía alquilarle el del lado por una semana —Leopoldo había enamorado a la dueña desde que llegó; me miraba con orgullo y satisfacción de una madre quien pensaba que al fin su hijo tenía buenos amigos, gente decente—, desde que le conté mi ruptura, pues, Leopoldo hablaba con una extremada cautela, cuidándose de no decir nada que pudiera resucitar ese episodio. Pero aquello estaba tan metido en mi vida en los últimos meses, desde que dejamos de vernos en Lisboa, que era imposible no rozar siquiera la membrana de Kaas y nuestra separación.

—Es una pena que Salvador Dicent se haya suicidado —dijo, apurado en cambiar de tema—. Me hubiese gustado hacerle una visita ¿Dices que eras su amigo? Me imagino que frecuentarlo era lo único interesante para hacer por aquí. Además de visitar las ruinas, claro. ¿Su casa era ese monstruo horrible que ni Gaudí...?

Estiró el brazo y el índice para señalar la casa de Dicent.

—Sí, ésa era su casa —dije—. Tiene un jardín muy extravagante. Podemos ir a visitarlo un día de éstos. La reja está abierta, aunque no el palacete.

—Claro, iremos. También a las ruinas, cuando se acabe este desfile incontenible de turistas. Espero que no dure mucho.

Zeta se acercó a nuestra mesa. Le pedimos martini para mí y pastís para Leopoldo.

—Me gusta lo que hacía últimamente Dicent —dijo Leopoldo— Su sensibilidad mejoró mucho desde que decidió radicar aquí. Sus últimos cuadros eran un poco folclóricos para mi gusto en cuanto al color, pero sus personajes, esas niñas locas como pájaros, tú sabes, tenían algo muy personal, muy privado. Y eso que a mí el tema de las "lolitas" me parece monótono y atosigante.

—Hay un cuadro, *Algunos ángeles*, creo que se está exhibiendo en el Metropolitano de Nueva York —le dije—. Es un cuadro que quizá te interese. Yo lo vi aquí en una de las visitas, cuando aún estaba vivo.

—Lo he visto, claro que lo he visto —pareció emocionarse un segundo—. Antes de ir a Nueva York la exposición pasó por París. Dio la casualidad de que yo estaba ahí. Dicent es toda una personalidad en Francia, más aún después de su suicidio; a los franceses les gustan esas historias. En cambio en Inglaterra no lo quieren mucho. Hace unas semanas conversaba con un *marchant* de Londres sobre eso, pues se enteró de que venía a Busardo. Me dijo que Dicent le parecía un Gauguin *avant la lettre*. Puntos de vista. Lo cierto es que me hubiera encantado conversar con él, debe de haber sido todo un personaje. Pero ya me contarás tú cómo era en realidad.

"¿En realidad?", pensé. Mientras Leopoldo me enumeraba toda la gente célebre que había conocido "en realidad" desde que dejamos de vernos, yo me hundía en las reflexiones irremediables que los últimos días me acosaban. Tenía que ver con conocer en realidad a las personas, pero sobre todo con tratar de entender, valorizar e idolatrar a los protagonistas de la historia. Lo que me decía Leopoldo ya no me entusiasmaba. Descubría, sin horror, con certeza profunda, que sólo podía conocerme a mí mismo, quizá, por culpa de una idea errada de la historia, del pasado, del tiempo. Recordaba aquello que una vez me dijo Dicent en su falso minarete: "el auténtico historiador es enemigo de quienes buscan lo Memorable, así, con mayúsculas, como tú. Más bien, lo que ansía encontrar es aquello que se le ha escapado a la memoria, tratando de averiguar qué razones tenía para escapar así de ella". Leopoldo dijo un último nombre famoso, citó un nuevo café, me mostró una nueva reliquia de anticuario. Lo miré con ternura, con caridad, sin más comentario que una sonrisa que se reflejó en sus ojos abiertos y un poco cansados por el viaje.

El desfile duró un par de horas. La representación fue pobrísima, con unos disfraces impresentables y una actuación pésima, pero sirvió para que la gente tuviera motivo para emborracharse. Leopoldo, harto de folclor y turistas, me pidió que lo llevase al cuarto de albergue para almorzar algo —pues el Zeta estaba atestado de gente—, dormir una siesta y, de paso, evitar la procesión de la tarde. La Vía Dolorosa estaba llena de turistas, bebiendo vino en botas, confundiendo, quizá por el pañuelo, la fiesta del héroe de Busardo con los Sanfermines. Los del pueblo, al lado de ellos, también se embriagaban pero en silencio. A decir verdad, nosotros también estábamos enrojecidos y yo bizqueaba ligeramente. Entramos al comedor del albergue. Por las fiestas la dueña había acondicionado las mesas a la usanza de las antiguas ventas, de tal manera que quedaron convertidas en dos hileras largas de mesas alrededor de la estufa. La gente que compartía el mismo espacio era muy diversa. Había turistas con aspecto de estudiante, otros con cara de arqueólogo, otros de curioso. Por la disposición familiar de las mesas, los extranjeros se codeaban con los viejos clientes y pensionistas del albergue, la mayoría de ellos gente mayor, pescadores o vendedores de *souvenirs*. Leopoldo se sentó frente a una mujer de cuarenta años aproximadamente, muy atractiva, con una seductora onda de cabello sobre la frente. Se enfrascaron en una conversación acerca del arte de la pesca en la antigua Roma. Leopoldo sacaba a relucir todos sus argumentos mientras la mujer, que no se quedaba atrás en erudición, sacaba a relucir los suyos. Poco a poco la conversación fue derivando de la pesca a lo libros incunables y las mejores librerías de Roma. Descubrieron que casi se encuentran, de casualidad, en una firma de libros de Tabucchi hacía dos años. La mención de Tabucchi hizo que un italiano, sentado un par de sitios a la izquierda de la mujer, participara de la conversación. Aquello permitió que Leopoldo levantara la voz y terminara por acaparar la atención de casi todos los comensales. Hablaban de literatura y de historia, la gente contaba anécdotas que Leopoldo casi siempre corregía pues sabía la fuente exacta.

Yo no participé de la excitación general y me dediqué a observar a Leopoldo. La calvicie se había detenido, al parecer, dejándole una rubia mata de pelo sobre la coronilla como concesión. Leopoldo había engordado un poco, era lo que se llama un hombre grueso, y su rostro parecía más grande y ancho. Siempre fue un hombre muy seguro de sí mismo pero inquieto; ahora, sin embargo, se le veía sereno. Aunque la palabra exacta sería "reposado". Desde que fui a recogerlo al puerto y durante todo el día había sentido frente a él cierta incomodidad que recién entonces podía calibrar. Lo que me molestaba era cuánto de Leopoldo era yo mismo, o más bien, cuánto de él era mío antes. Escuchándolo citar libros y dar conferencias cada vez que debía contestar una pregunta simple me sentí identificado, pero distante. Me veía en él pero mucho antes, durante la época en que, al igual que él, yo también me llenaba la boca de frases y citas. Se me ocurrió preguntarme si a Kaas le gustaría el nuevo personaje en el que me había convertido. Era probable que sí, aunque no me reconocería. Leopoldo, de pronto, volteó hacia mí y me dijo: "tú siempre tan callado". Sonrió y siguió hablando. Sí, definitivamente lo que me identificó antes con Leopoldo había fallecido. Pero, a diferencia de lo que sentí los días inmediatos a la muerte de Dicent, ya no sentía que lo que había muerto en mí era una parte central sino que Busardo, Kaas, Dicent, Agustín, la dueña del albergue, Zeta, todos ellos, en fin, habían matado a una sombra. Volví a recordar fragmentos de mi conversación con Dicent y pronto me vi dándole la razón en muchas cosas. Mi amor por Kaas fue una pasión de anticuario, injusta y exigente. Había una correspondencia entre Kaas y Venecia, entre ella y el mediterráneo de fin de siglo. Para amar a Kaas hice lo que Occidente hizo con Venecia para amarla: afantasmarla, volverla espectro. Ahora, llegaba a la conclusión de que quizá Kaas siempre fue un espectro, como yo mismo una sombra, como Venecia nada más que una marca de agua transparentándose en medio de la historia del mundo. Pero eso era sólo una idea, demasiada literatura, un juego de la imaginación. Kaas no era un espectro sino que estaba viva. Su despedida de mí fue un escape, huyó de mí para entrar en su realidad como, finalmente, también yo mismo huí de mí, esta temporada en Busardo, para cobrar realidad. Por primera vez supe que podía abandonar Busardo aquel mismo día, sólo era cuestión de hacer maletas y ver qué lugar del mundo podía interesarme, como antes, sin sentir la terrible pesadez del exilio pues ¿acaso existe el exilio para quien nunca tuvo más patria que una mujer repentinamente fantasma? Ensimismado en mis pensamientos, no me di cuenta de que Leopoldo se había callado y miraba con el ceño fruncido a los demás clientes. Al parecer, una inocente alusión suya despertó el fuego del tema político. Un anciano, que alguna vez fue alcalde de Busardo, se cogió de una frase de Leopoldo para desatar una polémica por la anexión de un pueblo aledaño a Busardo. El anciano estaba a favor, quizá por razones filiales, pero la mayoría de pescadores menos viejos estaban completamente en desacuerdo. Aquél era el tema del momento en Busardo, pasado el de las muertes de los adolescentes y el suicidio de Dicent. La discusión se volvía cada vez más acalorada y hasta la mujer guapa participaba de ella, aunque era probable que no supiera de Busardo más allá de lo que decía su guía de turista. La política doméstica terminó por enfadar a Leopoldo. Miraba a su alrededor con un aire vencido, incapaz de superar la bulla y la desmesura que el nuevo tema ocasionaba. Estaba indefenso. Reconozco que mi sentimientos hacia él oscilaban entre la pena y cierta maligna felicidad por su desamparo. De pronto, la mirada de Leopoldo se posó sobre la mía. Me recordó al fin. Me observó con seriedad y me preguntó, en voz muy baja, buscando la complicidad:

—¿A ti te gusta más la Lisboa de Tabucchi o la de Saramago?

Lo cogí del hombro y le di un abrazo. Me eché a reír, súbitamente feliz. Podría haberlo besado. Nos paramos y dejamos el comedor, mientras yo no dejaba de reír, contagiando mi risa a la dueña del albergue —que me miraba reír como quien mira a un resucitado pedir permiso para lavarse las manos— y al mismo Leopoldo.

Lo dejé en su habitación y subí a la mía. Entré al baño y decidí afeitarme. Esos últimos días me crecía muy rápido la barba y todas las tardes debía subir a rasurarme una pelusa opaca que ensombrecía mi rostro. Definitivamente estaba más mareado de lo que pensaba pues me hice un corte apenas puse la navaja en mi barbilla. Una gruesa gota de sangre cayó sobre el lavabo y otra en la palma de mi mano. Miré la sangre y pensé que en ese momento podría cortarme un brazo y no sentir dolor alguno. Era el fin de las heridas, el fin del gobierno abusivo del dolor. Me puse un algodón con alcohol sobre el corte y lo presioné unos minutos. Luego, volví a coger la navaja y terminé de afeitarme. Mi intención al entrar al cuarto era dormir la siesta como lo hacía con Kaas. Incluso había dejado un libro sobre la cama para leerlo e incitar al sueño. Pero al acercarme a la cama sentí que ésta me rechazaba. No me había percatado de los muchos meses que no dormía siesta. El hábito más arraigado que tenía —pues mis padres me obligaban desde pequeño a descansar en la tarde— se había esfumado de manera casi imperceptible. Incapaz de tenderme, cogí mi saco y salí de la habitación para volver al bar de Zeta.

—Pronto será primavera y después verano —dijo Zeta encarnado por el pastís—. Ya vienen los dueños de casas de playa a pasar sus vacaciones. Qué lujo, ¿no es cierto? Eso es vida. Busardo, y no porque lo diga yo, es el balneario más hermoso del mundo.

El velo que tendía sobre la ciudad el agradable sofía fue quebrado, hecho trizas a cuchillazos, uñas y dientes, por un sofía hosco y azotador, un viento trueno, de naufragio, que parecía querer contradecir a Zeta.

—¿Entonces se va usted, ciudadano, y nos deja? —preguntó Zeta mirándome a los ojos.

Había estado oyendo mis planes con Leopoldo. Desde el día en que por fin pude comunicarme con él, gracias a una carta que le llegó por intermedio de mi familia indicándole mi dirección en Busardo, pensé que su llegada indicaría el fin de mi vida aquí. Leopoldo, según lo establecido, estaría conmigo una semana y después viajaríamos a Londres para visitar a mis parientes y de ahí Berlín donde unos amigos suyos. No descartábamos Friburgo pues a Leopoldo le interesaba esa ciudad casi medieval que no había podido conocer hasta entonces. Zeta me hablaba sentado en una mesa vecina, la del turista mexicano que encendió el cigarrillo de Leopoldo y que había traído la noticia del mezcal, tequila, pulque para embriagar. Yo me negaba a la invitación e insistía en el martini o, a veces, pastís.

—Sí me voy, Zeta —acepté.

Zeta bajó la mirada y no dijo nada más. Se levantó y fue a la cocina para traer una botella de pastís para mí, aunque le había pedido martini, y una del licor del pueblo que le había ofrecido al americano a cambio del pulque.

—¿No vino Agustín a trabajar? —pregunté—. No me pareció verlo ayudándolo durante el desfi'.

—Ya quisiera ese muchacho poder faltar todos los días. Por eso uno tiene que estar detrás de él, tú sabes. Pero lo envié a atender las mesas de la terraza y del interior. Si no, con tantas turistas, ese muchacho se me escapaba... ¡Agustín!

Agustín, con el mismo aire distraído y apático de siempre, bajó de la terraza y se acercó a Zeta.

—Agustín, prepárale a nuestro amigo un buen trago de lo que quiera. Y lo pagas tú, muchacho, como regalo de despedida a un buen amigo.

Zeta lanzó una risotada. Casi nunca se embriagaba pero ése era un día especial. Agustín no protestó y fue hasta la barra con una sonrisa neutra que no buscaba mostrar necesariamente alguna familiaridad conmigo.

—El muchacho lo quiere —me dijo Zeta.

—Se ve que hay respeto —agregó el americano, totalmente ebrio también.

—Un padre, sí señor —murmuró pensativo Zeta, orgulloso de la aceptación pasiva de Agustín—. Soy más que un padre para el muchacho. Es como amansar una fiera todos los días.

—¿Y por qué se llama Agustín? —preguntó el americano.

—Un nombre muy raro, ¿verdad? —dijo orgulloso Zeta—. Creo que su madre era de alguna región de África y tenía parientes españoles o algo así. O fue una monja del convento donde se crió. No recuerdo bien.

—Pues así se llamaba mi padre, que Dios lo ampare —dijo el hombre y brindó.

Llegó Agustín y me sirvió el martini tratando de no derramarlo sobre la mesa. Me sorprendió esa cuidado que nunca había tenido conmigo. Durante las declaraciones a la policía después de la muerte de Dicent él repitió la versión del suicidio. También dio esa versión, me imagino, Durba. La policía me interrogó a mí y decidí no cuestionarme nada. Por entonces estaba harto de tanta truculencia y quería salir del lío lo más pronto posible. Pese a que estaba convencido de que Agustín lo había asesinado, me senté en la silla de la delegación y empecé a dar una versión del todo distinta, semejante a su vez a la de los muchachos. Lo curioso fue que mientras luchaba por darle coherencia a mi relato, fui descubriendo que la versión que se me apareció como un flechazo, como un rompecabezas terminado, antes de entrar al palacete se había vuelto del todo incoherente. Salí de la delegación convencido de que la versión del crimen de los jóvenes y del pago de Dicent a Agustín para que me consiguiera era sólo una patraña de mi imaginación en esa noche absurda. El viejo se había suicidado. Esa era la verdad.

—Sírvete uno también —le dijo Zeta a Agustín—, es un brindis.

—Toma del mío —invitó el turista—. Es pulque.

Agustín extendió la mano y cogió, sin ocultar su gesto de asco, el trago que le ofrecían. Era el único sobrio del bar. Todos hicimos un brindis, luego otro, luego uno más. Agustín me miraba de reojo y con recelo. Parecía creer que me debía algo y no estar dispuesto a creer que era un favor. Estaba esperando agazapado a que yo diese mi golpe.

—Agustín ¿ha salido algo nuevo en los diarios hoy día? —le pregunté— ¿Ningún nuevo ahogado?

Pretendí tomar de un sorbo lo que me quedaba en el vaso, pero no pude. Agustín, después de mi frase, me había mirado con rencor y se había hecho hacia atrás. Yo me eché a reír.

—Otra vez la misma broma —reclamó Zeta—. Desde hace semanas le preguntas lo mismo al muchacho. Ya voy a creer que usted realmente cree que Busardo es un antro de perdición.

—No, por favor, nada más lejos de mí que pensar eso. Es sólo una broma, ¿verdad muchacho?

Le di una palmada en el brazo a Agustín. Dio un pequeño salto y se fue a la cocina sin dejar de mirarme. Bebí el último sorbo de mi trago. Le grité que me trajera uno nuevo. El volteó, me lanzó una mirada que pretendió ser penetrante, y siguió su camino a la cocina.

—Se nota que Agustín le ha cogido mucho cariño —dijo Zeta, mirando la escena.

—Y yo lo quiero como un hijo —le dije y lamenté no tener un trago para llevármelo a los labios y celebrar mi frase.

—Qué suerte tiene ese muchacho —dijo el mexicano—. Tiene dos padres, ni más ni menos.

Zeta celebró por los dos esa frase.

—Entonces, ¿listo para partir? —me preguntó Zeta.

—Listo. Más que listo —respondí, apurando mi martini—. Aunque quizá no parta hoy ni mañana. Uno termina encariñándose con ciertas cosas. Es algo así como "la ley de la vida".

Cuando terminé de hablar no pude reconocerme. ¿Por qué había dicho eso? No entendía nada. Quizá no debía beber más. Pero estaba feliz ¿por qué detenerme? Busqué con los ojos a Agustín.

278

—Caramba, entonces entendí mal —dijo Zeta—. Había oído que nos dejaba de inmediato. Hasta casi me sentía culpable de hacerle perder tiempo con mi cháchara sobre la política de Busardo.

Hasta hacía unos minutos, Zeta nos había estado contando al mexicano y a mí los problemas que tenían en la ciudad. El mismo cotilleo político que se olisqueaba en la ciudad y que, de pronto, había empezado a interesarme. Sin darme cuenta, mientras Zeta hablaba yo me ponía de su lado como un viejo de la ciudad. Descubrí entonces que estaba más enterado, e interesado en el asunto que lo que había previsto. Curioso, pues en mi vida universitaria jamás supe acerca de nada de eso, ni en Londres ni en mi país de origen.

—Así es —insistió Zeta—, pensé que le hacía perder el tiempo como le gusta perderlo a Agustín...

Zeta puso su vaso vacío de pulque frente a mí y fue a la cocina a pescar a su muchacho vagando.

—¿Tiempo? —pregunté a Zeta cuando volvía—. ¿Has dicho "perder el tiempo"? A partir de hoy el tiempo es lo que más me sobra. Es más, es como si recién hubiese empezado a correr el tiempo para mí. Sí, tiempo es lo que me sobra. Jamás vuelva a creer usted que está haciéndome perder el tiempo... ciudadano. Ilustre ciudadano, más bien.

El mexicano había llenado la copa de Zeta. Éste alzó su copa y brindó conmigo, halagado por el cumplido. El americano también brindó. Me acomodé el pañuelo que se había aflojado. Zeta cayó desplomado sobre la silla. Puso sus brazos sobre la mesa y hundió ahí su rostro. El mexicano, con la nariz encendida, hacía esfuerzos por no tropezar mientras se levantaba para ir al baño. Zeta desenterró su cabeza y me miró.

—Por lo visto estás dispuesto a derrocar al pintor del trono del extranjero más notable —dijo.

Agustín, desde la cocina, me miró detenidamente. Levanté el rostro hacia el muro y los árboles del palacio de Salvador Dicent. Y con la copa aún en alto, guiñé un ojo a Zeta.

—Totalmente dispuesto, puede apostarlo —dije—. Después de todo, hay cosas que no cambian, pero otras que siempre están cambiando.

—¡Gran frase! —gritó el turista, volviendo del baño, ya francamente borracho.

Zeta volvió a enterrar la cara en sus brazos y empezó a roncar. El mexicano estaba sentado, con los brazos caídos, y miraba con expresión bovina su vaso aún hasta la mitad. Yo supe que no podría levantarme de ahí, ni siquiera para ir al baño, sin caerme aparatosamente. Pero me sentía cómodo bajo el auspicio de la expresión del turista y el sueño de Zeta, los trajines de Agustín quien estaba limpiando las mesas dentro del bar, el sofía que venía más calmado desde la playa, las ruinas de la batalla de Busardo y el cadáver del héroe cuyo recuerdo nos debía acompañar aquel crepúsculo hasta la llegada de la noche de madera y el encendido de las fogatas. Pero antes de la noche, esa tarde, cuando la procesión había vuelto a pasar frente al Zeta y ya se internaba por Azul, por la vereda frente al bar paseaba la pequeña amiga de Agustín, canturreando con pésima voz —y sin asomo alguno de vergüenza por ello— del brazo de Durba. Llamaron a Agustín a gritos. El salió y les entregó las llaves de su motocicleta no sin antes hacerlos sufrir un rato. El estruendo de la moto espantó a un caballo hermoso, el más hermoso que había visto nunca, el mejor que iba a ver en mi vida. Todos, salvo aquel caballo, seguimos la ruta de la motocicleta por la Vía Dolorosa. La luz del atardecer había abolido en la muchacha la magia desmayada en sexo de sus doce años. Ahora era sólo una niñita jugando a que todos la desean, a que puede exigir caprichos y, a cambio, entregar el cofre insondable de su virginidad. Una niña que se ha pintarrajeado para ir al colegio, una niña disfrazada de vieja, puta de sí misma, queriendo crecer a contrapelo del tiempo quien, sardónico, irónico, haciéndose el ofendido, el que se demora, el que se resiste, va atrofiándole las arterias de grasa, las piernas de celulitis, y le regala unas nalgas anchas de pingüino y unas tetas caídas como perigallos de pezones negros. Ese tiempo que, maligno y contundente, le regala el sexo que ella confunde con una dádiva o un talento, y que mientras menos escondido se muestra está más oscuro y envenenado y cómico y fatal.

Desde la mesa del bar podía verse, aunque lejana, la sombra del océano. El mar aterciopelado, cisne, tiñe al cielo con su color y a la ciudad de una consistencia submarina, la lluvia delgada y chapucera que no tiene la decencia de convertirse en mar. En la arena de la playa se encendían las primeras fogatas. Algunos turistas empezaban a bajar hacia el Reposo. Me pareció divisar a las muchachas de la Vespa o unas idénticas. Recordé a Leopoldo, quien seguro ya había despertado de la siesta y estaba extraviado. Quizás alguien lo guiase hasta el Zeta. Quería cumplir con Leopoldo e irlo a buscar. O ir tras esas muchachas que, bien miradas, sin duda eran ellas. Pero no podía levantarme sin hacer un espectáculo. A mi lado, el mexicano y Zeta dormían. Yo, dulce y dignamente borracho, me quedé atado de pies y manos en esa silla que era lo único que no daba vueltas. Incapaz de moverme, miraba descender la oscuridad sobre Busardo con un cigarrillo encendido. La noche no se cerraba sobre la ciudad de lado a lado, como una puerta, sino de arriba a abajo como una cascada. Pensé que hacía mucho tiempo que Kaas había desaparecido de la vida real para elevarse, evaporada, a mi conciencia. Luego, abandonó mi conciencia para albergarse en mis recuerdos. De ahí se desplazó hacia mis sueños como un espectro hábil que sabe penetrar por grietas y resquicios. Y ahí, en mis sueños o mis pesadillas, se mantuvo por mucho tiempo hasta la última noche, esa última noche, la noche cien, la mil una, en que ya no soñé más.

EXORCISMO PÚBLICO

Es común que los autores exorcicen a sus fantasmas en privado. Sin embargo, como deferencia á la generosidad de mis posibles lectores, haré aquí un acto público de exorcismo a tres espectros. El primero es Lawrence Durrell. Su presencia es evidente y echa luz sobre la historia de este libro. La razón principal para que aparezca aquí es que él se propuso, en su famoso Cuarteto de Alejandría, hacer una investigación sobre el amor moderno. Sin modestia, también yo pretendo lo mismo. Durrell pudo salir bien librado de su investigación; yo no sé si tenga tanta fortuna. En todo caso, aseguro tajantemente que quien está realmente influido por Durrell no soy yo sino mi narrador. Si a alguien se le ocurre visitar las ruinas de Busardo quizá descubra que aquello que el narrador llama minarete es apenas una torre larga y sucia, que el aliento del sofía no es tan sabio como su nombre lo indica ni tiene ese aroma nostálgico que parece provenir más del Jamais de la vie, el perfume que gustaba tanto a Justine, que del mar, y que Salvador Dicent era en vida mucho más complejo que este remedo de Purserwarden. Como sea, la lección principal de Durrell está aprendida: traicionar aquello que se ama sin comprenderlo. Lección que resulta angustiante para mi narrador pues ¿qué podemos esperar de un historiador que traiciona incluso su historia personal? Todo historiador debería escribir su autobiografía como prólogo a sus investigaciones y someterla a juicio de veracidad antes de esperar que confiemos en la seriedad de su trabajo.

El segundo amable demonio exorcizado es Vladimir Nabokov, el genio.

Quizás algunos lo han reconocido en el aspecto físico de Dicent. Quizás otros lo han descubierto en sus aficiones científicas o en la aristocrática sangre rusa que para el narrador se hizo tan evidente. Quizás alguno incluso haya reconocido en algunos diálogos entre Dicent y el narrador citas textuales de Vladimir Nabokov en su libro de entrevistas Opiniones contundentes. *Las razones para que este espectro aparezca en la novela son dos. Primero, porque frente al escepticismo cáustico y apocalíptico de Purserwarden (una especie de Cioran incontinente) necesitaba oponer el risueño, orgulloso e intransigente escepticismo de Nabokov. Y en segundo lugar, porque para mí la vida de Vladimir Nabokov ha representado siempre una metáfora macabra del creador. Un artista aficionado a la lepidopterología no puede ser sino cruel. Si es capaz de crucificar con alfileres a una mariposa para echar un vistazo a sus testículos, ¿qué no hará este inmisericorde solipsista con el género humano?*

El tercer fantasma que exorcizaré, y el último lo suficientemente controlado como para hacerlo en público, es Kaas. Debo decir que no sé qué salió mal, por qué se fue. Quizá debí ser más valiente o más curioso que mi narrador y preguntárselo. Lo único que puedo decir con seguridad es que en el tiempo que estuvo a mi lado pude descubrir en mi personaje a una persona viva. No viva por entusiasta o bulliciosa. Kaas lo estaba en el único sentido en que alguien puede estar vivo: como un alma que sostiene un cadáver.

ÍNDICE